man Fantastique

幻想と怪奇 1

ヴィクトリアン・ワンダーランド
英國奇想博覧會

新紀元社

新創刊の辞

紀田順一郎
荒俣宏

雑誌「幻想と怪奇」が復活する。じつに四十五年ぶりである。こんなに長期にわたって休止していた雑誌もあるまいから、新創刊というのが適切かもしれない。それに、半世紀という歳月は、文学の環境を根本的に変えてしまっている可能性もある。新時代に向けての怪奇幻想文学に対する期待は、どのようなものだろうか?

第一次「幻想と怪奇」の創刊は、は一九七〇年代も半ばに近いころだったが、その刊行意図は、それまで不当な扱いを受けてきた幻想怪奇小説を見直し、時代に即した魅力的な文学ジャンルとして再発見し、紹介しようというものだった。日本流のいわゆる怪談文芸もよいが、それを超える異文化圏の、多様な作品を紹介したいと願ったのである。幸いに読者の共鳴を得たのは、文学のみならず〈幻想文化〉全体に目を配ることにより、未知の作品に寄せる期待感を盛り上げたからだろう。

その後幾星霜、現代においてこの種の怪奇幻想を主題とする雑誌が求められる条件は何か。社会背景一つをとっても、かつての急速な経済成長に伴う管理社会化と、そこから生じる人心的な歪み、日常的な抑圧、存在論的な不安は、現在は確実な病理現象となって社会のあらゆる場面に顕在化し、もはや人々の内面に

〈心の闇〉となって棲み着いているといってよい。幻想怪奇小説が追求する恐怖は、すでに現実によって超えられてしまったという考えが出るのは当然である。

しかし、このジャンルに関心を抱くものにとっては、恐怖は固有のものではなく、各時代において創造（想像）するものである。あらためて往年の幻想怪奇文学研究の古典となったルイ・ヴァックスの『幻想の美学』（一九六〇）の洞察を想起すると、恐怖の原型は人間の魂の奥処から生まれていたものではなく、恐怖こそがこうした原型をつくり出し、淵源をつくりあげ、「始めに恐怖ありき」と思わせるようにしたのである。したがって、現代における私たちのこの分野に対する要求は、恐怖をつくる物語がそのまま現実の恐怖を描き出したり、さらには歪んだ死の情念や生命への嘲笑を生み出したりするのでもない。つまり、時代に迎合する習俗としての恐怖ではなく、新たな創造としての幻想と怪奇を探求することにあるといえよう。

新しい雑誌の出発には理念や抱負が必要だ。先に第一次「幻想と怪奇」の目的を、幻想怪奇小説の再発見にあったと記したが、このたびの新創刊にあたっては幻想怪奇小説の新たな領域や多様性を探り、新時代にふさわしい創作分野としてその活性化の一翼を担いたいということに尽きる。それには、私たちの力をもってしても及ばないことも多い。幸いにして多くの熱心な方々および読者のご賛同が得られれば、これに超す喜びはない。

二〇二〇年二月

A Map of Nowhere

Illustrated by 藤原ヨウコウ

01:『吸血鬼ドラキュラ』のウィトビー

＊解説は19ページに

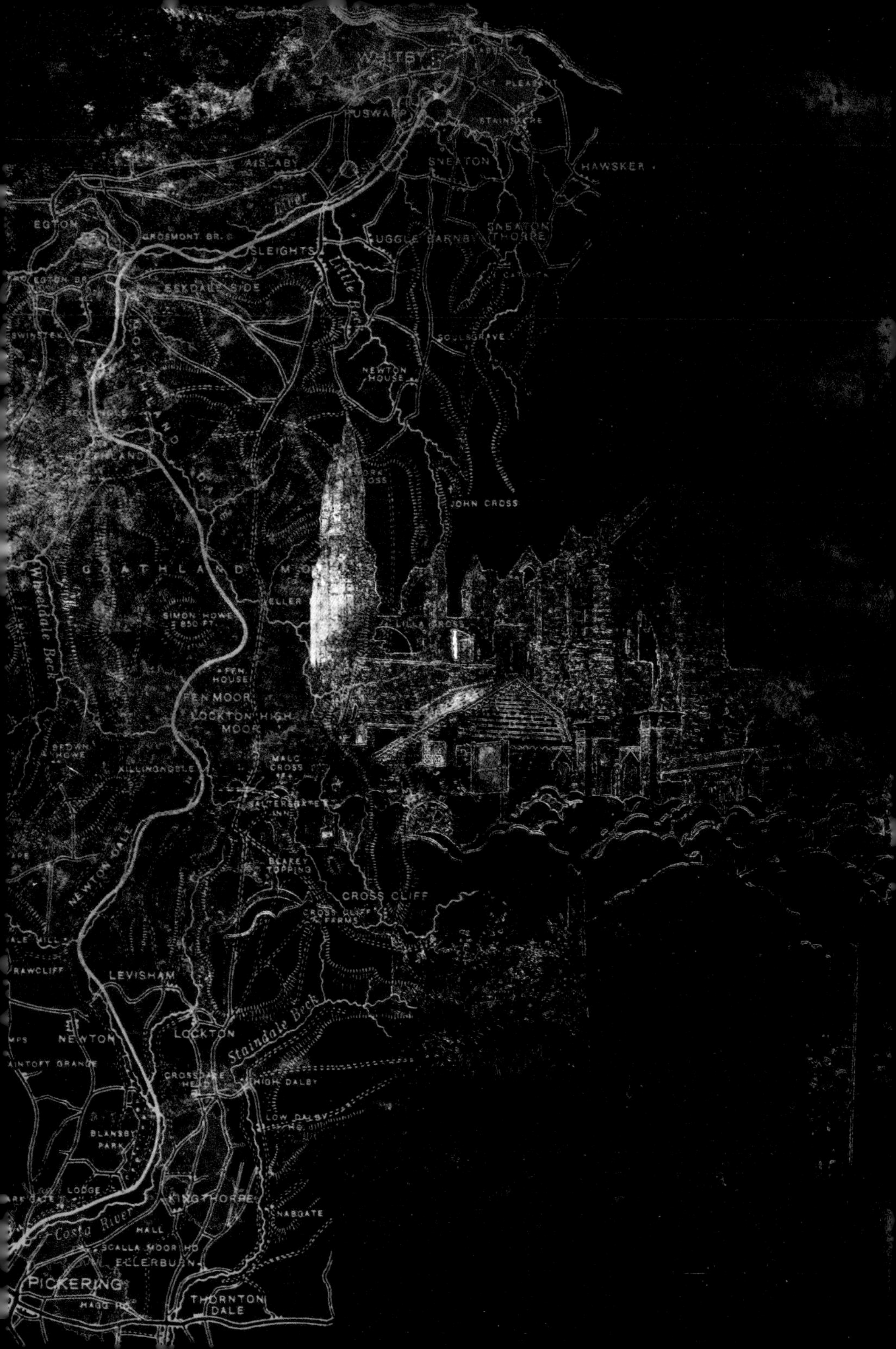
WHITBY
RUSWARP
AISLABY
SNEATON
HAWSKER
River
EGTON
GROSMONT BR.
SLEIGHTS
UGGLEBARNBY
SNEATON THORPE
ESKDALESIDE
Little Beck
SOULSGRAVE
NEWTON HOUSE
JOHN CROSS
GOATHLAND MOOR
Wheeldale Beck
SIMON HOWE 850 FT.
FEN HOUSE
FEN MOOR
LOCKTON HIGH MOOR
BROWN HOWE
KILLINGNOBLE
MALC CROSS
NEWTON DALE
BLAKEY TOPPING
CROSS CLIFF
CROSS CLIFF FARMS
RAWCLIFF
LEVISHAM
LOCKTON
Staindale Beck
NEWTON
AINTOFT GRANGE
HIGH DALBY
LOW DALBY HO.
BLANSBY PARK
LODGE
KINGTHORPE
NABGATE
Costa River
HALL
SCALLA MOOR HO
ELLERBURN
PICKERING
HAGG HO.
THORNTON DALE

ヴィクトリアン・インフィニティ

北原尚彦

ヴィクトリア女王が英国に君臨し栄華を誇った、〝ヴィクトリア時代〟(一八三七〜一九〇一)。イングランド島のみならず、大英帝国及びその植民地として世界中にその覇権を拡げていた。ディケンズやワイルドなどの文豪から切り裂きジャックのような殺人鬼に至るまで、その時代を特徴付ける人物たちが次々に登場した。シャーロック・ホームズのような名探偵や、ドラキュラ、ジキル博士&ハイド氏、透明人間など創作上の怪人たちが生み出されたのも、この時代である。

それは変化の時代だった。前世紀から始まった産業革命がピークを迎えて工業製品が普及。電報や無線通信の発達による情報伝達が加速。鉄道網が広がり、都市間の交通の移動スピードが一気に速くなる。それによって、旅行ブームというものまで巻き起こった。

近代的な建築物であるクリスタル・パレスが建てられ、世界各国の事物を集めた万国博覧会が開催された。

文化の花咲いた時代でもあった。様々な文学作品はもちろん、ウィリアム・モリスの美しいデザインも生まれた。ファッションにおいても、コルセットやクリノリンやバッスルなどによって、女性の服装は変化していった。

昨今、我が国でもヴィクトリアン文化の人気が高まり、当時の事物に関するヴ

万国博覧会(1851)パンフレット

ヴィクトリア女王(在位1877-1901)

イジュアルな解説書も次々に刊行されるようになってきた。ファッションやライフスタイルや建築物だけでなく、使用人（メイドや執事）、社交界での流儀、細かいインテリアに関するものなど細分化し、イメージを喚起するのに非常に役立つ。テレサ・オニール『ヴィクトリアン・レディーのための秘密のガイド』（東京創元社）のように、ヴィクトリア朝女性の本当の姿（トイレから夜の生活まで！）を詳細に紹介した本も邦訳刊行されている（本書は本当に面白くてためになるので強くお勧めしておく）。

ヴィクトリア時代に生み出された作品が邦訳刊行されるのはもちろんのこと、ヴィクトリア時代を舞台にした作品が新たに次々と創作される。特に怪奇小説・ファンタジイ・ＳＦ・探偵小説の分野においてそれは著しい（他人事のように述べているが、かくいう自分もそんな創作者のひとりである）。

――この時代は、どうしてそこまで我々を魅するのか。

ヴィクトリア時代は大きな変化の過程にあり、様々な「両極」のものが入り混じっていた。科学が急速に発展しているのに、心霊術が流行し降霊会があちこちで開かれた。鉄道網は発達したが都市交通のメインはまだ馬車であり道路には馬糞がごろごろと転がっている。土木技術の進歩により地下鉄が普及し始めたが、トンネルの中を走っているのは蒸気機関車だった。医学も近代化しているのに、犯罪を起こす人間には身体的・精神的な特徴があるとして犯罪者の肉体を測定していた。

この時代の人々には、貞淑さというものが要求された。早くに夫を亡くし喪服に身を包み続けたヴィクトリア女王が、正にその代表である。その一方で、エロティックな文化も花盛りだった。上流階級向けの娼館はもちろん、下層階級向け

ピカデリー・サーカス（1892撮影）

の街頭娼婦まで。『パール』『オイスター』などのポルノ雑誌や、秘かに売買されるヌード写真。これぞ「本音と建前」だ。

正にスティーヴンスン『ジキル博士とハイド氏』のように、当時の人々自身が二面性を持ち合わせていたのだ。

そんな二面性の混沌ゆえに、ヴィクトリア時代には「何が起こっても不思議はない」雰囲気が生み出されたのだ。そんな空気の中、当時の英国は幾度も未曾有の出来事に襲われてきた。

火星から襲来したウォー・マシンに蹂躙されたり（H・G・ウェルズ『宇宙戦争』）。

ドラキュラに敗北して吸血鬼に支配されたり（キム・ニューマン『ドラキュラ紀元一八八八』）。

モリアーティの暗躍によりゾンビが蔓延《はびこ》ったり（エジントン&ファブリ『ヴィクトリアン・アンデッド　シャーロック・ホームズvs.ゾンビ』）。

殺人鬼が連続して娼婦を殺害しロンドンをパニックに陥らせたり（切り裂きジャック——これは我々の時間線）。

——このようにヴィクトリア朝においては、怪人が登場するのも、奇怪な出来事が発生するのも、ごく当たり前のことなのだ。こんな雰囲気こそが、我々がこの時代に魅せられる第一の要因だとわたしは考えている。

ガジェットも魅力的だ。濃い霧に覆われた街。その霧に浮かび上がるガス燈。石畳をがらがらと走る馬車。煙を吐き疾駆する蒸気機関車。現代日本に住む我々からすれば、これらはもう既に一種の異世界、ファンタジイ世界なのである。

歴史そのものすら揺らぐ。異星から来訪した人ならざるものが英国を支配し、

『宇宙戦争』原書（E・ゴーリー画）

『ドラキュラ紀元一八八八』原書

『ブックマン秘史1』原書

モリアーティが首相を務めていたり（ラヴィ・ティドハー《ブックマン秘史》三部作）。我々の世界では技術的問題で実際には製作されなかったチャールズ・バベッジ設計のマシン（コンピュータの元祖）が完成し、蒸気機関が世界を支配していたり（ウィリアム・ギブスン&ブルース・スターリング『ディファレンス・エンジン』）。

どのような奇想天外な発想すらも受け入れてしまうもの、無限の可能性をもつもの――それがヴィクトリア時代なのである。

ジョン・テニエル描く〝切り裂きジャック〟
（『パンチ』1888年9月29日号より）

幻想と怪奇1
ヴィクトリアン・ワンダーランド　英國奇想博覧會

目次

表紙：ひらいたかこ（Pen Studio）
装丁：YOUCHAN（トゴルアートワークス）
『幻想と怪奇』題字：原田治

巨匠たちの奇想と怪異

失踪クラブ

The Lost Club

アーサー・マッケン By Arthur Machen

植草昌実 訳

アーサー・マッケン(一八六三―一九四七)は、イギリスの辺境に生き続ける神秘の存在を描いた「パンの大神」(一八九〇)や、詩人の苦悩に満ちた短い生涯を描く『夢の丘』(一九〇七)などの作品を、平井呈一が熱心に紹介し、《アーサー・マッケン作品集成》全六巻(牧神社)を編纂、翻訳したことから、日本でも古くから知られている。

《集成》には選ばれなかった小品をここに紹介しよう。スティーヴンスンの『自殺クラブ』(一八七八)を連想させる無気味な本作は、雑誌*The Whirlwind*の一八九〇年十二月二十日号に掲載された。なお、同誌はこの前週号に「パンの大神」を掲載している。

暑さの堪える八月の午後、生粋のロンドンっ子の最後の生き残りと呼ぶに似つかわしい、良い身なりの青年紳士が一人、ピカデリー・サーカスの外れから現れると、人影もまばらな通りをぶらつきだした。このような人士の慣習どおり、たとえここが荒野《あれの》であったとしても、身に着けたものにはわずかな隙もない。しっくり身についた、洒落たフロックコートの襟元には、赤と黄色も鮮やかな花が、我こそカーネーション、と名乗りをあげんばかり。帽子は塵一つなく、靴は磨き上げられ、顎にはきれいに剃刀をあててある。ズボンの裾は、何週間も雨に出合っていないと言いたげにきちんと折り返され、金色の握りのステッキを持つ手からさえ教養が滲み出しているかのようだ。だが、悲しきかな！　六月はとうに去ってしまった。緑なす木々の葉に日の光がきらめき、軒を連ねる店は賑わい、辻馬車は通りに列をなし、客席の娘たちは笑顔を向けてきた、あの六月は。青年はため息をついた。思い浮かぶは、〈不死鳥亭《フェニックス》〉で静かにしたためる約《つま》しい晩餐や、ロットン・ロウとかハーリンガム・クラブへの道すがらとかでの知人との出会いや、気心の知れた朋輩《ともがら》との陽気な夕食。目を上げると、座席が半分も埋まっていない乗合馬車が通りの真ん中をゆっくりがたごと進んでいき、〈白馬酒房《ホワイトホース》〉の前では四輪馬車が停まり（そして馭者は車上で居眠りをし）、〈バドミントン〉は日よけを下ろしたままだった。ホテル・コスモポールの先には〈野茨《ブライアローズ》〉の優美な佇まいを見せているはずだ。もっとも、このピカデリーに美しいものがまだ残っていたとしても、とうに眠りについていることだろうが。

憂いに沈むあまり、不運なる青年は通りの反対側から、自分とまったく同じ様子の者が来るのに気づきもしなかった。カーネーションは鴇《とき》色、ステッキの握りは銀色で、彼との違いといえばそれくらいしかない。二人は出会った。同時に目を上げ、互いの前にいる身なりの良い男に気づくと、古式に従って挨拶を交わした。

「これは奇遇！　きみはまた、こんなところで何を？」

ハイドパークの方から来た紳士は、答えてこう言った。

「いやあ、実はね、オースティン、そうそう出歩けないんだ――つまりその、法務がらみでね。きみはスコットランドじゃなかったのかい？」

「おや、またも奇遇か。こちらも法務がらみで遠出できなくてね」

「きみもかい。まったく、嫌になるね。こういうものはどうも、やってもキリがないように思えてならないよ」

「まったくだ！　今もそう思っていたところさ」

そこでミスター・オースティンは、しばし黙り込んでから、こう口を切った。

「ところで、どこへ行くのかい、フィリップス？」

活発な会話が始まった。共に法務に携わる身、傍目には眉のあたりに重ねた歳月がほの見える二人だが、その下の目には若い光が宿っていた。

「どこというほどのものでもないよ。〈アザリオ〉でひとり静かに食事でもしようか、と思っていたくらいでね。〈バドミントン〉は補修工事か何かで休みだし、〈ジュニア・ウィルトン〉までは持ちそうにない。どうだい、付き合わないか」

「それは結構。喜んで御一緒させてもらおう。事務弁護士から連絡があるかもしれないが、返事は待たせておけばいい」

「そうとも。待ってもらおう。サラダオイルの壜に入ったイタリア・ワインでも一杯やろう」

そして、肩を並べて向きを変えると、さまざまに思いを巡らせながら、二人はサーカスに向かってまっすぐ足を運んだ。そして小さな料理店での食事をしんそこ楽しみ、キャンティのワインをたんまり飲んでさらに楽しみを増した。

「なんとも軽い口当たりだ」と言うフィリップスにオースティンも同意し、二人で一クォート壜を空けてしまうと、食後には緑のシャルトリューズ（カルトジオ修道会に伝えられるブランデーに薬草を加えたリキュール）を二杯ずつ飲んだ。店を出て、静まり返った通りで葉巻を吹かすと、「法務」なる仕事の奴隷であった二人は何を見ても夢見心地の上機嫌になり、街灯にぼんやりと照らし出された通りは浮き世とも思えず、晴れた夜空にひとつ輝く星はオースティンの目にはシャルトリューズの緑に映った。フィリップスにも同じ色に見えたようだ。「なあ、きみ」フィリップスは言った。「奇妙なことが起きるなんて、本や雑誌の小説の中くらいだと思ってはいないか。わが友オースティンよ、ぼくが見聞きしたことときたら、小説が書けそうなほどさ」

二人連れは、通りから通りへとあてどなく逍遥しつつ、声高に言葉を交わした。南の空から雲が広がって空は暗くなり、大粒の雨がぽつぽつ降りだしたかと思うや、すぐさま無慈悲なまでの土砂降りとなった。溝は溢れ、雨は敷石を叩いて跳ね上がる。二人の男は急ぎ足になり、口笛を吹いたり呼びかけたりして辻馬車をつかまえようとしたが、無駄骨に終わった。あっという間にずぶ濡れだ。

「ところで、いったいここはどこだ？」フィリップスが言った。「まったくもって、見当もつかない。オックスフォード通りみたいな気もするが」

連れだってさらに足を進めると、ありがたいことに雨を避けられるアーチ道の入口が目に入った。先は暗いが、通路か中庭につながっているのだろう。二人がものも言わずに入ったのは、感謝を言葉にしようがなかったからでも、口もきけないほどの濡れ鼠だったからでもある。オースティンは難破船のようになった自分の帽子を見つめ、フィリップスは打ち拉《ひし》がれたテリア犬のように震えていた。

「災難にもほどがある」フィリップスがぼやいた。「辻馬車がつかまえられさえすれば済んだのに」

オースティンは通りに目をやった。雨は音をたてて降り続け、止む気配もない。道の奥をうかがうと、先には大きな屋敷が雨空を背に黒い影を浮かべているのに気づいた。真っ暗なようだが、鎧戸の隙間から明かりが漏れている。こちらをぼんやり見ているフィリップスに屋敷を指し示すと、彼は球に大声をあげた。

「驚いたな！　ここには見覚えがあるぞ。よくは知らないが、ウィリアムズにつきあってこのあたりに来たとき、この道の先にクラブかなにかがある、と言っていた。やつがどう言ったのかは思い出せないがね。おや！　そこにいるのは当の本人じゃないか。おおい、ウィリアムズ、ここはどこなんだ？」

現れた紳士は二人がいるのにも気づかず、暗い歩道を足早に歩み去ろうとした。が、声をかけられて振り向き、迷惑そうな目を向けた。

「おや、フィリップス、こんなところで会うとは。こんばんは、オースティン。どうしたんだ、二人ともずぶ濡れじゃないか」

「御覧のとおり、ずぶ濡れさ。この雨にやられてね。この先にクラブがあると前に言っていたよな。きみが会員だったら、ちょっと助けてはもらえないか」

ミスター・ウィリアムズは二人の青年のみじめなさまをじっと見てためらったが、こう言った。

「ああ、きみたちさえ良ければ、ついてくるといい。だが、ひとつだけ条件をつけさせてくれ。きみたちの名誉にかけて、クラブで見聞きしたことは何事であれ、誰が相手であっても決して口外はしないように」

「もちろんだとも」オースティンが答えた。「寝言にだって言うものか。なあ、フィリップス？」

「言わないさ。心配無用。ウィリアムズ、案内してくれ。われわれは秘密を守る」

一同はゆっくりした足取りで、屋敷までの歩道をたどった。屋敷はとても大きく、古かった。前の世紀までどこかの国の大使館だったような構えだ。ウィリアムズが口笛を鳴らし、扉を二度叩いてからまた口笛を鳴らすと、黒い服の男が扉を開いた。

「御友人方でいらっしゃいますか、ミスター・ウィリアムズ」

ウィリアムズがうなずくと、一同は中に通された。

「気をつけて」一つの扉の前に立ち止まると、ウィリアムズは言った。「誰もきみたちを気にはしない。きみたちも、誰にも注意を向けないように」

二人の客人がうなずくと、彼は扉を開き、電灯が明るくともる広い部屋に通した。中には、姿勢よく立っている者も、歩いている者も、小さなテーブルの前で煙草をふかしている者もいた。どこのクラブの喫煙室とも変わりがない。声をひそめて話している者たちもいるが、口をつぐんで部屋の反対側にある扉に目を向けては、また会話を続けている。何者かは知るよしもないが、誰かを待っているのは確かだ。オースティンとフィリップスは、ただ呆然とソファに座っているばかりだった。部屋にいる者の一人残らず、どこかしら見覚えがあったからだ。ひとかどの人物ばかりが集まるとは、なんとも奇妙なことだ。若い貴族が何人か、莫大な資産を得たという青年、近頃注目の芸術家や文学者が三、四人、名高い俳優が一人、著名な聖職者まで顔を揃えている。これはどういうことか。名士貴人はそれぞれの場に落ち着いており、一堂に会するようなものではない。突如、ノックの音が響き渡った。皆が皆、扉を注視し、座っていた者は起立した。召使が入ってきた。

「皆様、会長がお待ちです」召使はそれだけ言って下がっていった。

会員たちは列をなして部屋を出はじめ、ウィリアムと二人の客人も後に続いた。移った部屋は先の部屋よりも広いようだったが、ほとんど真っ暗だった。会長は長いテーブルに一席を占め、その前には二本の蠟燭が、ただ彼の顔だけを照らすためだけに灯っている。その顔は誉れ高きダーティントン公爵、イングランドきっての大地主のものだった。会員たちが部屋に入るや、冷厳な声が響いた。「諸君も承知の規則どおり、本を用意した。黒いページを開いた者は当会からも私からも自由になる。始めよう」よく通る低い声が会員の名を呼ぶと、呼ばれた者はテーブルまで行き、燭台のあいだに置かれた黒い表紙の大きな二つ折り本《フォリオ》を、無作為に開いた。薄暗いので一同の顔もよくは見えないが、フィリップスは傍らに呻き声を聞き、その主が古い友人であるのに気づいた。その顔は引き攣り、恐怖を露《あらわ》にしていた。一人また一人と、会員たちは本を開いていく。そして、開いた者はもう一つの扉から出ていった。残るはただ一人、フィリップスの旧友になった。テーブルに向かう彼の口角には泡が浮かび、ページを開く手は震えていた。ウィリアムは会長に何か話しかけたあと出ていったが、客人たちのそばに戻った。そして、苦悩の呻きをあげ、テーブルに手をついて身を支えている不運な男に歩み寄ろうとする二人を、かろうじて押しとどめた。彼が開いたのは、ただ真っ黒なだけのページだった。「すまないが、御同行をお願いするよ、ミスター・ドビニー」会長は男に声をかけ、二人で部屋を出ていった。

「行こう」ウィリアムズが言った。「もう雨も止んだことだろう。約束は忘れずにいてくれたまえ。『失踪クラブ』の会合に参加したのだからね。きみたちがあの青年に出会うことはもうないだろう。では、お気をつけて」

「殺されてしまったのか？」オースティンが声を絞り出した。

「まさか、それはないさ。ミスター・ドビニーは生き続けると、私は信じている。彼は失踪した。ただいなくなっただけだ。さあ、帰りたまえ。辻馬車を拾うといい」

二人は黙りこくったまま帰途についた。その後、三週間ぶりに出会ったというのに、今は互いに青ざめた顔で震えている。ピカデリーを通るあいだも陰鬱に顔を俯《うつむ》けて、あの怖ろしいクラブのことを思い出さないようにしていた。フィリップスが驚いたか、突然立ち止まった。「見たまえ、オースティン」小声で言う。「ほら、あれだ」夕刊紙のポスターが歩道の脇に並んでいる中に、オースティンは大きな青い文字を見つけた。《紳士、謎の失踪》。一部買うと、震える手で広げ、短い記事を見つけた。


サセックスはストーク・ドビニー在住のセントジョン・ドビニー氏が不可解な失踪を遂げた。氏は仕事のため、八月十六日にスコットランドのストラスドンからロンドンに来た。当日、キングズ・クロスに到着後、氏は車でピカデリー・サーカスに出かけた。その姿が最後に目撃されたのはグラスハウス・ストリートからリージェント・ストリートに入り、ソーホー方面に向かうところだったという。ロンドンの社交界でも交友の広かった氏は、この日以降消息を断っている。氏は九月に結婚を控えている。警察からの発表はない。


「なんということだ！　オースティン、怖ろしいことになったぞ。日付を見ただろう。まったく、不憫なやつだ！」

「フィリップス、もう帰ったほうがよさそうだな」

その後、ドビニーの名を聞くことはなかった。だが、この奇妙な物語には、続きがある。二人はウィリアムズの家を訪れ、失踪クラブの会員であること、ドビニーの受難に荷担したことについて詰問した。ところが当のミスター・ウィリアムズは落ち着きはらって、この実直な二人の青白い顔をしばし見ていたが、とうとう堪えきれず高笑いをした。

「いやまったく、きみたちは何を言っているんだね。与太話にもほどがある。フィリップス、たしかにきみが言ったとおり、ソーホーを歩いているときにあるクラブに八月の半ば、日付はよく覚えていないがたしか十六日にウィリアムズに会っている、とフィリップスに話したので、彼の証言は裏付けられた。失踪クラブなるものはありもしないのだろうが、名士貴人の失踪は後を絶たない。

ついて教えたことはあった。クラブといっても、ドイツ人の給仕たちが出入りする、柄の悪い賭博クラブだったがね。二人そろって〈アザリオ〉のワインに相当酔っていたのだろう。だが、思い違いは訂正してもらわなくてはな」

ウィリアムズはすぐに従者を呼び、彼は八月のあいだ主人のカイロ滞在に同行していたと証言したうえ、宿泊先のホテルの領収書を出してみせた。フィリップスはかぶりを振り、オースティンを連れて退出した。次の手は、雨を逃れたアーチ道を当たることで、少々手間は取ったが見つけられた。あの暗い屋敷の玄関で、ウィリアムズがしたように口笛を吹き、扉を叩いた。白いエプロンを着けた職人が礼儀正しく二人を迎えたが、口笛で呼び出されたのに驚いている様子だった。二人を間違って訪ねてきた酔漢だと思っているようだ。この屋敷は長年のあいだ撞球台の工房であるという（あとで近所を尋ねてまわり、それが間違いないことを確かめた）。部屋はもとは広かったのだろうが、今は木の板で仕切りを入れて、三つか四つの作業場になっていた。

フィリップスはため息をついた。失踪した友人にしてやれることはもうない。彼もオースティンも納得してはいなかった。だが、ヘンリー・ハーコート卿がカイロで

〈A Map of Nowhere〉解説

『吸血鬼ドラキュラ』のウィトビー

イングランド北東部、ノース・ヨークシャーの港町ウィトビーは、ブラム・ストーカーの『吸血鬼ドラキュラ』の舞台と一つとして印象深い。弁理士ジョナサン・ハーカーの婚約者ミナ・マリーが、親友のルーシー・ウェステンラと共に夏を過ごす間、嵐の夜にドラキュラを乗せた船が漂着するのだから。

舵を失ったかのように漂う船を沖合に見た老人や巡査の不吉な言葉を書き留めたあと、ミナは日記に地元紙の切り抜きを貼り付けた。その記事の、船が着岸するあたりの様子には、こう書かれている。

「（前略）探照灯のぎらつく光芒の中に、問題の船の舵輪部に、首をダラリと下げた一人の死人がひっかかっていて、船体の揺れるのといっしょに、ブランブラン動いているのを見たからであった」（平井呈一訳）

死者の両手は数珠《ロザリオ》と細い縄が骨に食い込むほど、舵輪に縛りつけられていた。そして船が浜に乗り上げ大破したとき、巨大な犬が甲板から砂浜に飛び降り、断崖を駆け上って闇の中に消えていく。

ドラキュラ英国上陸の瞬間は、新聞記事のそっけない書きぶりでありながら、序盤での怖ろしくも忘れがたい場面の一つといえるだろう。

現在のウィトビーを、私たちはインターネットの画像で見ることができる。ウィットビー修道院も、ミナとルーシーが地元の老人と言葉を交わした墓地も、謎のロシア船が入ってきた入り江も、ブラム・ストーカーがこの作品の構想を練りつつ散策していたときに見た、そのままにあるかのようだ。

ドラキュラとの縁で、ウィトビーでは一九九四年からロック・イベント「ウィトビー・ゴス・ウィークエンド」が開催され、春と秋はゴス・ファッションやスチームパンクのコスチュームの人々で賑わう。二〇〇七年十月には、二ヶ月前に「ゴスだから」というだけで少年たちに殺されたソフィ・ランカスター（享年二十歳）を追悼。彼女の名を刻んだベンチが、今もこの町にある。（M）

ソフィの事件を取り上げた
Kerrang!誌1683号（2017）

巨匠たちの奇想と怪異

奇妙な写真

The Photographs

リチャード・マーシュ　Richard Marsh

高澤真弓 訳

リチャード・マーシュ（一八五七―一九一五）は、ヴィクトリア朝後期に人気を博した大衆小説の作家である。とりわけ怪奇探偵小説『黄金虫』（一八九七）は、同年に刊行されたブラム・ストーカーの『吸血鬼ドラキュラ』とベストセラーの上位を競うほどの好評を博した。

未訳の多いマーシュの作品から、今回ここに掲載するのは、技術の進歩とともに広く普及しだした写真機に題材を得た、後年のアメリカのＴＶドラマ「ミステリーゾーン」を思わせる奇談。一九〇〇年の短篇集*The Seen and the Unseen*に収録された。服役中の青年を撮影した乾板から浮かんできたのは……

第一章

ドズワース氏が入って来ると、刑務所長はちらりと目を上げた。

「何か問題でも？」

「問題というより、ジョージ・ソリーの写真に、ちょっとおかしな点がありまして。少しお時間をいただけるなら、お見せしたいのですが」

ドズワース氏は手帳を取り出し、中から一枚の写真を出した。囚人服を身にまとった男が写っていた。椅子に坐り、胸の前に両手で石板を持っている。そこには大きな文字で『ジョージ・ソリー』と書かれていた。ドズワース氏は写真を刑務所長に渡した。

「で、ドズワース君、これのどこが妙なんだね？」

「なんとも妙なものが写っているように見えるんです。所長もよくご覧になれば、男の後ろに何かがあるのが、おわかりになるはずです」

　ペーリー氏は、眼鏡をかけた目に写真を近づけた。

「なるほど――影のようなものがあるな。それで？」

「その影が、人の姿によく似ていることにお気づきになるはずです――まるでぼんやりとした人影が、ソリーの背後に立っているようだと」

「確かにそうだ！　人の姿に見えなくもない。でも、それがどうしたんだ？」

「そこなんです、妙なのは。ソリーの後ろには、誰も立っていませんでした。誰一人、何一つなかったんです」

「きみが何を言わんとしているのか、どうもわからんな、ドズワース君」

「もう一度、この男の写真を撮る許可をいただきたいんです」

「もう一度！　どうしてまた？　この写真のどこが不満なのかね？」

「写真としては、必ずしも悪くはありません。といって、上出来でもない。説明させていただけますか？　あの日は、撮影には絶好の日でした。ソリーが坐っていたのは、いつもみんなが坐る、壁から十四、五フィートほど離れた場所です。壁とソリーの間には何もありませんでした。写真乾板上には、ソリーしかいないはずだったんです。それなのに、あのぼんやりした人影がどうやって入り込んだのか、私はそれが知りたいんです」

「ぼんやりとした人影だって！　きみはこれを人の姿だと言うのか？　そんなふうに見えるからといって、それはちょっと考えすぎじゃないのか？」

「いいえ、所長、そうは思いません。焦点があまり合っていないのでいくぶん不鮮明ではありますが、ぼんやりとした人影が、私の写真乾板に入り込んだことにまちがいありません。ジョージ・ソリーの背後に人影が立っていたんです。是非とも、この男をもう一度、撮らせていただけないでしょうか」

「きみね、それは興味本位じゃないのか？　受刑者の経費できみに実験をやらせることが正当だと言う自信は、私にはないな。スコットランドヤード（ロンドン警視庁）が、このソリーの写真を欲しがる理由はわからない。彼は初犯で模範囚だ。そんな彼に、きみがかけなくてもいい面倒をかけるのを許す権利が私にあるとは思えんね」

「でも、もう一度撮らせてもらえれば、問題はすぐに解消されるかもしれませんよ」

ちょうどその時、リバーモア医師が回診から戻って来た。彼は刑務所長に手を伸ばした。

「僕にも見せてくれ」

ペーリー氏は写真を渡した。医者はじっくりと写真を見た。

「ドズワース君、きみは、この写真乾板を露出した時、この男の後ろには何もなかったと言っているわけだね?」

「そうです。マリーさんに訊いてみてください。彼はその場にいましたから」

横に立っているマリー看守長は、ドズワース氏の言葉を裏付けた。

「では露出した後に、その写真乾板に何をしたんだ? つまりだね、ドズワース君、僕にはどうもこれが、いわゆる心霊写真と呼ぶようなものに見えてしかたないんだ——何を言っているかわかるね——二枚を合成するとか、何かそういうことをやった写真だ」

「おっしゃることはわかります。でも、先生、断言します。その写真は、マリーさんの立ち会いの下で露出した乾板を、通常通りに現像したものです。私には不思議でならないんです。そのぼんやりした人影は、どうやって乾板上に映り込んだのでしょう?」

「まったくもってそうだ! きみの言う通りだとしたら、実に不思議だ。ペーリーさん、ドズワース君にもう一度やらせてみてはどうだね。別にかまわないじゃないか」

刑務所長は撮影を許可した。数日後、ドズワース氏が執務室にやって来た時、ペーリー氏は、行状を報告された囚人や陳情を希望する囚人たちとの朝の面談を、ちょうど終えたところだった。そこに、回診をすませたリバーモア医師も報告書に署名するためにやって来た。

「さて、ドズワース君」所長が尋ねた。「今回の結果はどうだった?」

「結果をお見せする前に、いくつか質問したいことがあります」ドズワース氏は、看守長のマリーに顔を向けた。マリーは、役目上、所長が面談を行っている間、ずっと部屋に控えていた。「私がジョージ・ソリーを撮影している時、あなたはその場にいましたね?」

「はい、いました」

「それに、きみもそうだね、スレーター?」ドズワース氏は、連れ立ってやってきたウォーダー・スレーターを振り向いた。スレーターは、いたことを認めた。

「マリーさん、その時、ソリーはどこに坐っていましたか?」

「みんながいつも坐っているところです――壁から二十フィートぐらい離れた場所です」

「ソリーの後ろに何かありましたか――つまり、人とか物とか?」

「何もありませんでした」

「何かあったけれど、そのことにあなたが気づかなかった可能性はありますか?」

「とんでもありません。晴れた日の午後二時半でしたし、私はソリーの左側、十二フィートも離れていないところに立っていましたから」

「スレーター、マリーさんの言っていることにまちがいないかい?」スレーターは、まちがいないと答えた。ドズワース氏は刑務所長に顔を向けた。「ペーリーさん、私はあなたの目の前で質問をしました。なぜなら、ソリーの二回目の写真撮影の結果は、とても奇妙なものだからです。私は許可をいただき、十分な撮影を行いました。今回は何一つ疑念を残すまいという覚悟で臨み、三枚の乾板を露出しました。まずこれをご覧ください」

ドズワース氏は、刑務所長に一枚の写真を渡した。

「きみという人がどうもよくわからんな、ドズワース君。これはソリーの写真なのか? 椅子の後ろに立っている女は誰なんだ?」

「まさにそこなんです――それが知りたいんです。椅子の後ろに立っている女は、誰なんですか?」

ペーリー氏は、驚いて彼を見上げた。「どういう意味だね、ドズワース君?」

「冗談を言っているわけじゃありません――椅子の後ろに立っているその女が誰なのかが知りたいんです。マリーさん、あなた、椅子の後ろに女が立っているのを見ましたか?」

「女の人はいませんでした」

「マリーさんは、女はいなかったと言っている。でもカメラは、いたことを示しているように思えるんです」

「ちょっと見せてくれ」

医者は刑務所長の手から写真を取った。囚人服を着て椅子に坐り、石板を持っている男が写っていた。石板には、見まちがいようのない文字で、『ジョージ・ソリー』と書かれている。彼が坐っている椅子の後ろに、一人の女が立っていた。その姿勢は――平凡な写真家にとって大切な『死んでも動くな』的なものではなく（乾板時代の写真は露光時間が長く少し動けばぶれた）――不思議なくらい自然だった。片手を男の肩に軽くのせ、彼が手に持っている石板に何が書いてあるのか知りたがってでもいるように、ほんの少し前かがみになっている。顔立ちはあまりはっきりしなかったし、彼女に関して言えば、その姿自体がなんとなくぼやけていた。それでも、そこにいたという事実に、疑いをさしはさむ余地などありえなかった。

「ドズワース」医者は言った。「きみは、新たに発案した方法で心霊写真を撮ろうとしていたわけではない、と言うつもりなのか？」

「先生、誓って、そんなことはしていません。家に戻ってすぐに写真を見て、女が立っているのを目にした時は、なんというか――吐き気がしたと正直に申し上げます。その写真と、ほかの二枚も持参しました。いやしくも写真の知識のある人間なら、一目見ただけで、どれも最初の露出から何も手が加えられていないことがわかるはずです。今、先生が手にしていらっしゃるのが一枚目の乾板を現像したもので、ペーリーさん、これが二枚目からとったものです」

ドズワース氏はペーリー氏に二枚目の写真を渡した。一枚目と同じ構図だったが、ただこの写真では、女は、男が坐っている椅子の後ろではなく、彼の横で床に膝をつき、石板に書かれた文字を覆い隠すように片手を伸ばしていた。

「おわかりでしょう」ドズワース氏は注釈を加えた。「彼女は、受刑者の名前を隠しているんです」

「ドズワース君、こんないかさまが通用すると、きみは本気で思っているのか？」

「ここにはマリーさんもスレーターさんもいます。二人ともあの場にいたんです――二人に訊いてください！　私は写真をまっすぐ家に持ち帰りました。それらは今、あなたの目の前の机にあります。あなたが手に持っていらっしゃるのは、私が露出した二枚目の乾板から、いつもの手順でいつも通りに焼き付けたものなんです」

「ではきみは、今回、何か超自然的なことが起こったと思ってほしいと、そういうわけなのか？」

ドズワース氏は肩をすくめた。

「結論を下すのは私ではありません。私は一介の写真屋ですから。カメラが撮った結果をあなたの目の前に並べること、それが仕事です。これが三枚目の乾板からとったものです、ペーリーさん」

ドズワース氏は、三枚目の写真を刑務所長の前に置いた。

「いやはや、ドズワース君、もういい加減にしてくれ！　これを見て、私がジョージ・ソリーの写真だと思うとでも？　なんだねこれは、彼の姿はどこにもないじゃないか！」

「その通りです——女がソリーの前に立ちふさがって、男の姿を完全に隠しているんです」

「では、彼は女の後ろにいると推察してほしいと？　スコットランドヤードの連中は、サム・ウェラーが言っていた拡大鏡がいるだろうね、この写真が大いに役立つようなことがあれば」

「もう一度申し上げます、ペーリーさん、私はあなたに推察してほしいとは思っておりません。それはある女の肖像写真です。ただし、普通の状況で撮られたものではない、撮影した時、そこに女はいなかったからです。女はいなかった、正確に言えば、私やマリーさんやスレーターさんの目には見えなかった。真昼間だったにもかかわらず。私たちに見えていたのは、ジョージ・ソリー、彼だけだったんです。しかし、カメラは何か他のものを捉えていたようです。私は、カメラが嘘をつくことはありえないという十分信頼に足る事実を信じています」

「ドズワース君、これは普通の写真には見えないぞ」

「普通じゃありません」

「ひどくかすんでいる」

「おそらく女の姿は、きわめて感度の高い乾板でもやっと捉えることができる程度だったのでしょう。だから感度の鈍い私たちの目には見えなかったんです」

「要するにきみは、幽霊写真だと言いたいわけだね、ドズワース君？」

「そう考えるしかないと言っているんです、ペーリーさん」

「ならば、僕が別案をだそう」医者は、写真を手にしていた。いかにも胡散臭げな目でみつめている。「問題解決に僕のカメラを使ってはどうだろう。この驚くべきソリー氏を僕に撮らせてほしい。お許しをいただけるかい、ペーリーさん？」

刑務所長は椅子の背に寄りかかった。指先で机をコツコツたたく。刑務所長然たる態度になっていた。

「さあ、どうでしょうね、先生、この男で実験を行う権利が我々にあるかどうか」

「彼のまともな写真を入手すべく努める権利が我々にはある。できることなら、余計な付属物なしのね。どうやらきみは、どの写真もスコットランドヤードに送る気はなさそうだ。もし送りでもしたら、きみはこの件についてこってり絞られることになるだろうね。はなはだ失礼なんだが、僕はただの素人だけれど、プロ写真家であるドズワース君よりも、もっと満足のいく結果を得られそうな気がする。もしかしたら、僕の時は、幽霊は寝ているかもしれないしね」

「私としては、所長があなたの実験をお許しになるのを心から願うばかりです、先生」

刑務所長は決断を下した。

「状況が状況ですからね。通常ならば、先生、私はあなたの要求を拒否する義務があると思います。受刑者たちは、我々の実験材料になるために、ここにいるわけではありませんから。しかしながら——私は、ジョージ・ソリーの写真をスコットランドヤードに送付するよう本部から指示を受けています。ドズワース君の写真の中には、必要とされる要件を満たすものは一枚もない。それゆえ、ふさわしいものをもう一枚調達することが私の務めになる。よりふさわしい写真を提供していただけることを願って、リバーモア先生、あなたの要求に応じます」

第二章

「やれやれ、へまをやったよ」

この言葉は、執務室に集まっていた刑務所長とドズワース氏と看守長の前で、リバーモア医師が発したものだった。

「僕がささやかな実験を行った際、きみたちは全員、その場にいた。だから実験を行った状況については、我々みんなが合意していると思う。僕が撮ったのは、ジョージ・ソリーという男だ。他に撮るべき人物はいなかった。この点に関しては、何があろうと疑いの余地は全くありえない——そうだよね、ペーリーさん?」

「もちろんです、誰もいなかった——正確に言えば、あなたのカメラが捉える範囲内には」

「まさしくその通り。つまり、僕のカメラが捉える範囲内にはいなかった。だから、満足のいく結果にならない理由などありえなかった」

「理由がないことはよく知っていますよ——あるはずがない。それで、満足のいく結果ではないのですか?」

「ちょっと待ってくれ。それはきみ自身で判断すべきだね。ご存知のように、僕はドズワース君の一つ上をいった——四枚の乾板を露出したんだ。それぞれ露出するたびに、きみたちの目の前で封印した。僕自身もちらりとさえ見ていない。それから僕は、帰宅するとすぐに、現像してもらうために、封印した乾板をロンドンのある機関に送付した。そのつもりでいたことを僕は誰にも話さなかったし、送ったあとも、誰にもしゃべってはいない。ただその機関に、いつものやり方で乾板を現像し、乾板一枚につき六枚の写真を焼き付け、その写真と乾板を僕に返送してくれるように指示しただけだ。そしてその結果が、今朝やっと届いた。これだ。これは僕の乾板で、いかなる点でも不正な変更は加えられておらず、通常の方法で現像されただけであり、すべての写真はこの乾板から焼き付けられただけのものであることに、疑いの余地などみじんもない。にもかかわらず、この写真を見た時、きみたちもきっとそうするであろうことを僕はやった——呆気にとられたんだ。ペーリーさん、これが一枚目の露出の結果だ」

医者はペーリー氏に一枚の写真を渡した。刑務所長は一目見るなり、叫び声をあげた。

「先生！　気は確かですか？」

「あいにく頭はしっかりしているよ。ドズワース君、一枚目の露出から焼き付けた写真をお渡ししよう。マリー君、きみにも。ドズワース君、さあこれで、今度はきみが笑う番だね」

医者がみんなに渡したのは、男などではなく、一人の女の写真だった。地味な服を身に着け、頭を覆うものもない。囚人たちが、国費で写真をとってもらう贅沢を楽しむ際にいつも坐っている椅子に正面を向いて腰かけ、まっすぐカメラをみつめている。その目には挑むような光があり、確固たる決意を秘めた厳しい表情は、アルバムに飾られた写真でよく見られる、写真家が腕によりをかけて撮ったようなものとはおもむきを異にしていた。

「まさか、先生」刑務所長は問いただした。「うちの経費で、悪ふざけをやっているんじゃないでしょうね？　いやおそらく、何かの手違いで別の写真を配ってしまったんだ。今渡してもらったのは、男ではなく女の写真ですよ、わかっていますか？」

「わかっているとも。女の写真だ。僕の目には、その顔に、ある大きな目的を叶えんという信念が見えるよ。その女がジョージ・ソリーの椅子に坐っていたことに、何の疑いもありはしないんだ」

「では、ジョージ・ソリーはどこにいるんです？」

「それはわからない。しかし、ドズワース君が先日言っていたように——ドズワース君には、お詫びしなければならないね——カメラが嘘をつくはずがないというのは、十分に信頼に足る事実だ。今回、カメラは、我々の感度の低い視力では見えないような何かを捉えたんだ」

ペーリー氏は、おなじみの、優しげだがどこか意地の悪そうな笑みを浮かべて、写真を机に置いた。

「それで、二枚目の露出の結果はどこにあるんです？　あの女は、相変わらずジョージ・ソリーの椅子に坐っているとでも！」

「いや、彼女は席を立っている。今回は、見ての通り、少なくともジョージ・ソリーの顔は写っている。これが二枚目の露出の結果だ」

医者は別の写真をみんなに配った。そこには、いつもの服を着て石板を持ったソリーと、彼の前に膝をついている女が写っていた。カメラに横顔を見せている女は、石板に書かれた名前をちょうど消し終えたところだった。少なくとも、石板には何も記されていなかった。

「驚くべき写真だと思わないか？」医者は言った。「どこから見てもね。そうじゃないかい？　ちょっと見てごらん、女の顔に浮かんだ表情と、全く何も気づいていないような男の顔を。彼女はどんなことでもできるし、やるつもりにみえる。で、彼はというと、全然気がついていない。彼女がそこにいることさえ知らないみたいだ」

「この写真は、いくつかの点でドズワース君の写真に似ていなくもないですね」

「それが、事態をさらに複雑怪奇なものにしているんだ。でも僕が特に注目してほしいのは、ソリーが持っている石板に何も書かれていない点だ。さて、ここで皆さんにお訊きしたい、僕が乾板を露出している間、石板に名前がなかったことがあったかどうか」

「絶対にありません」マリー看守長が断言した。

残りの面々は、沈黙することでマリー氏の言明にしぶしぶ同意した。

「僕が自分の目を信用するなら、乾板を露出している間中ずっと、『ジョージ・ソリー』の名前は石板上にでかでかと書かれていた。でもその写真では、石板には何も書かれていない。次にこれを見てくれ――三枚目の露出の結果だ！」

医者が取り出した新たな写真には、不思議な変化が起きていた。石板上の空白が埋まっていた。石板からはみ出んばかりに一人の名前が書かれている。女の手が今しがた書き終えたばかりのようだ。女性らしい筆跡だったし、ジョージ・ソリーの前の床に、まだ膝をついたままカメラに顔を向けた彼女が、怒りもあらわにそれを指さしていたからだ。まるで、書いたことを誇りそれが示すものを否定できるものならしてみろと言わんばかりに。

「さて、どう思う？」リバーモア医師は一段と大きな声で言った。「それぞれの露出は、二、三分ほどの間隔をあけて行なれたことを覚えているはずだ。さっきは何も書かれていなかった石板が、今度は文字で埋められている。『ジョージ・ソリー』の名前は露出を繰り返す間、ずっと石板上にあった。僕たちの目にはそう見えていた。しかしながら、二枚目を終え、三枚目の露出までの二、三分の間に、あの女が空白を埋めた名前は『ジョージ・ソリー』ではなかった」

ペーリー氏は眼鏡越しに、写真の石板に現れた名前をじっとみつめた。

「確かに『ジョージ・ソリー』ではないですね。どうやら『エバン』――『エバン』――」

「『エバン・ブラッディール』。きわめて明白だ」

「エバン・ブラッディール――なるほどそうだ。先生、実にこれは、ある意味、驚くべきことだ」

「だがね、あえて申し上げるが、最も驚くべきことが、まだこの先に待っているんだ。まず初めに、女は椅子に坐っていた。その椅子には、我々が自分たちの感覚を一貫して信用するなら、ジョージ・ソリー以外の誰も坐ってはいなかった。それから、この女は石板上の名前を消し、今度はジョージ・ソリーが椅子に坐った。次に、女は元の名前の代わりに別の名前を書き、ジョージ・ソリーは相変わらず椅子に坐っている。そしてこの四枚目の露出では、女ばかりか、ジョージ・ソリーも消えていることがわかるだろう。しかもジョージ・ソリーの椅子に坐っているのは――違う男だ！　これがその写真だ。さあ、自分の目で確かめてくれ」

医者の言葉通りだった。四枚目の写真に女の姿はなかった。見慣れた椅子が写っていたが、そこに坐っているのは、ソリーとは似ても似つかぬ人物だった。この男は、帽子を除けば――彼は帽子をかぶっていなかった――品のいいフロックコートやその他も含め、塀の中ではなく外の人間が着る服を身に着けていた。だが問題は、服装の違いだけではなかった。彼はソリーよりも大柄で年上だった。何故か顔に狼狽の色を浮かべ、膝の上に石板を抱えている。そこには、女文字ではっきりと『エバン・ブラッディール』と記されていた。

聞き手たちが、四枚目の写真についてじっくり検討している間、医者は自分の意見を述べた。

「我々が目下、超自然的なものの出現に直面していると言うつもりはないが、ともかくもこれまでのところ、説明できない事態に見舞われているとだけは言っておきたい。ブラウン氏を撮っているものと思っていたのに、実はスミス嬢を撮っていた、というような発見をした写真家は、いまだかつていないんじゃないかな。この件について一つ二つ思いついたことがあるので、心に留めておいてほしい。解決策になるかもしれないからね。第一に女の存在だ。ドズワース君の最初の乾板で、椅子の背後にぼんやりと見えていたのが女の人影であることは、ほんの少し想像力を働かせればわかるはずだ。ドズワース君のそれに続く三枚の乾板で、女の存在は明らかになった。僕の最初の三枚では、あろうことか、さらに不動のものになった。そしてよく見てくれ。ドズワース君の女と僕の写真の女は同一人物だ。服を着替えているけれど、同じ女だ。もしかするとペーリーさん、きみなら、ドズワース君と僕の両人が、誰ひとり見ていない女をどうして撮り続けることになったのか、説明できるかもしれないね」

ペーリー氏は椅子の背にもたれた。天井を見上げて指先を合わせ、雄弁に勝る沈黙を保ち続けた。

「注目すべきは、女は一貫して男を守り、我々に――いや、正確には、カメラを操作している人間に挑むような態度をとっていることだ。最初のドズワース君の乾板では、石板の名前を隠そうとした。次に、実際に自分の身体で男を覆い隠した。僕の一枚目の乾板では、臆することなく僕に立ち向かっている。彼には自分がついていることを忘れるな、と僕に思い知らせようとするかのように。それから、石板の名前を消し、そこに別の名前を書いた。そして名前を入れ替えると、女の細腕一つで、男たちの取り替えという荒業をやってみせた。ジョージ・ソリーは消え、空いた席をエバン・ブラッディールがふさいだんだからね。どうやら彼女はソリーの守護天使らしいな。いかなる危険を冒してでも、自分は彼の味方だと身を以て示そうと決意を固めている。ソリーの無実に対する自分の確信を表そうと、死に物狂いで奮闘している。ついには、真に罪を負うべき人物が誰かを指し示すことまでやってのけたんだ」

医者はそこで一息ついた。今度は刑務所長が口を開いた。

「これらの写真にまつわる、やや変わった状況についてのリバーモア先生の現実離れした説明に関して――まことに失礼ですが、これほどまで飛躍的な想像ができる方だとは、思いもよらな――」

「笑い飛ばすがいい、ペーリーさん！　だが『最後に笑う者が最もよく笑う』と言うじゃないか」

「そうそう、まさにおっしゃる通りですよ、先生！　あなたのその守護天使説、ソリーを守っているとかいう女の話ですが、それと関係があるかもしれない。刑務所にソリー宛の手紙が届いています。差出人は女――どうやら彼の妻らしい。まあ、彼女が誰であれ、その手紙から判断すると、たいした女性のようだ。このところの一連の出来事やリバーモア先生から聞いた話などを考えると、この手紙は、ある意味、奇妙な巡り合わせだと認めねばならないでしょうね。私に与えられた権限を遂行する目的で、既決囚の手紙をこのように利用することは、状況により義とされるように思えます。よって、ソリー宛に刑務所に送られた手紙を、皆さんに読んで聞かせることにしましょう」

刑務所長は次のような手紙を読みあげた。冷ややかで、明瞭で、どこか意地悪さを帯びた彼の声で聞くのは、妙な気分だった。手紙に込めた書き手の心情と実際の読み手の気持ちとの間に、大きなひらきがあるように思われたからだ。

私の親愛なる、素晴らしい旦那様へ
愛しい人、あなたに神のみ恵みがあらんことを！私が、キャンターストーン刑務所のあなたとともにいることに、大好きなあなたが気づいてくれますように。心だけじゃなくて、本当にあなたのそばにいるのよ。朝、私はあなたのそばでベルの音を聞き、あなたは板ベッドから起きる。私は一緒に踏み車にのっているのよ。横で一緒に歩調を保っているのが誇らしいわ。夜もあなたと一緒よ。あなたが、また板ベッドに横になると、私もあなたの隣に身を横たえる。そして、あなたの両腕にそっともぐりこむ、あなたが家にいる時にやってくれていたみたいに。もうすぐ、またあなたが戻ってきたら、最愛のあなた、そうするつもりよ。言葉遊びしているなんて思わないで。あなたが刑務所にいる間、ずっとあなたと一緒にいるのよ。いつだってあなたのそばにいて、あなたがすることをずっと見守っているの。愛しい人、あなたが私に気づいているとは思わないけど。あなたの唇に何度も何度もキスしているわ、あなたが私のキスを感じているとは思わないけど。だけど、今こうして、私があなたと一緒にいる、いつだって片時も離れずにそばにいて、あなたに何度もキスしていることがわかったんだから、愛する旦那様、よく注意して私をみつけて。何かがきっと私の存在を示してくれる。私のキスを感じることができるはずよ。
だけど、ずっとあなたと一緒に刑務所にいるから、私は外の世界にはいないなんて思わないでね――だって、私は外にいるんだから。二人のこの試練を嘆いていたら、時空を飛び越えられる体になってしまったみたいなの。どうしてこうなったのかはわからないけれど。私はそこにあなたといる。あなたがこの手紙を読む時、最愛の人よ、あなたのそばにいるわ。だからよく注意して私をみつけて。あなたの目がこの言葉たちを照らす時、あなたの肩にもたれるから――でも今、私はここにいて、真実を立証するために手を尽くしているの。真実は明らかにされるわ。誰が罪を負うべきなのか、私にはわかっているの。私たちが初めから疑いをかけていた人よ。もうすぐそれが証明される。彼の良心の呵責と私によって。だから、あなたの潔白が世界中に知られる日が、すぐそこまで近づいているの――確信がなければ、こんなことは言わないわ。

大切な人よ、あなたに神のご加護がありますように。神は、私があなたと一緒に独房に居続けることをお許しになっているの。でもそれももう長くはない。いろいろと悲しい目にあったけれど、神はこれまでずっと私たちによくしてくださったから、私たちにさらなる恵みをお与えにならないわけはないと、心からそう信じているの。

ねえ、私の愛しい、素晴らしい旦那様、私は世界一幸せで誇らしい女よ。思いの丈を書きつづることができたのですもの。

あなたの妻より

「こりゃまた変わってますね!」刑務所長が読み終えると、マリー氏が感想を述べた。

「言うまでもない、頭がおかしいんでしょうね」と、ドズワース氏。

医者は、きれいにひげをそった顎をひとなでしてから口を開いた。「それはどうかな。でもこれだけは断言できる。僕は写真の女が誰だか知っているよ」

刑務所長は、手にした手紙から目を上げた。

「それは誰です?」

「その手紙を書いた女――ジョージ・ソリーの妻だ」

刑務所長は、それについて何か考えがあるようだった。

「その点は、あっさりけりがつくかもしれません。マリー、ちょっと行って、ジョージ・ソリーを連れて来てくれ」

看守長は出て行き、それから間もなく、探していた相手を連れて戻って来た。ジョージ・ソリーは二十六、七ぐらいの若い男だった。着ている囚人服は見映えの良いものではなかった。だがその醜悪さをもってしても、彼の生まれの良さや、それ以上に謙虚な人間性は隠しようがなかった。金髪で、澄んだとび色の目に、形のいい唇と顎。罪を犯すような人間にはとうてい見えない。不屈の精神を秘めたその姿には、不格好な囚人服にもかかわらず、どことなく威厳があった。

刑務所長の机の前で、彼がお決まりの気をつけの姿勢をとると、ペーリー氏はすぐさま一枚の写真を差し出した。

「ソリー、これは誰の写真だね?」

受け取った写真に目を落としたとたん、彼の目は涙に濡れ、唇が震えた。

「彼女が僕に送ってくれたんですか? いただいてもよろしいですか?」

「誰の写真なんだ、ソリー?」

しかし、刑務所長の問いかけは耳に入っていないようだった。彼の目は写真に釘付けになっていた。そしてこう言った。周りに人がいることを忘れ、写真と自分しか存在していないかのように。平凡なペンでは書き表すことのできない、溢れんばかりの愛情のこもった声で――

「どうして僕の椅子に坐っているんだい? それに、なんて顔をしているんだ! ああ、僕の可愛い人!」

お堅い役人たちの面前で、彼は写真の顔に口づけをした。

「私の質問が聞こえなかったんだな、ソリー。それは誰の写真なんだね?」

「誰の? 僕の妻です。ご存知ないんですか? 彼女が僕に送ってくれたんじゃないんですか?」

「そうではない」刑務所長は手を伸ばした。「返してくれ」ソリーはわずかに後ずさりした。写真をつかんだ手に力をこめたようだった。だがすぐに、ペーリー氏に写真を戻した。「この写真は刑務所の所有物だ。私はただ、きみがこの人物に見覚えがあるかどうかを知りたかっただけだ。ソリー、もう一枚あるんだ。これが誰だかわかるか?」

ソリーは、やっていることの意図がよくわからないとでもいうような眼差しを向け、いくぶん訝しげな様子で、所長から看守長を通じて渡された新たな写真に手を伸ばした。しかし、写真を一目見るなり、彼の目は釘付けになった。自分の目が信じられないと言わんばかりに、ひたすら見つめ続けた。

「ま――まさか! ついにやった! ああ、神よ、ついにやったんだ!」

熱に浮かされたように彼が叫んだ。だが刑務所長は、それが何であれ、一切耳を貸さなかった。冷ややかで明瞭な、棘のある声で質問を繰り返した。

「写真の人物と知り合いなのかね?」

「僕が? 知らないとでも? ああ、ペーリーさん、真相を突き止めたんですか――彼が犯人だとわかったんですか？　僕は釈放されますか？　身の潔白をやっと信じてもらえたんですか？」

「どうか私の質問に答えてくれ、ソリー。きみは、その写真の人物を知っているのか？」

「もちろん知っています。この石板に書かれているのが、彼の名前です。エバン・ブラッディール。僕は最初から彼を疑っていました。僕をはめて、罪をなすりつけたんじゃないかとさえ思っています！　理由はわかりません。恨まれるようなことは何もしていませんから。彼は別件で捕まったんですか？　それとも、僕が有罪になった――有罪だって！　この僕が！――事件で収監されたのなら、それについて僕が何も聞いていなくて、釈放もされていないのは、どうしてですか？」

高ぶった口調には、必死さが表れていた。一方、刑務所長の声は、相変わらず、冷ややかで、明瞭で、どことなく意地の悪さを感じさせた。

「ソリー、その写真を返してくれ。それも刑務所の所有物だからね。さっきの写真と同様に、きみが写真の人物を知っているかどうか知りたかっただけだ。ソリー、忠告しておくが、言い渡された有罪の評決が覆るとか、割りあてられた禁固刑が減じられるとか、そんな余計な期待を抱いて浮かれないように。それらしきことは聞いていないからね。それどころか、きみの件については何も聞いていないんだ、きみが審理にかけられていた時から何一つね。きみを呼びにやったのは、いくつか形式的な質問をしたかっただけ――それだけだ」

その言葉が、刑務所長の抑揚のない、有無を言わせぬ口調で発せられると、ソリーは殴られたかのように後ずさりした。

「ソリー、それからもう一つ、きみに言っておきたいことがある。刑務所にきみ宛ての手紙が一通届いている。だがそれは刑務所の規則の一つに違反している。収容者へのすべての文書には、洗礼名と固有名詞ともども、略さずに書くことが求められているんだ。さらにその手紙は、いくつかの点において、適切とは言えない言葉で書かれているし、それを読んで、収監の身であるきみが一層の心の平安を得られるとも思えない。しかしこれまでのところ、きみの態度は満足すべきものであると聞いている。それゆえ、今回の問題には目をつぶりたいと思う。だが次回はそうではないということを、肝に銘じておくように。マリー、この男が、夕食の時間に自分宛の手紙を受け取るよう手配しなさい」

刑務所長は看守長にジョージ・ソリーの手紙を渡した。

第三章

彼らは評議委員団に報告書を提出した。かなり複雑な文書だった。刑務所長と医者とドズワース氏が共同で作成し、ところどころにマリー氏の言葉を一つ二つ加え、追伸のようなものにウォーダー・スレーターを参加させた。相当の長さをかけ、回りくどい表現をふんだんに盛り込んで――お役所の慣例に従って――述べられていたのは、写真の話だった。写真は報告書に同封された。それらは、煮るなり焼くなりご随意にとばかりに、評議委員団の厳正なる判断にゆだねられた。

報告書の中でペーリー氏が特に心を砕いたのは、超自然的なものを示唆してはならないというだけではなく、それらしきものの連想さえもきっぱりと否認することだった。だがこの点については、若干、意見の相違があった。医者は、今回の件は、この世のものではない何かが介在しなければ起こりえなかったと言い張った。彼は、自分に割り当てられた部分に、写真科学の進歩に資する新奇な力を偶然みつけたかもしれない、という趣旨のことをそれとなく加えたがった。ドズワース氏は、いずれの案にも与《くみ》しなかった、というか、与《くみ》しないと明言した。彼は、報告書に事実だけを書きたかった。マリー氏はというと――しかしながら、この点について、彼の意見は誰にも相手にされなかった。彼は、人間というものをこれっぽっちも信じていなかったが、幽霊の存在には揺るぎない確信を抱いていたからだ。ウォーダー・スレーターはどうかと言えば――この件に関する彼の心理状態については、『報告書』が送付されてから数日後に、彼が自らの判断で行った、刑務所長への報告から判断した方がいいかもしれない。

その日に限って、報告は一件だけだった。報告者はウォーダー・スレーターで、報告されたのはジョージ・ソリーだった。看守と囚人は、部屋を仕切るように張り渡された紐の手前の定位置についた。紐の向こう側に置かれた机に刑務所長が坐っていた。看守は、背は小さいにしても腹回りは大きかった――肥満の素晴らしい実例だ。囚人は、背が高くほっそりしていた。姿かたちについて言えば、二人は好対照をなしていた。看守は、なぜか、すっかり落ち着いているというわけではなさそうだった。刑務所長は尋問を開始した。

「さて、スレーター、何があったんだ?」

「この男は、就寝房で話をしていました」

「自分と? それとも誰かと?」

看守はもじもじした――良の下くらいの優雅さで。

「私の信じるところでは、彼は就寝房で誰かと一緒でした」

「誰かと一緒だったって?」

「はい、そうです。しかも私の信じるところでは、相手は女です」

「女?」

刑務所長は罪人に目をやった――当の罪人がジョージ・ソリーであることに今、初めて気がついたようだ。ちょうどその時、リバーモア医師が執務室の裏口から入って来た。彼はその場で足を止め、聞き耳を立てた。看守は説明を始めた。

「昨夜は夜間勤務でした。午前一時半ごろ、巡回でC監房棟に入った時、誰かの話し声が聞こえてきました。それで、誰かがC監房棟の中で話しているのだと思いました」

ジョージ・ソリーの囚人番号は十三で、それが、彼が使用している独房の番号だ。

「私はC棟十三号の外で耳を澄ましました。すると、二つの声が聞こえました」

「二つの声?」

「はい、そうです。二つの声です――その一つは女でした」

「女?」

「はい、そうです。女の声でした――そっちの声の方がはっきり聞こえました。何を話しているのかもわかりました。彼らは頻繁にふしだらな振る舞いを行っていました。ソリーは『僕の可愛い人!』と言い、女は『愛しいあなた!』とかそんなようなことをもっとたくさん言っていました」

どこかで誰かに笑われていることに気づいたかのように、ウォーダー・スレーターは突然、断固たる口調で言った。

「聖書に誓って、私は確かに聞きました!」

刑務所長は眼鏡越しに、おなじみの、平静で冷淡で役人風の目で、やや興奮気味の看守をみつめた。それから、罪人の方に顔を向けた。

「ソリー、何か言い分はあるかね?」

ソリーの返答は、少々、意外だった。

「スレーターさんの話は本当です」

「きみは就寝房で女と話していたのか?」

「そうです。妻と話していました」

「きみね、私を馬鹿にしちゃいかんよ。つまりきみは、ちょっとした腹話術のようなことをやっていたと、そういうことだね?」

ソリーは一瞬ためらってから、ふたたび口を開いた。その声には、歓喜というか――興奮を抑えきれないでいるような響きがあった。

「何日か前に、私が妻から手紙を受け取ったことを覚えていらっしゃると思います。手紙には、彼女はいつも僕と一緒に刑務所にいる、だからよく注意してみつけてほしいと書かれていました」ソリーはいったんそこで話を止めた。刑務所長が、中断させるようなしぐさをしたからだ。だが所長の気が変わったようだ。ソリーは先を続けた。「僕はよく注意していました。彼女の手が触れたように感じることがありました。衣擦れの音がするような気がしたり、彼女の声さえ聞こえることもありました。だけど、その感触はどれも本当にかすかなので、神経が過敏になっているせいで妄想に惑わされているんだと思っていました。でも夕べ、ついに」ソリーは、またしてもそこで話を止めた。今回、刑務所長に話の腰を折る気はなかった。「夕べ、僕は眠れませんでした。横になっても目が冴えていて、あれこれ考えていました。妻は今どこで何をしているだろう、僕のことを思っていてくれているかな、こうして彼女のことを思っているみたいに、って。するとその時――口づけされるのを感じて、気がつくと、妻が僕の腕の中にいたんです。驚きはしませんでした。そういうこともありうると思っていたからです。でもとにかく僕は嬉しかった。ベッドの端に一緒に坐って、彼女が僕に話しかけ、僕も彼女に話し――スレーターさんが言っていたように、僕らはふしだらな振る舞いを行っていました――スレーターさんが入って来るまで」

「そうなんです」ウォーダー・スレーターが口をはさんだ。「私はすっかり聞き飽きてしまい、いったい誰がソリーとふしだらな振る舞いに及んでいるんだろうと思って、そっとドアを開けました。相手が誰であれ、現場を押さえてやろうと。見ると、ベッドの端にソリーが坐っていて、誰かが――それが誰かはよくわかりませんでした。正直なところ、ちょっと動揺していましたし、誰かが、ましてや女が、ソリーの独房にどうやって入り込むことができたのか、考えも及ばなかったからです――でも、女だということはわかりました。彼の隣に坐って両腕を彼の首に回していました。彼は女の腰を抱いていました」

「それで?」

刑務所長の口から素っ気ない言葉が出た。ウォーダー・スレーターは間をとっていた。

「それで、女の姿を見たと思った次の瞬間、いなくなりました——ふっと消えてしまったんです、口を開く間もありませんでした。正直なところ、夜の夜中に、そういったものを見るのは嬉しいものではありませんでした。でもとにかく、ソリーに訊きました。おまえと一緒にここにいたのは誰かって。すると、彼が言いました。僕の妻です、って。それで、おまえのことを報告するぞ、と言って就寝房から出ました」

「それから、話し声を聞いたか？」

「いいえ、房の外で立ち止まって、しばらく聞き耳を立てていましたが、何も聞こえませんでした。その後、六回、巡回し、そのたびに耳を澄ましましたが、物音ひとつ聞こえませんでした」

囚人がその話を引き取って、先を続けた。

「彼女は一度戻って来ました。僕にキスして、一言だけ囁きました。そのあとで僕は眠りに落ち、気がついたら朝でした」

刑務所長は椅子の背にもたれた。考え込んでいるようだった。彼は、じっと囚人をみつめた。みつめ返す囚人の目は、冷静そのものだった。ようやく彼が言った——

「もう十分だ。彼を部屋に連れて行きなさい」ウォーダー・スレーターと囚人は、その場を後にした。二人が出ていくと、リバーモア医師が前に進み出た。刑務所長は振り返って彼を見た。

「先生、そこにいたんですか？　さっきの心を啓発する話を聞きましたか？　どう思います？　マリー、行っていいぞ」すぐにその意を悟り、看守長も立ち去った。部屋には刑務所長と医者だけが残された。二人だけになると、彼らは、いつもの役人然としたお堅い態度をかなり軟化させた。

「ペーリー、全くもって、僕にはさっぱりだよ」

「我々が聞いたあの話が、本当だなんて思ってやしないだろ？」

「だから、さっぱりわからないと言っているんだ。いいかい、あの写真や女からの手紙だけじゃない。それ以外にもまだあるんだ。ペーリー、実をいうと、僕は規則違反をやっているんだ」

「違反ってどんな？」

「携帯カメラを持ち歩いていて、撮れそうだと思ったら、すかさずソリーを撮りまくっている」

「そんなことをしているのか？　言わない方がよかったな。きみをどやしつけなきゃならないところだぞ。それで、またどういうつもりなんだ？」

「そんなことはどうだっていい。結果だけ話すよ。全部で十九枚撮って、うち二枚を除いて、残りすべてに女が写っていたんだ」

「冗談だろ！」

「本当なんだ。写真は僕個人の所有物だ。実は、心霊研究会に持ち込もうかと思っていてね。僕の写真が、調査すべき適切な事例になるんじゃないかと、ひそかに期待しているんだ。権威ある研究会でさえ、まだお目にかかったことがないんじゃないかな」

「リバーモア！　やめておけ！　面倒なことになるぞ！」

「冗談だよ。不正がばれるような真似はしないさ。だけど写真はとっておくつもりだ。この話を書き記して、写真と一緒に僕の相続人に残そうと思っている。幽霊話は、あとあとまで語り草になるだろうね。冗談で言っているんじゃないぞ、ペーリー！　撮るべき女がその場にいなかったのなら、あの写真を――それも十七枚も――撮れたはずはないんだ。きっと女の姿はカメラには見えていたんだ、たとえ僕には見えなくてもね。それに、カメラに見えただけじゃない、今度はソリーに、さらにはスレーターにまで見えたり、聞こえたり、肌で感じとれたりしたとなると、ますます真実味を帯びてきたってことだ。だから、ソリーとスレーターからついさっき聞いた話に関して、どう考えればいいのかわからないと言っているんだ。もう一度言うよ、正直なところ、さっぱりわからないんだ」

「いいことを教えてやろう。私はあの男を移送しようと思っているんだ」

「確かにそれは、厄介ごとから逃れるいい方法だな――幽霊話の解決策を別の誰かに肩代わりさせるってわけか。ところで、報告書について何か聞いてないのか？　僕らが作成した例の報告書だよ」

「ああ、今朝、聞いたよ。ハーディングが明日やって来る」

「ハーディングが！　それはまた、こういった件を任せるにはぴったりの男じゃないか。あんな間抜け野郎に解決できるぐらいなら、皿の上で華麗なステップを踏む象がいたって不思議じゃないぞ！」

失礼にも、このように言及されているハーディング少佐なる紳士は、我が国の刑務所のほかならぬ監督官の一人だ。したがって、当然のごとく、適法に任命された全政府職員から、畏怖と敬意をもって遇されるべきお偉方である――ということになっている、と言うにとどめておこう。翌日、彼は現れた。いつもの時速二十マイルの移動速度で刑務所を慌ただしく駆け回ると、持ち前の騒々しく元気すぎる態度で、さあやるぞ、とばかりに当面の問題に取りかかった。

「ペーリー、この全くばかげた写真の話はいったい何なんだ？　きみには驚いたぞ、嘘じゃない、ほんとにたまげた」

「ハーディング少佐、その理由をお尋ねしてもよろしいでしょうか？」

刑務所長もまた、骨の髄までお役人だった。

「よくもまあ、あんな眉唾ものの話を本部に送りつけたもんだな！　我々が、あれを読んで何を考えるとでも思ったんだ？　幽霊話じゃないか！　世の中には疑わしいものなんてかけらもないんだ、ペーリー、きみは誰かにかつがれている——それが本部の一致した意見だ」

「ハーディング少佐、一つお尋ねしたいのですが、ペーリー氏をかついでいるのは、私ということになっているのでしょうか？」

質問者はリバーモア医師だった。

「誰がやったとかやらないとか、そんなことを調べに来たんじゃない。実を言うと、調査なんていうものをやりに来たわけじゃないんだ——この件はあまりにくだらなさすぎて、調査のしようがない。よって、我々はこれを握りつぶすことにした。とはいえ、せっかくここまで来たからには、その男——ええと——何という名前だったかな？　ソリー！——それだ！——に会っておいた方がいいだろうな。どうやら、この男——えっと？——そう、ソリーの件には、いくつか妙な点がありそうだ。結局、人違いでした、ということになっても、私は驚かんな」

「人違いですって、少佐！　どういう意味です？」

「あの四季裁判所の賢い連中でさえ、まちがいを犯した——陪審による完全無欠な裁判制度に、また一つ反例ができたというわけだ。言っておくが、私はそうだと言っているんじゃない。そうだとしてもおかしくないと言っているんだ。目下の状況は——これは、ソリーには明かさないことになっているんだが」——少佐は、まず刑務所長を、それから医者をねめつけた。三人は密談中だった——「次のようなものだ。先日、一人の男がヤードにやって来て、使い込みを自白した——おとといのことだ。その件を調べてみたら、男が自首してきたのは、ヤードとはかけ離れたここ、ベディングフィールドで起きたことで、しかも、ソリーが裁判にかけられ、有罪になり、二年間の重労働を宣告された、まさにあの事件だったんだ」

「その自首してきた男の名前は？」

少佐は頭をかいた。

「なんか嫌な名前だったな。聞いたとたん、嫌な名前だと思ったのを覚えている。そんな名前をつけられるくらいなら、首を吊った方がましだと思うような名前だ。ええと――そうだ、ここに書いていたんだ」少佐は分厚い手帳を取り出し、中から一枚の紙を出した。「これだ――エバン・ブラッディール――これがそいつの名前だ。こんな名前をつけられるよりましだと思われるようなことで、自殺した人間を知っているぞ」

医者がポケットから何かを取り出した。写真だった。

「男が握っている石板に名前が書かれているんですが、おわかりになりますか?」

「はあ?」

「名前です、石板に書かれている」

少佐は写真を受け取り、しげしげと眺めた。

「エバン――エバン・ブラッディールだ、そうだろ?この男なのか?」

「それは、少佐、私よりあなたの方がよくご存知のはずです。あなたはお会いになっているかもしれませんが、私は会っていませんから。しかし、どうやらそれが彼の名前のようですね――あなたのお話を聞いて、初めてその事実に気がつきました。もしそれがブラッディール本人の写真だとしたら、少佐、あなたでさえ、これが不可思議な事件であるとお認めになると思いますよ。なぜなら、あいにくそれは、我々が評議委員団にお送りした写真の一枚であり、ジョージ・ソリー本人を撮ったものだからです」

少佐は驚きに目を見張った。

「またあの眉唾物の話を繰り返そうというのか。この科学万能の時代に。しかもきみは医者じゃないか。きみには驚かされるね、全くもってたまげた! 私はこの件について議論する気はない。ヤードは、この件を終わったものとみなす意向であるし、こう言ってはなんだが、私はこの件について話し合うなという指示を受けている。これが新聞沙汰にでもなったら大ごとだぞ! 『キャンターストーン刑務所に幽霊!』誓ってもいい! 大醜聞だ! 評議委員団が組織改革に乗り出す気になったとしても驚かんな。組織改革だぞ! で――あの――あのさっきのソリーとかいう男、それともうひとりの男、ええと、何て名前だったかな? あ、そう、ブラッディールだ! その話に戻るが、このブラッディールの話というのが、どうも眉唾ものの――」

「またしても眉唾ものの話なのですか、少佐?」

「そうなんだ。またもや眉唾ものの話だ。世間には、いつだってそういうものが溢れている。きみも私ぐらいの年になったら、おのずとわかるだろうね。で、途中になったさっきの話の続きだが、どうやらブラッディールが眉唾物の話をしているらしい。自分はソリーの女房に祟られている、よなよな夢で責め立てられているとかなんかそういったたわごとを訴えて、ついには悔恨の念に駆りたてられるに至ったとかなんとか言ったようだ。要するに、頭がおかしいということなんだろう」

「私は、二対一で、そうではない方に賭けたいですね」

少佐は、自分の耳が信じられないとばかりに、医者を見て渋い顔をした。

「賭け！　賭けだって！　賭けをしないかと持ち掛けているのか？　どうやらきみは、正式な調査の正しいやり方について珍しい意見をお持ちのようだな！　きみの危ない賭けがあるにせよ、よろしければ、もう一度繰り返させてもらうが――といって、賭けに乗る気など毛頭ないがね――私には、あの男の頭がおかしいことがわかると信じるに足る、確固たる理由がある。私はこの申し立てを大いなる根拠に基づいて行っているんだ。すなわち私の意見では、眉唾ものの話をしたり、常識を無視してあくまでもそれを主張する連中は、明らかに、みんな頭がおかしいということだ」

医者は、君子危うきに近寄らずと考えたのか、軽く頭を下げるにとどめた。少佐はこれを潮に、話題を変えることにした。

「まあとにかく、さっきも言ったように、あの男が大馬鹿者だとわかり、一連の騒動も無駄に終わるだろうというのが私の意見だはあるが、せっかく来たんだ、そのソリーという男に会って、一つ二つ質問してみるのもいいだろう」

ソリーは少佐に呼び出された。少佐は彼に、名前はソリーか、年はいくつか、結婚はしているのか、子供はいるのか、何の罪に問われたのか、どこで訴えられたのかというような質問を浴びせ、最後に、刑務所で受けている処遇について何か不平を言うべきことはないかと尋ねた。ソリーは何もないと答えた。それから少佐は、周りの人間に、自分がいかに優れた人物であるかを印象づけようとするかのように、背筋を伸ばしてぐっと胸を張った。フロックコートの前を開け、両手の親指をベストの袖ぐりにぐいっと突っ込む。

「ソリー、もう一つ、きみに訊きたいことがある。これまでに写真を撮られたことはあるか？」

「刑務所の中でという意味ですか？」

「そうではない――きみがここで写真を撮られていることは知っている」少佐は、横目でちらりと医者を見た。「私が訊いているのは、外で――つまり、刑務所に来る前に撮られたことはあるか?」

「もちろんあります――何度か」

「先に言っておくがね、ソリー、きみには、これから私がする質問に答える義務は全くない。私自身が納得するために尋ねるだけだからな。ところできみは、写真を撮られることに関して、これまで何か問題を抱えたことがあるかね?」

「問題ですか? どういう?」

「いろんな意味でだ。これまで撮ってもらった写真には満足しているか?」

ソリーは、うっすら笑みを浮かべた。

「ええ、すごく満足しています。まあ、どちらかと言えば、見た目はいい方だと思っていますから。どうしてそんなことをお訊きになるのか、お尋ねしてもよろしいですか?」

「刑務所できみを撮った写真が、満足すべきものではないからだ。もういいだろう。この男を連れて行ってもいいぞ。彼が処遇に不満を持っていなくて良かったよ」

ソリーが去ると、少佐は医者に顔を向けた。

「リバーモア先生、確かきみは、アマチュア写真家だったね。もちろんそのはずだ。きみの本職は医者だからね」

「ええ、そうです。しかし、素人かどうかは、これらの特殊な写真とは関係ありません。単に写真として考えれば、これらは一級品であることをはっきりと申し上げておきます」

「きみの意見では、ということだね、もちろん」少佐の口調は素っ気なかった。彼は腰を上げた。「リバーモア先生に不快な思いをさせるつもりはないが、評議委員団は、我が国の刑務所で実験が行われることに反対だ。今後は、ペーリー、許可しないようお願いするぞ。ソリーが受けている扱いは、どう見ても正当化できないからな。こんな写真を撮った、そのドズワースというのはどんな男だ? 以前にも雇ったことがあるのか?」

「ドズワース氏は、町で高い評価を受けている写真家です。刑務所でたびたび雇っていて、仕事ぶりにはいつも満足していました」

「二度とその男を雇わんように。次回は、他の奴に頼んでくれ。誰も見つからん場合は、ロンドンから人を派遣しよう。では、そろそろ失礼するよ、ペーリー、私からは以上だ」

こうして、少佐はキャンターストーン刑務所を見捨てた。

その夜、キャンターストーン刑務所では、ちょっと不思議な事件が起きた。深夜のことだ。囚人たちが床についていただけではなく――彼らは八時に寝る。惜しむらくは、若い時分にそうしておくべきだった！――看守たちも寝床に潜り込んでいた――彼らは十時だった――そして刑務所長までも――もちろん彼は、いつでも好きな時に床につけるわけだが、おおむね勤務時間を順守している――みんなと一緒に寝入っていた。キャンタースト
ーンでは、囚人が厚板の寝床に潜り込むと、日勤の看守は、刑務所構内の活動域から退出する規則になっている。彼らは、牢獄の壁の反対側に立ち並ぶ住宅に居住していた。そのあと、夜勤看守が勤務につく。彼らは布製の靴で頻繁に監房棟を練り歩き、静かに夜の監視を続けるのだ。

問題のその夜、死んだように静まり返った不気味な真夜中に、監房棟の外側に延びる小道を、刑務所長の家に向かって忍び足で急ぐ一つの人影が見えたような気がする。その正体は、脱獄犯ではなかった――断じてなかった。看守だった。どうやら、かなり慌てているらしい。靴を脱ぐ間も惜しみ、角灯を手に必死に――彼はみごとな太鼓腹の持ち主だった――足を動かしている。所長の家は、刑務所の真ん中にあった。看守はそこまでたどり着くと、ベルを鳴らした。ただ鳴らしただけではない。思いっきり引っ張った。ベルは、医者の家にあるような夜間用のベルだった。家の中の、ペーリー氏だけではなく、ペーリー夫人の居室にも取り付けられている。こんなふうにベルが思い切り引っ張られた際に、たとえご亭主の方は、眠り続けるのが賢明だと考えたとしても、奥方が聞き漏らすことのないようにとの配慮からだ。ウォーダー・スレーターは――その看守（ウォーダー）はウォーダー・スレーターだった――再度、ベルを引っ張る必要はなかった。きわめて短時間のうちに頭上の窓が開き、頭が一つ現れた。刑務所長の頭だった。

「そこにいるのは誰だ？」

「ウォーダー・スレーターです」

「どうしたんだ？」

「C監房棟に幽霊が出ました」

「幽霊だって？」

「そうです――あの女が、またソリーの部屋に出たんです」

刑務所の看守が夜の夜中に、あるいは同じことだが、午前二時という未明に刑務所長を起こすのはよほどのことだ。起こされねばならない場合があることは、もちろん理解できる。しかし、幽霊の存在がそれに該当するかどうかについて、評議委員団は明言を避けていた。おそらく省略されているのだろう。幽霊の来訪というのは非

常にまれなので――変わった来訪者を迎える刑務所にあっても――あらかじめ対策を講じるほどのことはないからだ。この件に関する刑務所長の個人的意見がなんであれ、窓を閉める前に、彼は迷いなくこう言った――

「待ってろ！――すぐに行く！」

所長はその言葉にしたがわず、寝坊してベッドの中で朝食を知らせるベルを聞いた寮生さながらの迅速さで服を着ると、彼の元にすぐさま駆けつけた。

「例の与太話の続きなのか、スレーター？」

それが看守に合流して、刑務所長が発した辛辣な意見だった。

「とにかく行ってから、ご自分の目で確かめてくださ い！」

刑務所長と看守は、連れ立ってC監房棟へ向かった。小石だらけの道を進みながら、この上なく安定した精神状態にあるとは言い難そうな看守は、なんとか説明しようとした。

「あの監房棟を今夜は十二回、巡回しました。誰かが囁いているような声を一度ならず聞いたような気がしたのですが、ついさっき中に入ってみるまでは、確信がもてませんでした。中に入ると、すぐに異変に気づきました。十三号のドアの外で様子をうかがうと、確かに聞こえてきたんです。この前と同じように、あの女がソリーに話しかけ、彼とふしだらな振る舞いを行っているのが。私はどうしたらよいのかわからず、途方にくれました。あの男のことを報告しても、所長は信じてくれないんじゃないかと思ったからです。それで所長を呼びに行くことにしたんです。来てもらって、ご自身の目で見てもらうのが一番だと思って。女が今もいるかどうかはわかりません。消えてしまっているかもしれません。ですが、ほんの二、三分前にはいるのを見たから呼びに来たんです。誓って、嘘ではありません！」

「それでよろしい。行ってみて、いるかどうか確かめよう」

相手を安心させるような口調ではなかった――とはいえ、今に限ったことではない。そもそも刑務所長のお役所的なもの言いは、人を安心させるようなものではないからだ。ウォーダー・スレーターは、女がいてくれることを切に願った。見えも聞こえもしない幽霊を見るために、真夜中に自分をベッドから引きずり出した看守を、見せしめに罰したいと刑務所長が思っている可能性が、なきにしもあらずだということに気づき始めたからだ。

二人は刑務所に足を踏み入れた。幽霊が出そうで、ただでさえ入りたくない場所だ。留置所を通り過ぎる。そこまではまだ良かった。だが、漆喰塗りの巨大な白壁の間をくねくねと伸びる、冷たく、すり減った石段を上がりだすと、看守の手に握られた角灯に照らし出される闇は、一層濃くなっていった。そうなると、そこかしこに幻影が見えるような気になってくる。

キャンタ－ストーン刑務所は、古き良き時代に建てられた古い刑務所だ。当時、厚さ六フィートの壁は、刑務所には欠かすことができないものと考えられていた。まぶしい光が降りそそぐ真昼間であっても、就寝房のある監房棟の中は薄暗い。夜中の二時に足を踏み入れた者は、漆黒の闇を身をもって知ることになる。両腕を伸ばし、石畳の通路を果てしなく長い間、手探りで進むことを余儀なくされる。そして、片側に六フィートの壁があり、反対側には――囲まれているので、反対側にも六フィートの壁があるのは確かだが、壁を挟んだ向こう側には――あらゆる犯罪の代表者たちが寝ていることに気づくと、ぽっかり開いた教会墓地や死者を蘇らせる墓場の話も、あながち馬鹿にしたものではないと思い始めるのに、並外れた想像力はいらなかった。

キャンターストーン刑務所の監房棟は、どれも四階建てだ。ソリーの就寝房は、地面から一番遠く、空に一番近い四階だった。刑務所長とウォーダー・スレーターは、C監房棟の端の入り口から入った。ソリーの独房は逆側の端にあった。階段の一番上までたどり着いたとたん、看守はペーリー氏の腕に手をかけた。「聞こえますか？　まだいますよ、女が！」

看守の声には、状況を考えればやや場違いだと思われる、勝ち誇ったような響きがあった。刑務所長は何も答えなかった。立ち止まって耳を澄ます。しんと静まり返っていたので、どんな音もさらによく聞こえた。何かが聞こえる。そのことにみじんも疑いの余地はなかった。刑務所長は、音の正体を突き止めようと聞き耳を立てた。人の話し声だった。聞きまちがいでなければ、話し手は二人だ。

「ソリーの独房はどれだ？」

刑務所長は囁き声で訊いた。同じく、囁き声で看守が答えた――

「十三号――一番奥です。そこで奴ら――彼と女がしゃべっているんです。一緒に来てください。現行犯で捕まえましょう」

刑務所長は、はやるスレーターを押しとどめた。

「灯りを消せ。鍵は持っているのか？　ドアまで行ったら、私が命じるまでじっとしているんだ。それからドアの鍵を開け、手にした灯りでソリーの独房を照らせ」

ウォーダー・スレーターは灯りを消した。真っ暗闇の中、刑務所長と看守は、音だけを頼りにそっと通路を進んでいった。その音に導かれ、二人は話し声が最もよく聞こえると思われる地点で足を止めた。

「ここか?」

刑務所長の声は、闇を突き通せるとは思えないほど小さかった。看守の「そうです」という返事は、ほんのこだま程度だった。深い静寂があたりを覆っていた。ドアの内側以外は。

誰かが独房の中で話している。話し手は二人らしい。耳をそばだてると、発せられた言葉を聞き分けることができた。

「あなたが知らないままだなんて、耐えられなかったの。だから、あなたがもう気を揉まずにすむように、この知らせを明日の朝まで待たなくていいように、こうして教えに来たのよ」

話しているのは女だった――話しているのは、まちがいなく女だった!

「ああ、僕の可愛い人!」今回の話し手は、まちがいなくソリーだ。

その後、ウォーダー・スレーターが、『ふしだらな振る舞い』と言い表していたものが続いた。このような行為の盗み聞き役を演じている刑務所長の心は、千千に乱れていたに違いない。なぜなら、部屋の中で『ふしだらな振る舞い』が行われていることに、疑いのうの字もありえなかったからだ。傾聴している彼らの耳に届いたのは、あまりにやさしいので、妙なる調べを聴いているような気分にさせる女の声だった。女は、『愛してるわ』とか『愛しい人』とか『わたしの大事な大事なあなた!』とか、そういった類のことを囁いていた。一方、それに応える男の声も同じようにやさしく、彼女ほど音楽的ではなかったものの、女から受け取った会話体の砂糖菓子のような愛情に劣らぬものを返そうと最善を尽くしていた。しかし、この恍惚状態が長期にわたり、分厚いオーク製のドアの外側までキスの音が聞こえだすと、刑務所長もさすがに何とかすべきだと考えたようだ。

「今だ!」彼は囁いた。

その声とほぼ同時に、十分油を差した錠の中で鍵が回った。ドアが大きく開け放たれ、ウォーダー・スレーターの角灯が房内に光を放った。独房の中も外も、ふいにしんと静まり返った。開いた戸口に刑務所長が立ち、そのすぐ前には角灯を手にした看守が、所長の視界を妨げないように少し脇によって立っていた。二人は驚きに目を見張った! なぜなら、彼らの目の前に半裸のソリーが立ち、その隣には――

刑務所長が、ソリーの隣に何がいたのか口にする気になれなかったのは、いわゆる役人的用心深さのせいだろう――もちろん、そうだろう。彼には、女のような気がした。日常生活で出会うような女ではなく、いわば女の影のように見えた。寝衣を着ているようだった。ソリーは彼女の手を握っていた。刑務所長はしっかり見たと思った。だがもっと見ようと思う前に、女はいなくなった、というより、消えてしまった。彼の目は、ソリーの隣に釘付けになったままだったが、そこには何もなかった。

そこに立っていた何か明確な存在がいなくなってしまったことがはっきりすると、刑務所長の鋭く、明瞭な声が響き渡った――

「ソリー、おまえが話していたのは誰なんだ?」

「僕の妻です」

「妻だって?」刑務所長は目をむいた。その声には、おそらく、これまで囚人の誰ひとり聞いたことがないような変わった響きがあった。「夜が明けたら、罰を受けさせる」

囚人は笑みを浮かべた。彼の声にも、ある種の響きがあった。だがそれは、刑務所長とは違うものだった。

「いいえ、ペーリーさん。それは無理でしょうね。夜が明けたら、僕は釈放されますから」刑務所長に発言の機会を与えるかのように、ソリーはそこで息を継いだ。だがその機会は無に帰したので、先を続けた。「僕の妻が、吉報をもたらしてくれたんです」彼は振り向くと、誰かを抱きしめるかのように両手を広げた。だが抱きしめるべき相手は見えなかった。彼は言った。「朝までさよならだね、可愛い人!」彼は誰かにキスするように首を伸ばした。キスする音が聞こえたが、彼にキスをした相手は見えなかった。それから彼は、ふたたびペーリー氏に顔を向け、泣き笑いの声で叫んだ。「ようやくすべてが明らかになりました! ブラッディールが白状したんです! 内務大臣が恩赦を得てくださいました。朝になったら、あなたの手に届くはずです。妻はそれを伝えに来てくれたんです」

その夜、刑務所長がゆっくり眠れなかったことは確かだ。午前二時に、ウォーダー・スレーターに起こされた。たとえ、もう一度ベッドに戻って微睡《まどろ》みたかったとしても、心ゆくまで夢を楽しむ機会には恵まれなかった。いつになく早い時間に、またしても彼は起こされた。内務大臣からキャンターストーン刑務所長に宛てた文書を携えて、ロンドンから勅書送達使がやって来たからだ。その文書は、イギリスの法制度が、はなはだしいまちがいという罪をいまだに犯していることを示していた。内務大臣からキャンターストーン刑務所長に届いたのは、女王陛下にあらせられては、罪を犯してはいなかったことに対し、受刑者ジョージ・ソリーにかしこくも恩赦をお与えあそばされたという通知だった。

W・H・マムラー（米, 1832-84）作による“心霊写真”

巨匠たちの奇想と怪異

決闘者

The Dualists

ブラム・ストーカー

Bram Stoker

圷香織 訳

ブラム・ストーカー（一八四七―一九一二）といえば『吸血鬼ドラキュラ』（一八九七）だが、他にもエジプト女王の復活を当時最先端の科学技術を背景に描いた『七つ星の宝石』（一九〇三）、『ドラキュラ』の断章を表題作にした短篇集『ドラキュラの客』（一九一四）など、怪奇小説の読者を楽しませる作品は多い。長篇『白蛇の巣』の邦訳が待たれるが、未訳短篇も見逃せない。本作は、決闘ごっこに熱中する悪童たちを描いたブラック・ユーモア篇。人形劇『パンチとジュディ』やエドワード・ゴーリーの絵を思わせる残酷な諧謔をどうぞ。初出は一八八七年の*The Theatre Annual*誌。

第一章　遅く与える者は二度与える

バブ家に喜びがやってきた。十年の長きにわたり、エフライムとソフォニスバのバブ夫妻は寂しさをかこち続けてきた。赤ん坊用のリンネル専門店を意味もなく見に行き、大きな籠屋を訪れては誘うようにぶら下がる揺り籠に物欲しげな目を向けてきた。どれだけ祈り、ため息をつき、うめき、願い、待ち、涙を流しても甲斐はなく、主治医から希望の光が与えられることもなかった。

だがついに、待ちわびた時が訪れたのだ。続く月日は遅々として、のんびりと進むべき道を進んだ。それでも月から週へ、週から日へ、日から時間へと少しずつ縮まっていく。ついにはそれが分となり、ゆっくりとつきつつあったが、まだ秒が残っていた。

エフライム・バブは、怯えながら階段に腰を下ろし、初子《ういご》の口から飛び出す祝福の音色がいまにもきこえはしまいかと神経を張りつめ、耳を澄ませていた。家のなかには台風の前を思わせる深い静寂が落ちていた。ああ！エフライム・バブよ、汝は次の瞬間、その目の前から幸福で平和な人生が永遠に奪い取られることを恐れはしなかったか。幼子たちが至高の力を持つ素晴らしき世界、小さな手を振り回す暴君が尊大な可愛らしい金切り声で両親を操る世界への扉に熱い視線を注いでいる汝を、運命が、城の堀の下の地下墓所に葬り去るのではと恐れはしなかったか。その疑念に打たれたとき、汝の顔は色を失った。じつは奈落の淵に立っていることに気づいて、汝の激しく震えたこと！　もはや、思い出すことさえできはしまい！

だがきくがいい！　死は、健やかなる者にも病める者にも等しく訪れる。長かった祈りと懇願の日々は、ついにひとつの終わりを迎えた。寝室から、けたたましい叫び声がきこえてきたのだ。続いてもうひとつ。ああ、エフライム！　その叫びは、〝父親〟などという荒っぽい俗世の言葉にはまだ慣れていない小さな唇が、なんとか音を発しようとするけなげな試みの現れなのだ。高揚のなかで、汝の胸を毒していた疑いは忘れ去られた。そうして幸いの使者として寝室から出てきた医師は、汝が新たな喜びに輝いているのを見つけるのだ。

「二重のお喜びを申し上げましょう、バブさん。双子の父親におなりですぞ！」

第二章　平穏な日々

こんなにも可愛らしい赤ちゃんは見たことがありません、と、その道の通は言い、両親もすぐにそう信じた。その乳母の言葉自体が、証拠のようなものだった。

ほんとうに奥様、双子ばかりではなく、ひとりきりで生まれてきた赤ん坊にだって、こんなにきれいな子はいませんでしたとも。なにしろあたしは、双子にしろそうでないにしろ、それはたくさんの赤ん坊を見てきましたからね。いっそこの子たちの可愛らしい脚をちょんぎって、肩に小さな翼をつけられたらいいのに。そうしたら、万が一奥様が、この可愛い双子のお父様より長生きした場合、夫エフライム・バブの記念として、大理石の美しい墓石の両脇に飾ることができるじゃありませんか。大胆にもこんなことを言いましたが、悪くは取らないでくださいましね。ハンサムな殿方が、奥様よりもひとつかふたつ年上だからといってそれがなんでしょう。よく、殿方というものはいくら年を取っても取り過ぎることはないなどと申しますが、あたしに言わせれば、年を取ってからのほうがいっそ味わいが増すというもの。しかも、どこぞのふらふらしたやからの話ではなく——こんな天使のような双子（神の祝福を）のお父様とくればば、若者も同然じゃありませんか。と、乳母はこんなふうに言うのだが、最後の点に関してだけは、美しい双子の父親にしろ、そうでないにしろ、ほかに実例を知っているわけでもないのだった。

双子は両親の偶像となり、喜びと共に苦悩をもたらした。ゼルバベルが咳をすれば、エフライムは不安の痛ましい叫び声を上げ、心地良いうたた寝から飛び起きる。枕に頭を休めようとしても、脳裏には、喉頭炎を患い、顔をどす黒くしながら死んでいった多くの双子の姿が夜な夜な現れて消えないのだ。ザカリアがどこまでも伸びるような可愛いらしい声で癇癪を起こそうものなら、髪を振り乱したソフォニスバが真っ青な顔で息子の揺り籠に飛んでいく。ピンが刺さり、紐がからみ、フランネルや蠅がくすぐり、光が目をくらませ、暗闇が脅かし、空腹と渇きが総攻撃を仕掛けたりするたびに、バブ家の中は穏やかなまどろみから目覚め、その時々で、家内の空気も一転するのだった。

双子はみるみる成長して乳離れをし、歯が生え、気づくと三歳になっていた！

『彼らは寄り添いながら美しく成長し、
その家を満たした……』（フェリシア・ヘマンズの詩より）

第三章　戦いの噂

ハリー・メルフォードとトミー・サントンは、バブ家と同じ並びに住んでいた。ハリーの両親は二十五番に居を構え、二十七番の屋敷は、トミーの笑顔という絶え間ない日差しに照らされていた。このふたつの家に挟まれた二十六番で、エフライム・バブは、大切な二輪の花を育てていたのだ。ハリーとトミーは、幼いころから毎日のように顔を合わせていた。そもそもは屋根の上で会っていたのだが、その結果、それぞれの父親がバブ家の屋根と屋根窓の修理費用を払うこととなり、このときを境に、ふたりは会うことを禁じられてしまった。おまけに両家のどちらにとっても隣人であるバブ家では、少年の侵入を防ぐため、庭には小石打ち込み仕上げの壁をめぐらせ、その上にガラスの破片を撒くという周到さだった。しかしハリーとトミーは、生まれながらにして大胆かつ向こうみずで志高く、ズボンの尻の生地もしっかりしていたので、バブ家のざらざらした壁にも負けることなく、秘かに会い続けていた。

このふたりの少年に比べれば、カストルとポルックス、ダモンとピュティアス、エロイーザとアベラードの双対性、互いへの忠誠や友情も色あせてみえる。ヒュギーヌスからシラーまで、あらゆる詩人が、決死の覚悟でただ友情のためだけになされた気高い行為を歌い上げているかもしれないが、どんな詩人も、ハリーとトミーを結びつけていた愛情を知れば言葉を失うことだろう。日に日に、そして時には夜な夜な、ふたりの勇者は、乳母、父、母、鞭、監禁、飢えと渇き、孤独と暗闇という危機を乗り越えて会い続けた。互いの会話は、ふたりだけの秘密だった。密会の場で、いかなる怪しい行為がなされていたのか、知る者はだれもいない。少年たちはふたりきりで会い、ふたりきりで過ごし、別れればそれぞれの家に戻っていく。バブ家の庭には蔦のはびこる東屋《あずまや》があり、周りをポプラの若木に囲まれていた。我が子を溺愛する父親が、双子の生まれた日に植えたものであり、その木がすくすくと成長するのを、エフライムは誇らしげに見守っていた。この木立が垣根のようになり、東屋を隠している。ハリーとトミーは、慎重に下調べをし、東屋がまったく使われていないことを確認したうえで、秘密会議の会場とすることを決定した。警戒の上にも警戒を重ねながら密会を重ね、そのころには日常と化した快楽の追求を続けていたのだ。ここでその謎のベールを開き、いったいふたりがいかなる神殿を前に跪いていたのか、その偉大なる未知の世界をのぞいてみるとしよう。

ハリーとトミーは、それぞれがクリスマスに新しいナイフをもらっていた。大きさといい形といい、ほとんど一緒に見えるナイフで、これがもう一年近くも、ふたりの興味の中心であり続けていた。ふたりとも、家の中で気づかれそうにないものを見つけては、なんでもかんでも切り刻み、叩き切った。若き紳士たちにしてみれば、喜びの対価を苦悩で贖うなどごめんだったので、ひたすら用心は怠らなかった。引き出しや机や箱の内側、テーブルや椅子の下側、額縁の裏側。床にさえ、こっそり絨《じゅう》毯《たん》をめくれそうな場所があれば、彼らの技巧の跡が残されていた。ふたりともが自分の芸術作品の記録を取っては、それを見せっこして喜んでいたのである。だがそれも、ついには臨界点に達し、何か新しいことをはじめる必要が出てきた。古き食欲は満たされ、かつての喜びは陰りはじめた。なんとしても、それまでの破壊計画は拡大される必要があったのだ。ただしそれを成し遂げるには、見つかるという恐ろしい危険を冒さざるをえない。それでなくても、安全の領域などとうの昔に越えていたのだから。だが、危険の大小にかかわらず、新鮮な喜びをもたらしてくれる新たな開拓が求められていた。これまでの土地は不毛になるいっぽうだというのに、喜悦を渇望する欲求は日に日に高まっていたのだから。

危険はすでに訪れていたのだが、だれに気づくことができただろう？

第四章　金属の音《ね》

ふたりは東屋で落ち合い、この由々しき問題について話し合うことにした。その胸は革命を求めて膨らみ、頭には計画や戦略が詰まり、ポケットはくすねたことでさらに甘さを増した菓子類ではちきれそうになっていた。まずは菓子を平らげてから、ふたりは自分たちの芸術活動をいかに拡大するかの共謀に入り、それぞれの展望を開陳した。トミーが誇らしげ明かした計画は、ピアノの共鳴板に一連の穴を開け、楽器としての機能を果たせないようにしてはどうだろうというものだった。ハリーも機知で負けてはいない。父親が、一家の守護神として大事にしている曾祖父の肖像画に、キャンバスの裏側から切り込みを入れようという。絵を動かすときがくれば、絵具の表面が割れ、曾祖父の頭が額から落ちるという寸法だ。

会議がここまで進んだとき、トミーの頭に素晴らしい考えが浮かんだ。「楽しみを二倍にしようじゃないか。楽器と肖像画の両方を、ぼくらの喜びの祭壇に捧げるんだ」この意見は速やかに賛同を得、会議は夕食を前にお開きとなった。だがその次に落ち合ったとき、計画には明らかな弱点があることがはっきりした。『ハムレット』から引用すれば「デンマークでは何かが腐っている」というわけだった。それぞれの家で軽く様子を伺ったところ、ふたりの改造計画は、大人の監督の目によってことごとく妨害を受けた。それまでの行為が部分的に見つかっただけでも大変な叱責を食らっていたのだ。少なくとも親の威嚇や命令を笑い飛ばせるくらいに大きくなって力がつくまでは、計画を延期にするほかなさそうだった。

希望を失った少年たちは、鬱々とナイフを手に取り、見つめた。悲哀に抱かれ、名誉と勝利と栄光を満たす素晴らしき機会を永遠に喪失したオセロのように考え込んだ。それから、我が子を溺愛する親さながら、互いのナイフを比べはじめた。大きさといい、切れ味といい、美しさといい、どこをとってもそっくりだ。腐食によるくすみも、汚れによる黄ばみもない。サラディンの剣さながら、歯こぼれひとつ見当たらなかった。

あまりにもそっくりなので、束《つか》に刻まれたイニシャルがなければ、どちらが自分のナイフか見分けることさえできなかっただろう。しばらくは互いに、自分のナイフのほうがいかに優れているかを主張し合った。トミーは自分の刃のほうが鋭い、ハリーは自分の刃のほうが硬いと言って譲らない。言葉の戦いが激烈を極めはじめた。ふたりとも頭に血が上り、まだ子供っぽいその胸が、一人前の男も顔負けの不適さと憎悪で熱くなった。だがちょうど消え去りし過去の精霊が漂っている時刻であり、木立に囲まれたバブ家の薄暗い東屋の中もその例外ではなかった。精霊が、古き良き〝試練〟という言葉をふたりの耳元でささやいたとき、少年たちの癇癪はふいに鎮まった。ふたりは同時に、〝ぶつけ合い〟による決闘の試練を与えてナイフの優劣を確かめようと提案した。

すぐさま実行に移された。ハリーが先に、ナイフの刃を掲げた。トミーは自分のナイフの束《つか》をしっかり握り、刃をハリーのナイフに交差させる形で当て、下げおろした。同じことを、今度はハリーが攻撃側になり行なった。そこでひと呼吸置くと、今度は結果を熱心に調べはじめた。しげしげと見るまでもなく、どちらのナイフにも、同じ深さの大きなくぼみができていた。つまり、確かな結果を求めるためには、さらなる競争を続けるしかなかったわけだ。

その後に続いた一連の激しい戦いについて、詳しく物語る必要がどこにあるだろう?

太陽はとうの昔に沈み、月が、バブ家の屋根の上にすがすがしい笑顔を見せてからだいぶたっていた。ようやく疲れ切ってうんざりしたハリーとトミーは、それぞれの家へと帰っていった。ああ!　あのナイフの素晴らしさは永遠に失われてしまった。イカボド！　イカボド！　栄光《なし》は去り、残ったのは無残にもガラクタに成り果てた二本のナイフのみ。鋭い刃はすっかり損なわれ、脈々と連なるスペインの丘のようになってしまった。

心から大切にしていた武器のことを嘆きはしたものの、少年たちの胸は晴れ晴れとしていた。なぜならその過去によってこそ、この遙かなる世界のように果てしのない快楽への可能性を垣間見ることができたのだから。

第五章　最初の改革運動

その日から、ハリーとトミーにとっての、新しい時代が幕を開けた。家の中の物がつきないかぎりは、新たな楽しみも続くはずであった。普段は使われない銀器類をこっそり少しずつくすね、ひとつずつ隠れ家へと持ち寄った。配膳室という聖域においては汚れひとつなかった見事な銀器たちが。ああ！　二度と同じ姿で戻ることはなかった。

当然ながら、手に入る銀器類には限りがある。そこでまたしても、若き創造力が試されることになった。ふたりはこんな風に論じ合った。「ナイフ同士の戦いもすごかったけれど、それはもう終わったんだ。とにかく〝決闘〟の喜びをあきらめるわけにはいかない。だったら続けよう。この素晴らしい思いつきで新たな世界を目指すんだ。まだもうしばらくは、この喜びの光を浴びながら、決闘を続けようじゃないか。ただし、ナイフではない物を使うことにしよう」

事はなされた。もはやナイフは、志高き少年たちの注意を引かなかった。スプーンやフォークが、毎日のようにつぶされ、形を失っていった。胡椒入れ同士がぶつかり、両者ともに戦場で果てた。闘いを交わした燭台は、そのまま墓に倒れた。テーブルの中央に据えられるイパーンでさえ、ぶつけ合いっこ大作戦のなかで武器として使われた。

ついには配膳室にある物も底をついて、多岐にわたる破壊工作が、じきにハリーとトミー、両方の家の家具にまで甚大な被害を及ぼしはじめた。サントン夫人とメルフォード夫人も、行き過ぎた事態に気づきはじめた。なにしろ来る日も来る日も、新たな災厄が襲うかのようなのだ。ある日には、部屋に飾られていた豪華な装丁の希少本が何らかの不幸な事故に見舞われて、ページががたがたになって外れ、背表紙も取れかけてしまっている。その翌日には、同じような悲劇が細密画の額に起こり、さらに次の日には、椅子やスパイダーテーブルの脚にひどい惨事の跡が見つかる。子供部屋からでさえ嘆きの声は上がった。そこではまだ幼い少女たちが、夜寝る前に大切な人形を、毎晩そっと優しくベッドに寝かせるのだが、次に見つけたときには手脚を切断され、顔は人とは似ても似つかないほどに叩きつぶされ、なんとも無残な姿に変わり果てているのだった。

陶器類も消えはじめた。犯人は一向に見つからないまま、使用人の給金ばかりが次々に差し引かれるので、とうとう雀の涙ほどになってしまった。メルフォード夫人とサントン夫人が被害を嘆くいっぽう、ハリーとトミーは破壊した物を眺めて悦に入るばかり。そしてバブ家の東屋に隠してある壊された物の山はどんどん大きくなっていく。決闘に対する少年たちの情熱は、もはや常軌を逸し、熱狂的なまでになっていた。

そしてついに悲劇が起こった。両家の執事は、次々と物が紛失しては不平を言われることに疲れ、破損物に対する弁償代が給金を越えたことを悟ると、どこかほかの場所、仮に自分たちの奉仕に対する適切な報酬と理解が得られないにしても、少なくとも、現在手にしている財産と評判までは失わずに済む家で仕事を探そうと心を決めた。というわけで、預かっている鍵と、自分の手に委ねられている権限を手放す前に、自他ともに認める正確さでこれまでに蓄えてきた物を確保しておこうと思った。だがそこに加えられていた大打撃を目にしたときの衝撃たるや。その苦しみと、将来への絶望はすさまじく、その悲嘆を前に両執事の心臓は降参し、主《あるじ》を見捨てた。これまでの人生では哀しみよりも、女性の厄介な性根を相手に戦ってきたたくましい頭脳が揺らいだ。そして両執事の頑健な肉体は、それぞれの聖域の床にくずおれた。

その日、屋敷で執事が必要になると、私室や廊下が探された結果、ついに、倒れているところを発見されることとなった。

ああ、だが正義はないのか！　両執事は酩酊したあげくに、その不埒な状態で、管理下にある家内のあらゆる物を故意に傷つけたと非難されることになった。なにしろ壊された物が散乱する中に倒れていたのだ。罪は明らかではないだろうか？　さらには、家の中で起こった不快な事件のことごとくが彼らのせいにされた。両家の執事は断固として無罪を主張したが、ハリーとトミーは事前に示し合わせ、それぞれの家で両親の前に進み出ると、じつはずっと自分の胸を悩ましてきた秘密があるのだと打ち明けた。そして、ひとりきりだと思い込んでいた執事が、配膳室ではナイフとナイフをぶつけ合い、居間では椅子や本や絵を、子供部屋では人形を傷つけ、厨房では皿を壊しているところを何度も目撃したと証言した。結果、両家の当主が断固たる厳しい法の措置を求めたので、両執事は、酩酊と、故意による家財の破損の両方で起訴されることになった。

その夜ハリーとトミーは、それぞれの小さなベッドで甘く穏やかな眠りをむさぼった。寝顔には、天使のささやきをききながら、心地よい夢でも見ているかのような微笑が浮かんでいた。ポケットは、息子の証言に誇りと感謝を覚えた両親からの褒美でふくらんでいたし、その胸は自らの義務を果たしたという安らかな良心に満たされていた。

正義のまどろみほどに、甘やかなるものはない。

第六章　死者をして死を葬らしめよ

ハリーとトミーの行為も、これで終しまいになったと思われるだろうか。

が、そうではなかった。このふたりの魂は常人のものではなく、そのような弱い心は、最初の必要が生じた段階で克服される定めにあった。ふたりはネルソン卿のごとく恐れを知らず、ナポレオンのごとく〝不可能〟とは愚か者のための文字であると信じていた。また「若者の辞書に失敗という言葉はない」という輝かしい真実を享楽してもいた。というわけで、両執事の不埒な行為が明るみに出された翌日、ふたりは隠れ家で落ち合い、新たな活動のための計画を練った。

最も濃い闇の中、四方を壁に囲まれ、わずかな可能性さえ見出すのが難しかったとき、不屈の精神に恵まれたふたりの少年はこのように話し合いを重ねた――。

「ぼくたちがやってきたのは、命のない、動くことさえできない物を相手にしたケチなことじゃないか。だったら、生の領域に足を踏み入れてはどうだろう？　死物なんかはもう過去として忘れ、生きている物に目を向けるんだ」

その晩、家の中が穏やかな眠りにすっぽり包まれ、夜行性の猫のみが官能の叫びで生命と感覚の存在を告げる時刻を待って、ふたりは落ち合った。それぞれが腕にペットの兎を抱き、絆創膏を持ってきていた。静謐で安らかな月光の下、神秘と血と闇の作業がはじまった。まずは絆創膏で二羽の兎の口を塞ぎ、声を上げられないようにした。それからトミーが兎の短いしっぽをつかんで持ち上げた。ぶら下がった白い体が、月光を浴びて悶えた。ハリーも同じようにしてゆっくり兎を持ち上げていき、自分の頭の高さまで来たところで、トミーの兎に向かって打ち下ろした。

ところが誤算があった。しっぽをしっかりつかんではいたものの、兎の体が地面に触れてしまった。運命に見放された哀れな獣たちは慌てて逃げ出したが、そこへ少年たちが飛びかかって今度は後ろ脚をつかみ、先ほどの試みが繰り返された。

夜が深まるなかで勝負は続けられ、ついには東の空が朝の訪れを告げはじめると、勝ち誇った少年たちはお気に入りだった兎の死体を抱き、そのかつての小屋の中に戻した。

その次の晩も、また別の兎によって、勝負が新たにされた。それから一週間と少し――小屋から兎がいなくなるまで――戦いは繰り返されることになった。サントン家とメルフォード家の幼い子供たちは、可愛がっている兎が毎日のように死骸で見つかることに心を痛め、目を赤くしていたが、英雄の精神を持つハリーとトミーは、幼子たちの嘆きの声にも耳を貸さず、心を固くして、最後の最後まで見事に戦い抜こうと決めていた。

兎はすべて死んでしまったが、軍需物資には事欠かなかった。続く何日かは、白ネズミ、ヤマネ、ハリネズミ、モルモット、ハト、子羊、カナリア、オシドリ、ムネアカヒワ、リス、オウム、マーモット、プードル、カラス、カメ、テリヤ、猫で戦いが行なわれた。ご想像のごとく、テリヤと猫を扱う際には困難を極めた。だとしても猫に比べればテリヤのほうがはるかに楽で、たとえてみれば、英国薬局方部会により水増しされた牛乳を、酪農家が信じやすい大衆にそのままつかませる程度に単純なものだった。猫による戦いの最中、少年たちは喜悦に高揚しながらも、その大きくて扱いにくい口に手こずり、地面が割れて、こいつらを飲み込んでくれたらと思うことが一度ならずあった。なにしろ犠牲にされた猫たちは、死の苦悩をおとなしく受け入れたりはせず、しばしば課された縛めをほどき、処刑者たちめがけ、獰猛に襲いかかってきたからだ。

ついには、手に入るかぎりの動物が犠牲になった。だがそれでも、決闘に対する情熱は消えなかった。いったい、どのような結末を迎えるのだろうか？

第七章　雲を縁取る金色の光

東屋に座り込んだトミーとハリーは、希望を失い、落胆しきって、ふたりのアレクサンダー大王のように嘆いていた。なにしろ、征服すべき世界を失ってしまったのだ。もはやぶつけ合いに使える材料が尽き果てたという事実は、どうしても認めざるを得なかった。その朝、ふたりは自暴自棄になって喧嘩をし、その激しさは衣類にまで及んだ。帽子は原型をとどめぬまでにつぶれ、靴は裏もかかとも取れて上部は破れ、ズボン吊りや袖やズボンの裾はほつれ、紳士気分を味わわせてくれる上着の長い裾もちぎれてしまった。

真実、ぶつけ合いによる戦いは、ふたりにとってかけがけのない情熱となっていた。長いこと戦いの悪魔の翼に乗って夢中になり過ぎたせいか、至福に満たされた思い出も、善行への糧にはまったくならなかった。戦闘に熱くなり、いずれ劣らぬ戦功に狂喜しつつ、勝利への欲望は鎮まらぬまま、新たな快楽への憧れはますます強まるばかり。その様は、いったん血の味を知った虎が、さらに多くの強い献酒を求めるのにも似ていた。

ふたりが欲望と絶望に心を乱していたとき、邪悪な精霊が、バブ家の木立の花ともいえる双子を庭へと連れ出した。ザカリアとゼルバベルが手に手を取って、裏口から出てきた。乳母たちの目を逃れ、冒険を求める心に突き動かされて、大きな世界へ——両親たちの支配する領域から遠く離れた地へと、お忍びで飛び出してきたのだ。

しばらくすると、双子がポプラの垣根に近づいてきた。その向こうでは、ハリーとトミーが不安そうに双子の姿を目で追っていた。なにしろ双子のいるところには、決まって乳母たちが現れるのだ。退路を断たれれば、そのまま見つかってしまうかもしれない。

愛らしい双子の姿は、なんとも心温まるものだった。姿、顔、大きさ、表情、服装までがそっくりで、〝ふたりを見分けること〟さえ難しそうだ。その驚くべき相似に気づいた瞬間、ハリーとトミーは互いをさっと振り返り、相手の肩をつかむと、熱い声でささやき合った。

「ぶつけ合いだ！　あいつらはまさにそっくりだ！　これこそ芸術の極致だ！」

ふたりは興奮の面持ちで手を奮わせながら、疑うことを知らない幼子を、自分たちの虐殺納骨堂へと誘い込む作戦を練った。それが非常にうまくいき、ほどなくすると、幼い双子がよちよちと垣根を回り、両親の屋敷からは見えない場所までやってきた。

ハリーもトミーも、互いの家庭において、さほど優しい少年だとは思われていない。だがこのふたりが、無力な幼い双子を喜ばせようと努力する優しさにあふれる姿を見たら、どんな博愛主義者の胸であれ高鳴ったことだろう。微笑みを浮かべ、言葉を巧みに操り、それは優しく誘いかけ、双子を東屋の中へと連れ込むと、幼子の好きな高い高いをするようなふりをして、双子の体を持ち上げた。トミーの腕に抱かれたザカリアは、まんまるな顔をほころばせて、東屋の天井に張っている蜘蛛の巣を見上げた。ハリーのほうも全身の力を振り絞り、ケルビムのようなゼルバベルを高々と持ち上げた。

ふたりの少年は偉大なる試みを前に勇気を奮い立たせた。ハリーが攻撃し、トミーが受ける側に立った。ハリーの紅潮し、決意に満ちた顔の周りで、ゼルバベルの体が回転をはじめた。胸の悪くなるような衝撃があり、トミーの腕がはっきりと押し戻された。

ゼルバベルの青白い顔が、ザカリアの顔に真っ向から衝突していた。たっぷり経験を積んでいた熟練のトミーとハリーが、このように単純な的をはずすわけもなかった。鼻も頬も一瞬で漆喰のようにつぶれ、離れたときには顔中血まみれになっていた。続いて、死者でさえ揺り起こしそうな一連の叫び声が起こり、あたりを切り裂いた。すぐさま、バブ家の屋敷から保護者たちの叫び声と足音がきこえてきた。屋敷内を急いでいる足音を耳にしながら、ハリーがトミーに向かって叫んだ。

「すぐに来るぞ。急いで馬小屋の屋根に上がり、梯子を取り払ってしまおう」

トミーが言葉もなくうなずくと、ふたりは結果も顧みず、それぞれの腕に双子を抱いたまま、壁に立てかけてある梯子を使って馬小屋の屋根にのぼり、梯子を引き上げた。

愛する我が子の姿を求めて屋敷から出てきたエフライム・バブは、目の前の光景に、魂まで凍りついた。馬小屋の屋根の端の、少し高くなった場所では、ハリーとトミーがぶつけ合いを再開していたのだ。その姿はまさに、邪悪な実験にいそしんでいる若き悪魔さながらだった。代わる代わる片方の双子を高々とかざしては、仰向きにされたもう片方の双子めがけ、全力で打ち下ろしているのだ。想像力のある優しい父親でなければ、エフライムの心持ちはわかるまい。なにしろ情の薄い親の心臓でさえ、つぶれてしまうような光景だった。ましてやエフライムにとっては、長年待ち続け、ようやく恵まれた、かけがえのない双子なのだ。その愛する我が子がいま、邪悪な若者の暴力的な欲望の犠牲にされ、知らず知らずのうちに、なすすべもなく、兄弟殺しの罪を犯そうとしていた。

髪を振り乱しながら現れたソフォニスバも、エフライムと共に声を上げた。哀れなふたりが、いかに助けを求めて叫ぼうが役には立たなかった。不幸な偶然もあったもので、その残虐な顛末を目にした者も、苦悩と絶望の悲鳴を耳にした者も、ふたりのほかにはいなかったのだ。エフライムは半狂乱の態で妻の肩に乗り、なんとか手を伸ばそうとしたが、せいぜい馬小屋の壁をひっかくことしかできなかった。

万策尽きたエフライムは屋敷に駆け込み、二連式の銃を手に戻ってきた。走りながら火薬をつめ、馬小屋に近づくと、若き殺人鬼たちに向けて怒鳴った。

「その子たちから手を放し、降りてくるんだ。さもないと犬のように打ち殺すぞ」

「まっぴらだね！」英雄的なふたりの少年は声をそろえ、余興を続けた。苦悩に満ちた両親が涙ながらに自分たちのお楽しみを見つめているかと思うと、喜びは十倍にもなった。

「ならば死ね！」エフライムが叫び、左右二連の銃身から、悪鬼たちに向けて発砲した。

だが、ああ！　我が子への愛のあまり、かつて震えたことのない手が震えた。煙が晴れ、エフライムが発砲の衝撃から立ち直ったかと思うと、勝ち誇ったような、ふたつの高笑いがきこえてきた。ハリーとトミーは無傷のままで、抱いている、胴体のみになった双子の体を振ってみせた。父親は、大切な我が子の頭を吹き飛ばしてしまったのだ。

トミーとハリーは歓喜の叫びを上げ、しばらく双子の体を投げ合っていたが、その胴体が宙を飛ぶ様を目にしたのは、子殺しに手を染めた父親とその妻の、苦悩に満ちた眼《まなこ》のみであった。ふたりの少年が、双子の体をぽーんと高く投げ捨てると、エフライムは前に飛び出してザカリアのものだった体を受け止めようとし、ソフォニスバは無我夢中の態で愛するゼルバベルのなれの果てに飛びついた。

だがどちらも、高みから落ちてくる死体が、どれほどの重さになるかを忘れていた。単純な力学の公式に通じていなかったせいもあるが、科学的な見地のもと、冷静な心で常識的に考えれば不可能であることを行なおうとしたわけだ。双子の体は勢いよく落ちてきて、エフライムとソフォニスバの両方を打ち殺した。こうして双子は、死後とはいえ、親殺しの罪を犯すことになった。

教養高き検死陪審は、ハリーとトミーの証言により、夫妻は我が子を殺害したのちに自殺したものと結論づけた。ハリーとトミーは重たい口を開くようにして、怪物じみた両親が、酒に酔って我を忘れ、双子を大砲に込めて発射したところを目撃したと誓った。大砲はその後盗まれたようだが、双子は何かの呪いのごとく宙に吹き飛ばされて頭から落ち、それを見た両親は自らの手で死を遂げたのだと。

当然ながら、エフライムとソフォニスバは、キリスト教にのっとった埋葬という慰めを拒否され、自殺者として埋められた。ふたりの体に刺された杭は、最後の審判のときまで、不浄な墓に彼らを留め置くことだろう。

ハリーとトミーは若くして国から表彰され、ナイト爵に叙される運びとなった。

その後も長きにわたり、幸運の女神はふたりに微笑みかけ、ふたりともが健康にも恵まれて高齢に達し、尊敬や愛に満ちた人生を過ごした。

金色に輝く夏の宵、自然界のすべてが安らぐなか、一番古い酒の樽が開けられ、大きなランプが灯される。栗が熾火の中で輝き、串に刺した子ヤギの肉がくるくるとあぶられ、ひ孫たちが架空の鎧を直し、兜の飾りの手入れをしている。孫の娶った良き妻たちが、杼《ひ》をひらめかせながら手際よく機《はた》を織っていく。そんなふうな、にぎにぎしい叫び声と笑い声に満ちた部屋の中で、ふたりはしばしば『決闘者、あるいは双子に運命づけられた死』の物語をしてきかせたのだった。

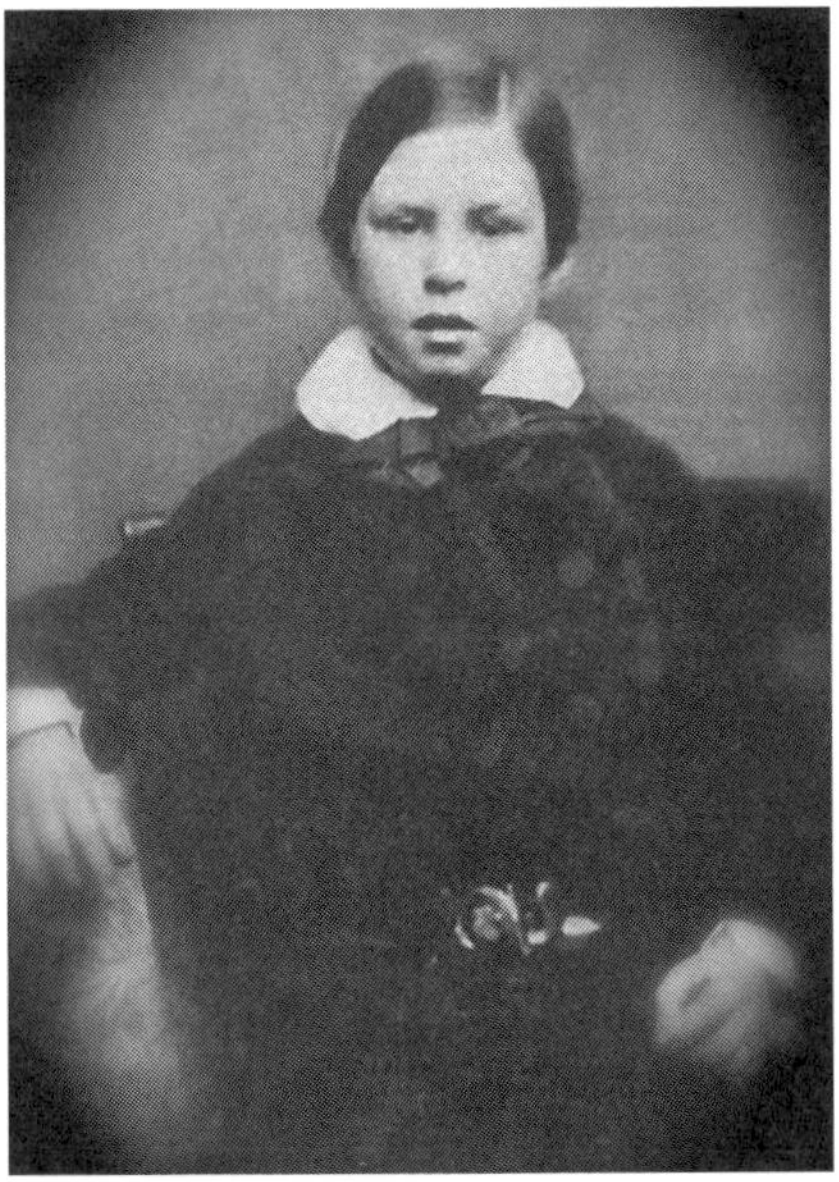

七歳時のブラム・ストーカー

巨匠たちの奇想と怪異

ポロックとポロ団の男

Pollock and the Porroh Man

H・G・ウェルズ　H.G.Wells

中村融訳

H・G・ウェルズ（一八六六—一九四六）は、『モロー博士の島』（一八九六）や『宇宙戦争』（一八九七）などで著名なSFの祖である。また、社会活動家でもある一方、英国人の例に漏れず怪奇小説も好んだ。今回はその中から、当時はイギリス領であったシエラレオネを舞台に、現地の秘密結社と呪術を題材にしたこの作品を、新訳でお届けする。初出は*New Budget*の一八九五年三月二十三日号。
なお、自身の悪夢を小説に書き続けたE・L・ホワイトは、本作を読んだ夜に見た夢が「ルクンドオ」になった、と自ら語っている。

ポロックが秘密結社ポロ団の男にはじめて出会ったのは、ターナー半島の裏側、潟湖《せきこ》に注ぐ川ぞいの湿地にある村だった。その地方の女性は器量のよさで知られている——ヨーロッパ人の血が混じったガリナ人であり、先祖をたどればヴァスコ・ダ・ガマや英国人奴隷商人の時代にまでさかのぼる。ひょっとしたら、そのポロ団の男にもコーカサス人種の血がはいっていたのかもしれない（われわれのなかに、シャーボロ島の人食い人種や、略奪に明け暮れるソーファ（マリ帝国の軍に所属する奴隷の兵士）を遠い親戚に持つ者がいても不思議はない、と思うと奇異の念に打たれる）。いずれにせよ、そのポロ団の男は、最下層のイタリア人さながら女の心臓をひと突きし、あわやポロックも刀の錆にするところだった。しかし、ポロックは三角筋を狙った電光石火の突きをリボルバーで受け流し、鉄の短剣をはじき飛ばすと、発砲して、男の手に命中させた。

もういちど撃ったが狙いはそれ、小屋の壁に即席の窓をうがった。ポロ団の男は戸口で前かがみになり、腋の下からポロックに視線を走らせた。陽射しを浴びた逆さまの顔がポロックの目にちらりと映る。と思うと英国人は薄暗い小屋のなかにひとりきり、いまの出来事の興奮で胸がむかつき、ブルブル震えていた。読めば時間がかかるが、すべてはまばたきする間に起きた。

女は完全に息絶えていた。これを確認すると、ポロックは小屋の出入口まで行き、外を見た。戸外のものは目がくらむほどまぶしかった。遠征隊のかつぎ人夫《ポーター》が六人、寝泊まりしている草ぶき小屋の近くに寄り集まり、こちらをうかがっている。いまの銃声はなにごとだろうと思っているのだ。男たちの小集団の背後には、悪臭を放つ黒い泥地が川ぞいに広がっており、パピルスや水草が青々と茂り、その向こうに鉛色の水がある。対岸のマングローヴが、青い靄《もや》をついてぼうっと浮かびあがっている。うずくまるような村に興奮の気配はなく、カゼ草の上に柵がかろうじて見えているばかりである。

ポロックはおそるおそる小屋から出て、川のほうへ歩いていった。ときおり肩ごしに目をやったが、ポロ団の男は影も形もない。ポロックは不安げにリボルバーを握りしめていた。

部下のひとりが寄ってきた。そうしながら、ポロ団の男が姿を消した小屋の裏手の茂みを指さす。ポロックは自分のしでかしたことの莫迦さ加減に腹が立ち、ことの成り行きが苦々しくて、気分がささくれ立った。そうであってもウォーターハウス——謹厳実直で慎重居士のウォーターハウス——に事情を話さないわけにはいかない。当然、彼は事態を深刻に受けとめるだろう。ポロックは自分の不運を、ウォーターハウスを、とりわけアフリカ西海岸を激しく呪った。この遠征にはほとほと嫌気がさした。そして心の片隅には、あのポロ団の男は地平線のこちら側のいったいどこにいるのだろうという疑問がこびりついていた。

かなりショッキングではあったかもしれない。だが、たったいま起きた殺人に彼はまったく動じていなかった。この三カ月というもの、あまりにも多くの蛮行を見てきたのだ。ソーファ騎兵隊の通ったあとのキタム川上流で、死んだ女や、焼け落ちた小屋や、干からびた骸骨をさんざん見てきたせいで、五感が麻痺してしまっていた。彼の心を乱すのは、厄介ごとはまだほんの序の口だという確信だった。

生意気にも用件を尋ねた黒人を口汚くののしり、ポロックはウォーターハウスが寝ているオレンジの樹の下のテントにはいった。校長室に呼びつけられた少年のようにどぎまぎしていた。

ウォーターハウスは最後に服用したクロロダイン（麻酔鎮痛薬）が効いていて、まだ眠っていた。ポロックはその隣の梱包用木箱に腰をおろし、パイプに火をつけると、ウォーターハウスが目をさますのを待った。あたりにはウォーターハウスがメンディの民から集めた壺や武器が散らばっていた。スリマまでのカヌーの旅にそなえて荷造りしていたものだ。

じきにウオーターハウスが目をさまし、試しにのびをしたあと、具合はよくなったと判断した。ポロックはお茶を淹れた。まずは当たり障りのない話題で探りを入れたあと、お茶を飲みながら、午後の出来事をくわしく話した。ウォーターハウスは、ポロックの予想以上に問題を深刻に受けとめた。眉をしかめただけではなく、叱りつけ、さんざん罵ったのだ。

「きみも黒人は人間じゃないと考えてるクチか。救いようのない莫迦だな。病気でオチオチ寝こんでもいられない。きみがなにかとイザコザを引き起こしてくれるからだ。現地民ともめるのは、ひと月にこれで三度目だぞ。しかも、こんどは復讐沙汰ときた。それもポロ団を相手に！　連中はただでさえきみに腹を立てているんだ。あの偶像に名前を落書きしたからな。連中はこの世でいちばん執念深い輩《やから》なんだぞ！　きみは文明人の面汚しだ。こんなのが名門の出かと思うと！　きみみたいな邪《よこしま》で、愚かな若造にまた悩まされるはめになったら——」

「まあ、落ち着きなさい」ウォーターハウスをいつも激昂させる口調でポロックがいった。「落ち着きなさいよ」

これを聞いてウォーターハウスは絶句した。パッと立ちあがり、

「いいか、ポロック」なんとか息をととのえてから、彼はいった。「きみには帰国してもらう。もう耐えられん。ただでさえ病気なのに、きみときたら——」

「頭を冷やしなさい」と正面を見つめながらポロック。

「行く準備ならできてますよ」

ウォーターハウスは冷静さをとりもどした。折りたたみのキャンプ椅子に腰をおろし、

「いいだろう。喧嘩はしたくない、ポロック。でも、こういうことで計画に支障をきたすのは、はなはだ迷惑なんだ。スリマまでいっしょに行き、きみが無事に乗船す

るのを見届ける――」

「それにはおよびませんよ」とポロック。「ひとりで行けます。ここから」

「遠くまでは行けん」とウォーターハウス。「きみはポロ団の恨みというものがわかっておらんのだ」

「あの女がポロ団の男のものだなんて、わかるわけがない」と苦々しげにポロックがいった。

「だが、そうだったんだ」とウォーターハウス。「きみのしたことはとり返しがつかん。ひとりで行くだなんて、とんでもない！　どんな目にあわされるか知れたもんじゃない。わかっておらんようだが、このポロ団の呪術がこの地方を支配している。それは法律であり、宗教であり、憲法であり、医術であり、魔法でもあるんだ……。首長を決めるのも連中だ。全盛期の宗教裁判所だって、権勢ではこの連中の足もとにもおよばん。そいつは、この辺の首長アワジャルをけしかけるにちがいない。ポーターがメンディ族でよかったよ。このささやかな基地を移さんといかんな……きみのせいだぞ、ポロック！　もちろん、きみはここを出て、その男から逃げなければならん」

ウォーターハウスは考えをめぐらせた。その考えは気にいらないようだった。じきに立ちあがり、ライフルを手にした。

「わたしがきみだったら、しばらく遠出はしない」と出ていきながら、肩ごしにいう。「なにか手を打てるかどうか調べてくる」

ポロックはテントのなかに残って、考えにふけった。「ぼくは文明生活向きにできてるんだ」パイプに煙草の葉を詰めながら、残念そうにひとりごちる。「ロンドンかパリに帰るのが早ければ早いほどいい」

ウォーターハウスが矢羽のない毒矢をおさめて封印したケースに目が留まる。メンディ族の国で買い入れたものだ。

「あの野郎の急所に当たればよかったんだが」とポロックが毒づいた。

かなりの時間がたってから、ウォーターハウスがもどってきた。彼は口数がすくなかったが、ポロックは質問攻めにした。例のポロ団の男は、その神秘的な結社の有力なメンバーらしい。村は興味津々だが、敵対するそぶりはない。呪術師が茂みへ逃げこんだのはまちがいない。男は偉大な呪術師だ。

「もちろん、なにかを企んでいる」ウォーターハウスはそういって、黙りこんだ。

「でも、なにができるんです?」と無頓着にポロック。

「きみをここから出さないといかん。なにかよからぬことが進んでいる。そうでなければ、こんなに静かなわけがない」沈黙をつづけたあと、ウォーターハウスがいった。ポロックは、どんなよからぬことが起きるのかと知りたがった。「頭蓋骨を並べた環のなかで踊るんだ」とウォーターハウス。「銅の深鍋で臭いものを調合する」ポロックはくわしいことを知りたがった。ウォーターハウスは漠然としか知らなかったが、ポロックはしつこかった。とうとうウォーターハウスの堪忍袋の緒が切れた。「わたしが知るわけがないだろう」ポロ団の男はどうするのかというポロックの二十回目の質問に答えて彼はいった。「やつは小屋でなんの下準備もなしにきみを殺そうとした。こんどは、もっと手のこんだことを仕掛けてくるだろう。でも、どうせすぐにわかる。別にきみを怖がらせたいわけじゃない。十中八九はなにもかもたわごとだ」

その夜、すわって焚火に当たっているとき、ポロックがポロ団のやり口という話題を蒸し返そうとした。

「もう寝たほうがいい」ポロックの意図が明らかになると、ウォーターハウスがいった。「明日は早くに発つ。頭をしゃきっとさせておきたいだろう」

「でも、やつはどんな手を使うんです?」

「見当もつかん。ひと筋縄ではいかない連中だ。巧妙な手口を山ほど知っている。きみは混血児のシェイクスピアと話をしたほうがいい」

小屋の裏手の暗闇から閃光が走り、バンという重い音がした。と、粘土の弾《たま》がうなりをあげてポロックの頭をかすめ過ぎた。とにかく、これは粗雑なやり方だった。自分たちの焚火を囲んで話の花を咲かせていた黒人や混血児たちが飛びあがり、だれかが暗闇に向けて発砲した。

「小屋にはいったほうがいい」動じたようすもなく、ウォーターハウスが静かな声でいった。

ポロックは焚火のわきで立ちあがり、リボルバーを抜いた。すくなくとも、闘いは怖くない。だが、暗闇のなかにいる男は最高の防具をまとっている。ウォーターハウスの助言にしたがったほうがいいと悟って、ポロックはテントにはいり、横になった。

浅い眠りは夢にかき乱された。いろいろな夢を見たが、主に見たのはポロ団の男の顔、小屋から出るとき腋の下から見あげた、逆さまになった顔の夢だった。このつかの間の印象がポロックの記憶にしっかりと焼きつけられているのは奇妙だった。そのうえ、手足の妙な痛みにも悩まされた。

白い朝靄のなかで、カヌーに荷物を積みこんでいるとき、不意に逆棘《さかとげ》のある矢がポロックの足もとに突き立ち、小刻みに震えた。ポーターたちがおざなりに藪を捜索したが、捕まった者はいなかった。

　このふたつの事件のあと、ポーターたちがポロックを敬遠するようになり、生まれてはじめてポロックは、黒人たちに交ざりたくなった。ウォーターハウスが片方のカヌーに乗り、ポロックは、ウォーターハウスと親しく言葉を交わしたかったにもかかわらず、もう片方のカヌーに乗るしかなかった。彼はカヌーの舳先の部分にひとりで放っておかれ、男たち——彼を好いてはいない——を指図して、両岸から百ヤード以上は離れている川の中央を進みつづけるのにたいへんな苦労をした。とはいえ、フリータウン生まれの混血児シェイクスピアをカヌーの舳先に来させ、ポロ団について話をさせることができた。シェイクスピアは、ポロックをひとりにしておくという試みが失敗したあと、じきにかなりくだけた調子で話すようになった。

　日が長《た》けていった。カヌーは水面に浮かぶミズイチジクや、倒木や、パピルスや、ヤシ酒ヤシのあいだを縫い、鬱蒼と茂るマングローヴの沼地を左手に見ながら、リボンのような潟湖の川をすべるように進んだ。沼地の向こうから大西洋の寄せ波の咆哮がときおり聞こえてきた。シェイクスピアは訛りのある英語でぼそぼそと語った——ポロ団の者たちは呪術が使える。その悪意にさらされた人間は衰弱する。ポロ団の男たちは夢と悪魔を送りこめる。やつらはイジブの息子たちを拷問して殺した。結社のひとりを騙したスリマの白人交易商を誘拐した。見つかったとき、その死体は見るも無残なありさまだった。シェイクスピアがひと息つくたびに、ポロックは小声で呪った——伝道事業の努力が足りないから、こんなことがまかり通っているのだ。この地を統べる英国政府が無為無策だから、シェラレオネは蒙昧の異教徒の地でありつづけるのだ、と。夕暮れどきに一行はカシ湖に行き当たり、島から二十匹の鰐を追い払って、そこに野営した。

　翌日、スリマにたどり着き、海風のにおいを嗅いだ。だが、ポロックはフリータウン行きの船に乗るまで、五日間足止めされるはめとなった。ここなら比較的安全だし、フリータウンの圏内だと判断したウォーターハウスは、彼を残して、遠征隊とともにグベマへ引き返した。ポロックはスリマに住むただひとりの白人交易商ペレラとすっかり親しくなった——それどころか、親しくなりすぎて、どこへ行くにもいっしょだった。ペレラは小柄なポルトガル系のユダヤ人で、イングランドに住んだことがあり、英国人が親しくしてくれるので大いに気をよくしていた。

二日間、特に変わったことは起きなかった。ポロックとペレラはたいていトランプのナポレオン——ふたりともできる唯一のゲーム——に興じており、ポロックは借金を背負いこんだ。それから、二日目の晩に、ポロックはやすりで削った鉄のかたまりで肩に真新しい傷を負わされ、ポロ団の男がスリマに到来したことを思い知られた。その弾は遠くから飛んできたので、当たったときには勢いを失っていた。それでもメッセージは明瞭に伝わった。ポロックはひと晩じゅうリボルバーをかまえて、ハンモックのなかで上体を起こしていた。翌朝、英語交じりのポルトガル語で事情をある程度まで打ち明けた。

ペレラはこの件を深刻に受けとめた。地元の風習に精通していたのである。

「個《こ》人的な恨みだよ、わかってるだろ。復讐なんだよ。もちろん、あんたが国《くに》から出そうだから、そいつは焦ってる。地元の人間や混《こん》血は、そいつの邪魔をするような真似はしない——それなりの見返《がえ》りがありゃ、話は別だがね。そいつと鉢合わせしたら、撃ってもいい。でも、向ごうだって撃ってぐるんだ。

それに——忌々しい魔法ってもんがある。もちろん、おれはそんなもの信じちゃいない——迷信だよ——でも、どごへ行ごうと、黒《ご》人がついてまわるがと思うと、やっぱりぞっとするね。そいつはときどき月《つぎ》夜の晩に焚《たぎ》火のまわりで踊って、悪い夢を送りつげてぐるんだそうだ……。あんた、悪い夢を見るのが?」

「しょっちゅうだ」とポロック。「逆さになった野郎の生首が毎晩夢に出てくるんだ。小屋のなかでと同じように、にやりと笑って、歯をむきだしてやがる。それでどんどん迫ってきたかと思うと、こんどは遠ざかって、またもどって来るんだ。怖いものじゃないはずなんだが、どういうわけか眠っているうちに恐怖で金縛りにあっちまう。おかしなもんだよ——夢ってのは。ずっと夢だとわかってるのに、どうしても目がさめない」

「どうせただの妄想だよ」とペレラ。「うちの黒《ご》人たちがいうには、ポロ団の男《おとご》たちは蛇を送《おぐ》れるんだそうだ。近ごろ蛇を見たごとは?」

「一匹だけ。今朝、ハンモックのそばの床にいたやつを殺した。起きたとき、危うく踏んづけるところだった」

「ええっ!」とペレラ。「それから、安心させるように、「もちろん——偶然の一致ってやつさ。それでも、おれだったら気《ぎ》をつけるね。それと骨が痛むって話だ」

「沼の瘴気のせいだと思った」とポロック。

「ぎっとそうだよ。いつはじまったんだ?」

　そのときポロックは思いだした——はじめて痛みに気づいたのは、小屋のなかで闘ったあとの夜だったことを。

「おれにいわせりゃ、そいつはあんたを殺《ごろ》したくないんだ」とペレラ。「とにがぐ、まだいまのところは。なんでも、そいつらの狙いは、呪《まじな》いやら、間《がん》一髪の危ない目やら、リューマチの痛みやら、悪い夢やらで人を震えあがらせ、気《ぎ》に病ませて、生ぎるのが嫌になるまで追いごむごとだそうだ。もちろん、ただの噂だよ。心配はご無用……でも、つぎはなにをやるのがね」

「こっちが先手を打つしかないわけか」ペレラがテーブルに並べている脂じみたトランプを陰気に見つめながらポロックがいった。「こんなふうにつけまわされたり、撃たれたり、びくびくさせられたりしたんじゃ沽券にかかわる。それはそうと、ポロ団の呪術であんたのトランプのツキが落ちないものかな」

　彼はペレラに疑わしげな目つきをくれた。

「落ちても不思議じゃない」トランプを切りまぜながら、ペレラが愉快そうにいった。「たいした連中だからな」

　その午後、ポロックはハンモックのなかで蛇を二匹殺した。小屋に群がる赤蟻の数もけたはずれに多くなった。あまりのわずらわしさに彼は癇癪を起こし、顔見知りだったメンディ族のごろつきに商談を持ちかけた。メンディ族のごろつきは小ぶりな鉄の短剣をポロックに見せ、ポロックが震えあがるようなやり方で、グサリと首に突き刺す真似をしてみせた。ポロックは装飾的な発射機構のついた二連銃を見返りにあたえる約束をした。

　その晩、ポロックとペレラがトランプをしていると、メンディ族のごろつきが戸口を抜けてはいってきた。血の染みこんだ地元産の布でくるんだなにかをさげている。

「ここじゃだめだ!」大慌てでポロックがいった。「ここじゃまずい!」

　だが、男を思いとどまらせるには手遅れだった。男はポロックが約束したものがほしくて気がせくあまり、布を開いて、ポロ団の男の生首をテーブルの上に放りだした。それはトランプの札に赤い跡を残し、弾んで床に落ちると、隅までころがって行き、逆さになって止まった。だが、ポロックをかっとにらみつけた。

　そのしろものがトランプの札のあいだに落ちると同時にペレラが飛びあがり、興奮してポルトガル語でわめきはじめた。メンディ族は、赤い布を手にしてお辞儀していた。「銃を!」と彼は叫んだ。ポロックは隅の生首をにらみ返した。夢で見たのとまったく同じ表情を浮かべていた。それを目にしたとたん、彼自身の頭のなかでなにかがプツンと切れたようだった。

　やがてペレラがまた英語でしゃべりだした。

「人に殺《ごろ》させたのが？　自分で殺《ごろ》さながったのが？」

「殺すわけがない」とポロック。

「でも、ごれでそいつに解いてもらえなくなったんだぞ！」

「なにを解いてもらうんだ？」

「それにトランプの札がだいなしだ！」

「解いてもらうって、どういう意味だ？」

「フリータウンから新しいのを送ってぐれ。あそごなら買《が》える」

「でも――『解いてもらう』ってのは？」

「ただの迷信だよ。よぐわからんが。黒《こぐ》人たちがいうには、もし呪《まじな》い師が――そいつは呪い師だったんだ――でも、たわごとだよ……そいつに呪いを解いてもらうが、自分でそいつを殺《ごろ》さないといげないそうで……。呆《あぎ》れてものもいえん」

　ポロックは隅の生首を見据えたまま、小声で悪態をついた。

「あの目つきには我慢できん」とポロック。と、つぎの瞬間、いきなり生首に駆け寄り、蹴飛ばした。それは数ヤードころがり、またしても逆さまに立って止まると、彼を見つめた。

「ひどい顔だな」と英語混じりのポルトガル語でペレラ。「見るに耐えん。小ぶりのナイフで顔《がお》に傷《ぎず》をつげるんだとが」

　ポロックは生首をもういちど蹴飛ばそうとした。だが、メンディ族の男が彼の腕に触れ、「銃は？」と落ち着かないようすで生首を見ながらいった。

「二挺やる――あのおぞましいものを持っていってくれたら」とポロック。

　メンディ族はかぶりをふり、当然の報酬として、いまや自分のものである一挺だけがほしいと答えた。ポロックがおだてても脅しても、男は折れようとしなかった。ペレラには売り物の銃があり（値段は相場の四倍）、それを持って男はじきに立ち去った。それからポロックの目は、意思に反して、床の上のものに引きもどされた。

「あの首《ぐび》がずっと逆さに立ってるのは妙だな」ペレラが不安げな笑い声をあげた。「よっぽど脳みそが重いらしい。起ぎあがり小《ご》坊師の鉛の重りみたいなもんだ。帰《がえ》るどき持っていってぐれ。いま持って帰《がえ》ってもいいんだぞ。トランプの札がだいなしだ。売ってる男《おどご》がフリータウンにいる。ただでさえ汚《ぎたな》い部屋が汚れちまった。あんたは自分で殺《ごろ》さなぎゃならんがったんだ」

ポロックは気を静めると、生首のところまで行って拾いあげた。部屋へもどり、天井のまんなかにあるランプのフックにぶらさげて、ただちに墓を掘りに出た。首は髪の毛でぶらさげたつもりだったが、勘ちがいだったにちがいない。というのも、とりに帰ると、それは逆さまになって首でぶらさがっていたからだ。

陽が沈む前に、寝泊まりしている小屋の北側に埋めたので、暗くなったあと、ペレラの家から帰ってきたとき、墓の横を通らずにすんだ。眠りにつく前、二匹の蛇を殺した。夜がいちばん深まったころ、ハッと目がさめた。パタパタという音、そしてなにかが床をこする音。彼はそっと上体を起こし、枕の下のリボルバーを手探りした。低いうなり声がつづき、ポロックはその音めがけて発砲した。キャンという悲鳴があがり、青い霞のかかったような戸口を黒っぽいものがさっとよぎった。

「犬か！」ポロックはそういうと、また横になった。

朝まだき、妙に落ち着かない気分でまた目がさめた。漠然とした骨の痛みがぶり返していた。彼は天井に群がる赤蟻をしばらく寝たまま見つめていた。あたりが明るくなると、ハンモックの端ごしに視線をやった。すると床の上の黒っぽいものが目にはいった。ぎょっとして跳ね起きたので、ハンモックが裏返り、彼は床へ投げだされた。

気がつくと横になっていて、ポロ団の男の生首が一ヤードほど離れたところにあった。犬が掘りだしたのだろう。鼻が大きく食いちぎられていた。蟻と蠅がたかっていた。奇妙な偶然の一致で、やはり逆さまに立ち、逆転した目に前と同じ悪魔的な光をたたえていた。

ポロックは呆然として、しばらくその恐ろしいものを見つめていた。それから起きあがり——たっぷりと距離をとって——首を迂回して小屋から出た。日の出の明るい光、やみかけた陸風を受けてそよいでいる草木、犬の前肢の跡のある暴かれた墓が、心にのしかかる重みをすこしだけ軽くしてくれた。

彼はその一件を冗談めかしてペレラに話した——真っ青な唇で語られる冗談だが。

「犬を脅がすなんてよぐないね」ペレラも無理に陽気なふりをした。

汽船が来るまでの二日間、ポロックはこの持ち物をうまい具合に始末しようとして過ごした。そのしろものをあつかうことへの嫌悪感を克服して、河口まで行き、海中に投げこんだ。しかし、奇跡的にもそれは鰐の餌にならず、上げ潮に乗って川のすこし上流にある泥地に打ちあげられた。ある目端のきくアラブとの混血がそれを見つけ、夕暮れどきに珍しいものがあるといってポロックとペレラに売りにきた。その現地民は短い黄昏のあいだ粘りつづけ、値段を下げに下げたが、賢いはずの白人たちがそのしろものを恐れているのが一目瞭然なので、どういうわけか自分も怖くなり、とうとう退散した。ポロックの小屋を通りしな荷物を放りこんでいったので、あくる朝ポロックが発見するはめとなった。

　これを見てポロックは半狂乱になった。こんなもの燃やしてやる。彼はすぐさま曙光のなかへ出ていき、昼間の熱気が襲って来る前に、粗朶を山のように積みあげた。ちょうどそのとき、モンロヴィアからバサーストへ向かう小型の外輪汽船の汽笛が聞こえてきた。砂州にできた隙間を抜けてくるところだった。「ありがたい！」その音の意味するものが徐々にわかってくると、ポロックは心から天に感謝した。震える手であわてて薪の山に火をつけ、その上に生首を放りだすと、その場を去って大型旅行鞄を荷造りし、ペレラに別れ《アデュー》を告げた。

　その午後、かぎりない安堵の念に包まれたポロックの眼前で、平らな沼地から成るスリマの海岸線が遠のいていった。白波が作る長い線に生じた隙間がどんどん狭くなった。それは閉じて、彼を災難から切り離しているように思えた。恐怖と懸念がすこしずつ抜け落ちはじめた。スリマではポロ団の恨みとポロ団の魔法を信じる気風が蔓延しており、ポロ団の勢力があまねく浸透しているような気がして、恐ろしくてならなかった。こうして見ると、ポロ団の領土などとるに足りないものだとわかる。海と青くけぶるメンディ族の高地とにはさまれた小さな黒い帯でしかないのだ。

「さらばだ、ポロ！」とポロックはいった。「さらば――また会おう《オー・ルヴォワール》じゃないのはたしかだ」

　汽船の船長がやってきて、彼と並んで手すりに寄りかかると、こんばんはと挨拶し、航跡の泡に唾を吐いて気さくなところを見せた。

「さっき浜辺でえらく変わったものを拾いましてね」船長がいった。「インドのこっち側じゃ、はじめてお目にかかるしろものです」

「どんなものですか？」とポロック。

「塩漬けの首ですよ」

「なんですって！」

「それに――燻《いぶ》されてます。おまけに、例のポロ団のひとりで、顔じゅうナイフの傷で装飾を施してある。おや！　どうしました？　なんでもないって？　まさか、これほど神経が細い人とは思わなかった。顔が真っ青だ。うわっ！　船酔いですね。だいじょうぶですか？　いや、こいつはおかしなことになった……！　ともかく、さっきの話ですが、これがちょっと変わっててね。何匹かの蛇といっしょに、そういう珍しいものをしまっておく酒瓶に入れて船室に置いてあるんですが、どうしても逆さまに浮いちまうんです。おや、どうしたっていうんだ！」

ポロックは支離滅裂なことを口走り、両手で髪の毛をかきむしった。海に飛びこむという考えが頭に浮かびかけたので外輪覆いのほうへ走ったが、そのとき自分の立場を悟り、船長のほうへ引き返した。

「おーい！　ジャック・フィリップス」船長がいった。「その人をわしに近寄らせるな！　さがって！　近づかないでくださいよ、旦那！　いったいどうしたんです？　気でも狂ったんですか？」

ポロックは片手を頭に当てた。苦しい説明になった。

「ときどき頭がおかしくなりかけるんです。ここが痛むんですよ。いきなり来るんです。大目に見てもらえるといいんですが」

彼は顔面蒼白で、汗まみれだった。正気を疑われたら厄介なことになる、と不意にはっきりとわかった。船長の信頼をとりもどすために無理をして同情混じりの質問に答え、提案を心に留め、スプーン一杯のブランデーを口に含もうとさえした。そうやって疑いを晴らすと、船長が個人的に売買しているという珍品について根掘り葉掘り訊いた。船長は生首を微に入り細にうがって描写した。そのあいだずっとポロックは、船がガラスのように透明で、足もとの船室からこちらを見ている逆転した顔がくっきりと見えるという妄想を懸命に抑えつけていた。

スリマにいたときよりも汽船に乗っているときのほうが始末に負えなかった。昼間は自制心を発揮して、あの身の毛もよだつ生首がすぐそばにあるという認識、心に影を落とす強烈な認識と闘わねばならなかった。夜になれば古い悪夢がもどってきて、恐怖で身をこわばらせ、しゃがれた悲鳴の亡霊を喉に詰まらせながら、やっとの思いでめざめるしかなかった。

バサーストでテネリフ行きの船に乗り換え、本物の生首はそこへ置いてきた。しかし、夢や骨の鈍痛はそうはいかなかった。テネリフで喜望峰行きの定期船に乗り換えたが、生首はついてきた。ポロックは賭けごとに手を出し、チェスを試し、読書さえしたが、飲酒の危険はわきまえていた。それでも丸くて黒い影や、丸くて黒いものが視界にはいるたびに、例の生首を探し——目にするのだった。自分の想像力がしだいに裏切者になっているのはじゅうぶん承知していた。それでも、自分が乗っている船や、同乗の船客や、水夫たちや、大海原などが、自分とおぞましい現実世界とのあいだにかかる薄っぺらい幻影の一部であり、その現実世界をろくに覆い隠せていないように思えるときがあった。そんなときは、悪鬼じみた顔をその紗幕から突きだしているポロ団の男だけが、本物で否定できないものだった。そうなると彼は起きあがり、ものに触れたり、味わったり、かじったり、マッチを擦って自分の手を焼いたり、針を自分に突き刺したりするのだった。

そういうわけで、興奮した想像力と無言で格闘しながら、ポロックはイギリスに到着した。サウサンプトンで上陸し、ロンドンのウォータールー駅から辻馬車に乗って、コーンヒル通りの銀行へ直行する。そこでは個室で頭取と仕事の話をした。そのあいだずっと生首が、黒大理石のマントルピースの下で装飾のようにぶらさがり、炉格子に血を滴らせていた。しずくが垂れる音が聞こえ、炉格子についた赤いものが見えた。

「きれいな羊歯ですな」ポロックの視線をたどって頭取がいった。「しかし、炉格子が錆びてかないません」

「みごとです」とポロック。「じつにみごとな羊歯です。それで思いだした。心の不調を診てくれる医者を推薦してもらえませんか？　ちょっとばかり――なんでしたっけ――幻覚を見るんです」

生首がけたたましい笑い声をあげた。驚いたことに、頭取は気づかなかった。かわりにポロックの顔をまじまじと見ただけだった。

ある医者の住所を聞きだすと、ポロックはじきにコーンヒル通りへ出た。辻馬車が見当たらないので、通りの西端まで行き、市長官邸の反対側へ渡ろうとした。ここを渡るのは、慣れたロンドンっ子にさえ容易ではない。辻馬車、幌付き荷馬車、四輪馬車、手押しの郵便車、乗合馬車が絶えず行き交い、一本の流れとなっているのだ。マラリアが猖獗《しょうけつ》するシエラレオネの僻地から出てきたばかりの者にとって、それは気が変になるような混乱のきわみだった。しかし、逆さまになった生首が、いきなりインドゴムのボールのように弾んできて、地面に触れるたびに血の染みをはっきりと残しながら、脚のあいだへ飛びこんできたら、事故を起こさないほうが無理な相談だ。ポロックはそれを避けようと発作的に足をあげ、怒りにまかせて蹴飛ばした。そのときなにかが背中にぶち当たり、灼熱の痛みが腕を駆けあがった。

乗合馬車の轅《かなえ》をぶつけられたのだった。そして左手の指三本が、馬の蹄に踏みつぶされた――たまたま、彼がポロ団の男から撃ち飛ばしたのと同じ指が。ポロックは馬の脚のあいだから引きずりだされた。そのつぶれた手には医者の住所が握られていた。

二日にわたり、ポロックの五感がとらえるのは、クロロフォルムの甘ったるい刺激臭、痛みを消してくれる痛みだらけの手術、じっと横たわって、食べ物と飲み物をあたえられている自分だけだった。やがて微熱に浮かされ、喉がひどく渇いて、古い悪夢がもどってきた。もどってきてはじめて、丸一日それと無縁でいられたことに気づいた。

「指のかわりに頭がつぶされていたら、夢はどこかへ行っていたかもしれん」さしあたり生首の形をしている黒っぽいクッションをもの思わしげに見つめながら、ポロックはひとりごちた。

ポロックは最初の機会を捉えて、医者に心の不調を訴えた。なにか手を打たないかぎり、気が狂うのはまちがいない——それがはっきりわかった。ダオメーで首切りを目撃し、その生首のひとつが頭から離れないのだと説明した。当然ながら、ありのままの事実を打ち明けはしなかった。医者は深刻な顔をした。

じきに医者がためらいがちにいった。

「子供のころ、宗教について厳しくしつけられましたか?」

「そういうことはありませんでした」とポロック。

医者の顔に翳がよぎった。

「お聞きおよびかどうか知りませんが、ルルドでは奇跡で病気が治るそうです——もちろん、奇跡ではないのかもしれません」

「あいにく、信仰療法はぼくには向いてません」黒っぽいクッションから目を離さず、ポロックがいった。

生首が傷だらけの顔をゆがめ、忌まわしいしかめ面をした。医者は方針を変えた。

「すべて想像の産物です」と不意にキビキビした口調でいう。「とにかく、信仰療法がうってつけの症例なんですが。あなたは神経が参っていて、意識が朦朧とした状態、お化けがいちばん出やすい状態にあるんです。生首の印象が強すぎたんでしょう。神経を——とりわけ脳を——強くする薬を処方してあげます。それに運動もしてもらわねばなりません」

「信仰療法は効きませんよ」とポロック。

「だから、健康をとりもどさねばならないのです。空気のいいところを探しに行きなさい——スコットランド、ノルウェー、アルプス——」

「いっそのことジェリコへ」とポロック——「ナアマン

が行ったところです」（シリア人の隊長ナアマンは、エリシャの言にしたがいヨルダン川に七度身を浸してハンセン病を治した。『新約聖書』の挿話）

とはいえ、指の傷が癒えるや否や、ポロックは医者の指示にしたがおうと涙ぐましい努力をした。いまは十一月。フットボールを試したが、ポロックにとってそのゲームは、怒り狂う逆さまの首を蹴ってフィールドを走りまわるのと同じだった。彼はゲームでは役に立たなかった。恐怖に駆られてむやみに蹴るし、ゴールを守らされ、ボールが飛んでくると、いきなり悲鳴をあげて逃げだすのだ。イギリスを追われ、熱帯を放浪する原因となった芳《かんば》しからざる風評のせいで、男の社会以外からは締め出されていたのに、奇行がつのるいまとなっては、その男友だちにさえ避けられるようになった。生首はもはや目に映るだけではなかった。わけのわからないことをまくしたて、話しかけてきた。じきにそのしろものをつかんだら、もはやたんなる家具になるのではなく、本物の切断された首のような手ざわりがするときが来るのではないか――そう思うと恐ろしくてならなかった。ひとりでいるとき、彼はそのしろものを呪い、反抗し、泣きつくのだった。いちどか二度、しっかりと自制していたにもかかわらず、人前で話しかけたことがある。こちらを見ている人々――下宿の女主人、使用人、自分の下男――の目のなかで疑惑がふくれあがるのが感じられた。

十二月初旬のある日、いとこのアーノルド――彼の最近親者――が会いに来て、彼を連れだそうとした。そして目を細くして、げっそりとこけた黄色い顔をつくづくと眺めた。ポロックには、いとこが手にしている帽子がまったく帽子ではなく、逆さになってにらんでくるゴルゴンの生首に思え、理性に反して、その目と闘った。とはいえ、あきらめるつもりはなかった。自転車を買い、ワンズワースからキングストンまで霜のおりた道を走った。すると例のしろものが並んでころがっており、背後に黒っぽい跡を残しているのに気づいた。彼は歯を食いしばって速度をあげた。やがてリッチモンド・パークに向かって坂を下っているとき、生首がいきなり正面へころがり、車輪の下へ消えた。あっという間の出来事だったので、避けようとしてとっさにハンドルを切り、石積みに激しくたたきつけられて、左の手首を折った。

最期はクリスマスの朝にやってきた。彼は夜通し熱にうなされていた。手首に巻かれた包帯が炎の帯さながら、夢は前にもまして鮮明で、身の毛がよだった。日の出前に射す冷たく、色のない、心もとない光を浴びて、彼はベッドで上体を起こした。すると青銅の壺のかわりに腕木に載っている生首が見えた。ひと晩じゅうそこに立っていたのだ。

「あれは青銅の壷なんだ」本心では疑いながら、彼はいった。じきにその疑いにあらがえなくなった。身震いしながら、ゆっくりとベッドから出ると、両手をあげて壷のところまで行く。これで妄想だとわかるにちがいない。青銅の光沢がはっきりと見えるはずだ。さんざんためらった末に、とうとう指が生首の模様のある頬に触れた。彼は反射的に指を引っこめた。来るところまで来てしまった。触覚に裏切られてしまったのだ。

ブルブル震えながら、ベッドにぶつかり、素足で靴を蹴飛ばした。暗い混沌が周囲で渦巻くなか、手探りで鏡台まで行き、引き出しから剃刀をとりだすと、これを手にしてベッドにすわりこんだ。姿見に自分の顔が映った。血の気がなく、やつれ果て、絶望のきわみという表情だった。

短い人生に起きたことが、つぎつぎと目の前をよぎっていく。みじめな家、それに輪をかけてみじめだった学校時代、それ以来送ってきた素行不良の歳月、ひとつの自分勝手な行いがつぎへつながっていく。夜明けの冷たい光のなかで、いま卑劣な愚行のすべてが、いやというほどくっきりと見えた。脳裏に浮かぶ例の小屋、ポロ団の男とのいさかい、スリマへ撤退する川下り、メンディ族の刺客とその赤い包み、生首を破壊しようという死にもの狂いの努力、幻覚の増大。そう、幻覚なのだ！　それはわかっている。ただの幻覚だ。一瞬、ポロックはその希望にすがりついた。姿見から目をそらし、腕木に移すと、逆さまの生首がにたりと笑い、顔をしかめる……。包帯を巻いた手のこわばった指で首に触れ、動脈の拍動を探った。その朝はひどく冷えこんでいて、鋼鉄の刃は氷のようだった。

ディケンズの『幽霊屋敷』

幽霊屋敷の人々

The Mortals in the House — The Haunted House, Chapter 1

チャールズ・ディケンズ Charles Dickens

谷 泰子 訳

ヴィクトリア朝における心霊主義の大流行ぶりを知るには、吉村正和『心霊の文化史　スピリチュアルな英国近代』（河出書房新社）が最適の一冊だろう。科学技術の時代に降霊会がさかんに開かれ、幽霊屋敷が探検された様子がうかがえる。
ディケンズは心霊主義には懐疑的だったが、自ら編集する雑誌*All the Year Round*の一八五九年クリスマス増刊号で、同誌の寄稿作家によるリレー小説を企画した。探索者たちが幽霊屋敷に集い、一人一部屋ずつ泊まり、後でそれぞれが見聞きしたことを報告する、という設定。まずは、ディケンズ自身による発端篇からどうぞ。

幽霊が出るという御墨付きがあるわけでもなく、昔から幽霊に馴染みのある土地柄でもない。そんな環境のもと、わたしは初めて、その屋敷を目にしたのだった。このクリスマス・ストーリーの題材となる屋敷である。日中で、日の光が降り注いでいた。無風だし雨も降っていない、稲妻も走らないし雷鳴もとどろかない、恐ろしいことも異常なことも全く起きていない、つまり不気味さが増すような状況では全くなかった。それだけではない、わたしは駅からまっすぐ、その屋敷まで歩いてきていた。駅からせいぜい一キロ半ほどの距離。なので屋敷のすぐ前に立ち、来た道を振り返るとちょうど、貨物列車が谷間の築堤を、すべるように通過していくのが見えた。何もかもが至って普通だった、とは言うまい。なぜなら、何であれ至って普通なんてことがあるだろうかと、常日頃思っているからだ。まあ、至って普通の人たちの目には、何であれ至って普通に見えるのだろうが――などと口を挟んでしまうあたり、わたしの虚栄心の表れか。とはいえ、あえて言い切らせてもらう。その屋敷を見れば誰であれ、わたしと同じように思うはずだ。秋の日の、よく晴れた朝であれば。

わたしがその屋敷を見つけた経緯を次に語ろう。

北部地方からロンドンに向かっていたわたしは、途中下車してその屋敷を見てみようと思っていた。健康上の理由から、しばらくの間田舎で静養しなさいと言われており、それを知った友人の一人が、たまたまその屋敷の前を馬車で通りかかったとかで、よさそうな家があるよと手紙で知らせてくれたのだった。真夜中に列車に乗り込み、ほどなくうとうとし、次に目覚めたときには車窓から、空いっぱいに広がる見事なオーロラが見えた。そしてまたうつらうつらし、再び目覚めると、もう夜は明けていた。ああまた一睡もできなかったな、という、不快極まりない確信が頭をもたげる――こう疑ってしまったら最後、目覚めてすぐの頭の働かない状況も相まって、もはやこれは、向かいに座っている男と一戦交えるという大勝負に出るしかない、と思ってしまった。我ながら恥ずかしい。向かいの席の男ときたらひと晩じゅう――この男はいつとてもそうなのだろう――そわそわしっぱなし、果てしなく落ちつかないのだ。こんな理不尽な所業(もはや彼にはそれしか期待できなかった)だけに飽き足らず、男は鉛筆と手帳を持っていて、ひっきりなしに耳を澄ませては、何か書きつけていた。それが癇に障るわけだが、どうやら客車がガタガタ揺れるのと連動しているように思われた。わたしが諦めて、書きつけを許してやればいいだけの話ではある。彼はきっと技師か何かで、土木工学まみれの人生を送っているのだ、とか何とか適当に想像してやればいいのだ。ただ、耳を澄ますときだけはきまって、わたしの頭の上あたりを真っ直ぐにじっと見つめてくる。とにかくもう挙動不審で、目ばかりがキョロキョロ泳いでいる、そういう態度が、どうにも我慢できなかった。

寒く、死んだような朝だった(太陽はまだ上っていない)。製鉄の町の薄れゆく炎、わたしと星々の間にも、わたしと朝の間にも、たちまちのうちに立ちこめる濃厚な煙のカーテン。それらを窓から眺めていたのだけれど、ふと同乗者を振り返り、問いかけてみたくなった。

「たいへん申し上げにくいのですが、何ですか、わたしに、どこかおかしなところでもあるんでしょうか?」なにせ本当なのだ、どう見ても彼は、わたしの旅行用帽子だか髪だかを、不躾なまでに詳細に観察し、書きとめているように思えたのだ。

　目つきのおかしいその紳士が、わたしの背後に向けていた目をすっとそらした。客車の後ろの壁が百キロ以上も先に遠ざかったのかと思った。そして、わたしの小器ぷりに同情しているよ、とでもいわんばかりの、尊大な目つきでこう言ったのだ。

「あなたのおかしなところ?　――Bですな」

「B、ですか?」訊き返しながらも、かっと頭に血がのぼる。

「わたしの知ったことではありませんから、なんとも」と紳士は答えた。「悪いが今聴いているところなので、――O」

　紳士はこの母音を、ひと呼吸おいてからしっかり発音し、そして書きとめた。

　たちまち恐ろしくなった。どう見ても頭のおかしい人がいるのに、車掌に知らせることもできない、というのはなかなかに厳しい状況なのだ。が、この紳士は、もしかしたら世間で霊媒と呼ばれる人種なのでは?と思いあたって、少しほっとした。わたしが最も尊敬しつつも、到底信じられない（輩もいる）人種である。本当に霊媒なのか訊いてみようとしたその時、向こうからしゃべりだした。先手を打たれた。

「すみませんねぇ」馬鹿にしたような言い方だった。「わたしは一般の方々よりも先んじてしまっているもので、まったく気にならないのです。昨夜は一晩じゅう――いや四六時中ずっと、現に今もなんですが――霊と交信しておりまして」

「O《おお》!」わたしは多少つっけんどんに返す。

「昨夜の集会のはじまりは」と紳士は、手帳をパラパラめくりながら続けた。「こんなメッセージからでしたよ。邪悪な付き合いが良い習慣を堕落させる。（朱に交われば赤くなる）」

「理にはかなっていますが」とわたし。「ただ、前から言われていることでは?」

「霊によって語られたのは初めてです」紳士は答えた。

　またさっきと同じ、つっけんどんな「O!」を繰り返すしかなかった。が、最後の交信が何だったか、よかったらお教えいただけませんかとも訊いてみた。

「手の中の一羽の鳥は」紳士は最後に書いたらしき一文を、ものすごく荘厳な声遣いで読みあげる。「Bosh《アサガオ》の中の二羽と同じ価値がある」

「もろ手を挙げて賛成します」とわたし。「ですが、

Bush《しげみ》のまちがいでは？」（Bushであれば、『明日の百より今日の十』という意味のことわざ）

「わたしには、Boshと伝えられました」紳士はそう答えた。

それから紳士はこうも話した。昨夜、かのソクラテスの魂が、次のような貴重なお告げをもたらしてくれたのですよ、と。「我が友よ、ご機嫌麗しゅう。この客車には二人乗っているのだね。初めましてどうぞよろしく。実はここには、一万七千四百七十五もの魂が集まってきているのだが、きみには見えないのだね。ピタゴラスもここにいるのだよ。自由に発言することはできないが、きみには旅行を楽しんでもらいたいそうだ」ガリレオもやはり、さっき立ち寄ってくれ、こんな化学の豆知識を授けていってくれたという。「会えてうれしいな、友よ《AMIGO》。元気かい《COME STA》？　寒くなるとね、水は氷になるんだ。じゃあね《ADDIO》！」夜の間にはまた、次のような現象も起きていたそうだ。ジョセフ・バトラーが来て、自分の名前は「バブラー」だと言い張ったが、そもそも正書法にも礼儀作法にも反しているし、おそらく相当虫の居所が悪かったのだろう。ジョン・ミルトン（神秘な存在に、故意に祀り上げられてはいないか？）は、失楽園は自分が書いたものではないときっぱり言い、共著者だという無名の紳士二人、グランガーズとスカジントンの名を、恭しく紹介して去っていった。そして、英国のジョン国王の甥、アーサー王子は、いま地獄の第七圏にいるんだが、まあまあ快適だよ、と話していった。ビロードの生地に絵を描く方法を、児童文学者ミセス・トリマーと、スコットランド女王メアリー・スチュアートの二人から教わっている、ということだった。

もしもこの物語が、あんなにも凄い話を聞かせてくれたあの紳士の目に、万が一にも触れることになったなら、わたしは潔く白状しようと思う。きっと紳士は許してくれるだろう。わたしは昇る朝日に心を奪われ、さらには広大な宇宙をつかさどる壮麗な秩序にまで思いを馳せてしまい、それゆえに、紳士の話にしびれを切らしかけていた。要するに、我慢の限界にきていたのだ。なので次の駅で降りたときには、ものすごくうれしかった。濛々と立ちこめる霧の中にいたのが、自由な大気の只中へ、まるで天国へ、出てこられたような気分だった。

降りてみると、朝の空は美しく晴れ渡っていた。金や茶色や小豆色に染まった木々から落ち、積もった枯葉。踏みしめて歩くうちに、自分が天地創造の脅威に取り囲まれていると思い知り、驚愕する。さらにその支えとなっている、普遍かつ着実な、調和のとれた自然の法則を思う。それを思うにつけ、あの紳士がやっていた霊魂との交信というのが、わたしには、かつてないほど貧相な手内職に思えてくるのだった。そんな罰当たりな心境のまま、わたしは件の屋敷が見えるところまでたどり着いた。足を止め、じっくりと眺めてみる。

一軒家で、周りには哀れなほどに手入れされていない庭が広がる。真四角で、二エーカーくらいはあるだろうか。おそらくジョージ二世の時代の建物で、実に厳《いか》つく、寒々しく、格式張っていて、つまり趣味が悪く、四人のジョージ王を最高の王と心から崇拝する向きには、たまらない物件なのかもしれなかった。空き家だったが、一、二年前ぐらいには安普請ながら修理が入り、何とか住めるようにはなっていた。安普請と言ったのは、手が加わっているのは表面だけだったし、ペンキと漆喰に至っては、色が新しいわりには既に傷んでボロボロ剥がれ落ちてきていたからだ。庭を囲む塀には看板が、斜めになってぶら下がっている。「たいへんお値打ちの条件にてお貸しします。家具つき」と書いてあった。庭木が家に近すぎるし、茂りすぎていて日が入りにくそうだ。しかも建物正面の窓側にいたっては、大きなポプラの木が六本も並んでいて、もう鬱陶しいどころの騒ぎではない。いくらなんでも植える場所を間違えている。

人が寄りつかない家なのだなと、すぐにわかった――村ぐるみでこの家を疎んじているのかもしれない。村はというと、一キロも離れていないあたりに教会の尖塔が見えるから、だいたいあの辺なのだろう――誰も借りようとはしない家。となると、おのずと察しがついてしまう。この家は、幽霊屋敷と噂されているに違いない、と。

昼そして夜の二十四時間のうち、わたしにとって最も厳かな時間は早朝だ。夏ともなると、しょっちゅう極端に早起きし、部屋にこもって朝食前にはもう、その日の仕事にとりかかっていたりする。そういうときには決まって、静けさと、自分のまわりには誰もいないという孤独感に、深い感銘を受ける。それに、見慣れた人たちの寝顔に囲まれているというのも、恐ろしく変な気分ではある――自分にとってとても大切な人たちであり、その人たちにとっては自分がとても大切な存在である、そんな人たちが自分を全く感知しない、無感覚の状態にあると思い知るのだから。その状態は、わたしたちがもれなく向かってゆく、あの神秘的な状態を予感させる――命が止まり、昨日からつながってきた糸がぷつりと切れる。席は空いたまま、本は閉じたまま、やりかけの仕事はやりかけのまま、そう、すべてが死のイメージだ。早朝のそんな時間の静けさは、死の静けさなのだ。早朝の色あいも肌寒さも、同じく死を連想させる。いつも使っている日用品でさえ、何らかのたたずまいを纏っていて、それが夜の闇を抜け、朝の光の中に初めて浮かび上がる瞬間にだけ、更新され、はるか昔の姿を取りもどす。成熟したか年老いたかしてくたびれた表面の衰えの中に、昔の姿は隠されているから、死においてのみ、かつての若々しい姿に戻ることができるのだ。もっと言えば、かつてわたしは早朝のこの時間に、父の姿を見たことがある。父は生きていて、元気そうで、だからといってそれ以上何も起こりはしなかった。とはいえ、わたしは日の光の中にたたずむ父を見たのだ。わたしに背を向けて、ベッドのすぐそばの椅子に腰かけていた。頬杖をついていたけれど、眠っているのか泣いているのかよくわからない。ただ父がいるのに驚いて飛び起き、身じろぎし、ベッドから身をのりだしてじっと見つめた。父が動かないので、何度か声をかけた。それでも動かないとなるといよいよ怖くなり、父の肩に手をのせた、と思った——すると、そんなものはなくなっていた。

というようなわけで、まあほかにも理由はあるが手短には説明できないのでとにかく、わたしとしては早朝が、最も幽霊に逢いやすい時間だと思っている。どんな家にでも、わたしに言わせれば大なり小なり、幽霊の気配はあるのだ。早朝ならば。だからたとえ幽霊屋敷だとしても、あのとき以上にひどくわたしを動揺させることなど、まずありえないと思っていた。

そのまま歩いていって村に入った。屋敷を見捨ててきたようで若干後ろ髪をひかれてはいた。やがて小さな宿屋の前を通りかかると、主が入り口の階段に砂をまいている。朝食を出してくれるよう頼み、それから屋敷の話を切り出した。

「幽霊屋敷なのかね?」

宿の主人はわたしの顔をじっと見てからやれやれと首を振り、こう答えた。「どうだかね」

「ということは、やっぱり出るんだね?」

「いやさ!」声が大きくなった。どうにでもなれと思ったのか、正直な気持ちが突然あふれ出したようだった——「わしなら、あそこじゃ寝れん」

「どうして?」

「家じゅうの鐘が、誰も鳴らしてないのに鳴ったり、家じゅうのドアが、誰も閉めてないのにバタンと閉まったり、それこそたくさんの足が、足なんぞないはずなのに歩きまわったり、もしわしがそういうのを望んどるなら」と主人は言う。「あの屋敷で寝るだろうよ」

「あそこで誰かが何かを見たとか?」

主人はまたもわたしを見つめ、それから、さっきと同じ、どうにでもなれという顔をして、馬小屋のある庭のほうに声をかけた。「アイキー!」

　呼ばれて来たのは、肩がやたらといかった若い男。丸っこい赤ら顔に、短く狩りあげた薄茶色の髪、口は大きくてちょっと剽軽《ひょうきん》な形をしているし、鼻は上を向いている。大きな袖と、真珠貝のボタンがついた紫の縞模様のチョッキを着こんでいるが、それはまるで体から生えて伸びてきているみたいで、このままいけば——刈り取られたりしなければ——頭をすっぽり覆ってしまうばかりか、長靴にまでかぶさってしまいそうだった。

「こちらの紳士が知りたいとおっしゃってな」と宿の主人。「ポプラ荘でなんか出るのか、出ないのか」

「……キンをかぶった女が、クロウを連れてるんです」と、アイキーは今見てきたみたいに目を輝かせながら言った。

「苦労を連れてるって、泣いてるってことかな?」

「鳥のことなんだけども」

「頭巾をかぶった女が、フクロウを連れてるのか。すごいなそれは! 　きみは見たことがあるのか?」

「クロウは見たよ」

「女は見てないのか?」

「クロウみたいにハッキリは見えなかったな。けど、あいつらはいっつも一緒にいるんだ」

「女のほうも、フクロウと同じくらいはっきり見たという人はいないのか?」

「いないわけねえ! 　いっぱいいるよ」

「誰が見た?」

「いや、だから! 　いっぱいいるんだって」

「たとえば向かいの雑貨屋とかもか? 　今店を開けてるあの男も?」

「パーキンス? 　まさか、パーキンスが夜にあんなとこ、行くわけがねえ。見てないですって!」若者はきっぱりと、それでいて噛みしめるように言う。「パーキンスに限って、絶対ない、あの人はそんな馬鹿じゃねえって」

(このとき、主人もぼそぼそ言っていた。パーキンスはちゃんとした分別のある男だ、だから間違いない、と)

「誰なのかな——いや、誰だったのかな——頭巾をかぶって、フクロウを連れた女というのは? 　知ってるのかい?」

「まあ」と言いながらアイキーは片手で帽子を持ち上げ、もう片方の手で頭をポリポリ掻いた。「なんでも、みんなが言うには、女は殺されて、クロウはその間、そばでホーホー鳴いてたんだとさ」

わたしに得られたのは、この至極簡潔な説明だけだった。ただ、とある若者がいて、わたしがそれまで出会ってきた若者たちの例にもれず、元気いっぱいで実に若者らしかったのに、頭巾をかぶった女の幽霊を見た直後には半狂乱になり、足も立たなくなってしまった、という話は聞けた。また、なんでも『「おやつさん」とかなんとか呼ばれる類の、片目の浮浪者で、いちおうジョビィと呼ばれても返事をするが、試しにグリーンウッドと呼んでもいいかと訊かれたら、「よっしゃ心得た、けどよ、とんだおせっかいだな」と答える』、そういう輩が頭巾の女と、なんと五、六回出くわしているという。だがあいにく、この二人の目撃証言はあまりあてにできなかった。なにせ若者のほうは今カリフォルニアにいるというし、浮浪者のほうはというと、アイキーが言うには（念のため主人にも確かめていた）、どこにいるやらわからん、そうなのだ。

さて、わたしはこの幽霊屋敷の謎に、冷静かつ厳粛に、畏敬の念をもって向き合ってはいる。が、それでもこの謎と、わたしたちの実生活の間には隔たりがあると言わざるを得ない。生きとし生けるものすべてに降りかかる、大いなる試練と変化が、この隔たりを生んでいるのだ。またわたしは、何もかもお見通しですよ、なんてふりをするほど厚顔無恥ではないけれど、ただいくつものドアがバタンと閉まったり、いくつものベルが鳴りだしたり、あちこちの床がきしんだり、そういうなんでもないことを、いくら解釈を許されている身とはいえ、荘厳にして無欠なる神の思し召しの、壮大なる比喩そのものだなどと言い切ることはもはやできない。ついさっき、列車で一緒になった霊媒の交霊術を、上りゆく朝日という名の馬車につないで昇華させることができなかったのと同じだ。もっと言えば、わたしはかつて幽霊屋敷に二回、住んだことがあるのだ——どちらも外国だった。うち一軒は、イタリアの古い宮殿で、恐ろしい霊が、現にもうどうしようもないくらい憑りついていると評判で、そのためちょっと前にも二度ばかり、住人が逃げ出したという話だった。だがわたしは八か月間、至って静かに、快適に暮らした。不気味だとされる寝室がたくさんあったが、どれも使われたことがなく、誰かの部屋になったこともないというのだ。その中でも大きめの寝室で、わたしは数えきれないくらい何度も、長時間腰を据えて読書していた。そしてその隣、いちばん出るとされていた寝室で、わたしは眠った。こうした結果を、やんわりと大家に伝えた。また、この家については悪い噂が広まっていたため、大家に事を分けて話しもした。

そう、悪い噂があるというだけでどんなにたくさんの不利益が生じているか。さらに、悪い噂というのがどれほど容易く広まってゆくものか。そしてもしあなたとわたしが村の中を、辛抱強くこうふれ回って歩いたらどうなるか。このあたりに、ちょっと変わった酔っ払いの修繕屋がいただろう、なんでもそやつ、仕事が欲しくて悪魔に魂を売ったんだそうな、と。そうすればきっと丁度いいタイミングでそれらしき輩が現れて、邪な商いに手を染め噂を流した張本人となってくれるはずなのだが、そうは思わないか、と。良識ある進言だったにもかかわらず、わたしの話は一切、大家には受け入れられなかった、と今、敢えて告白しよう。そしてこれが、わたしの人生最大の失敗でもあったのだ。

　ここら辺の話を端折るとつまり、わたしはこの幽霊屋敷に興味がわいていて、これは借りねば、とすでに半ば決心しかけていたのだ。そこで朝食後、わたしはパーキンスの義理の兄（鞭と馬具作りの職人で、郵便局もやっている。インマヌエルの教え（英国国教会派の系統をさす）から一重にも二重にも逸脱したような、世にも厳しい細君の絶対的支配下にある男だ）から鍵を借り、屋敷に、宿の主人とアイキーを伴って向かったのだった。

　中に入ると、思っていた通り、とんでもなく陰気な家だった。鬱蒼とした木々の影が邸内をゆっくり移ろっていくのだが、それがもうこの上なく鬱陶しい。この屋敷は建てる場所も、建て方も、部屋割りもすべて間違っていて、とにかく何もかもがふさわしくなかった。湿気がすごくて、乾腐菌がはびこっているし、ネズミがいるらしき臭いもするし、つまり何であれ人の手で作られたものが、人に使われなくなったとたんに陥る、筆舌に尽くしがたい衰退、その世にもかわいそうな犠牲者なのだった。台所と家事室は広すぎるし、遠く離れすぎている。階段の上の廊下も下の廊下も、無駄な空間だらけで、あちこちの部屋部屋が豊かな生産性を発揮しようにも、大いなる妨げになっている。そして、カビだらけの井戸が、上の縁にびっしりと苔を生やしながら、人殺しの罠よろしく裏階段の下あたりに潜んでいる。井戸の上には鐘が、二列に並んでぶら下がっていた。うち一つの鐘にはラベルが貼ってあり、黒地に消えかかった白の文字でMASTER B とあった。これが、宿の主人らが言うには、いちばんよく鳴る鐘なのだそうだ。

「マスターBというのは誰のことかね?」わたしは訊いた。「フクロウが鳴いていた時、その人は何をしてたんだろうね?」

「鐘を鳴らしてたんでさ」とアイキー。

言うが早いか、アイキーが被っていた毛皮の帽子で鐘をぶっ叩き、自ら鳴らしてみせたものだから、その抜け目なさにわたしはいささか面食らった。鐘の音は大きくて不快で、とにかくものすごく癇に障った。他の鐘には、それぞれのワイヤーがつながっている先の部屋の名前が刻まれている。「絵画室《ピクチャー・ルーム》」、「二つ部屋《ダブル・ルーム》」、「時計部屋《クロック・ルーム》」といった具合。マスターBの鐘につながるワイヤーをたどってゆくと、どうやらその若き紳士の寝床は、風見鶏のある屋根のちょうど真下にあたる三角部屋という、お世辞にも上等とは言えない部屋だったらしいと分かった。隅に暖炉があるにはあるが、これで暖をとっていたとしたら、マスターBはよっぽど小柄だったということになるし、同じく隅の炉台はまるで、おやゆびトムが屋根に上がるときのための、ピラミッド型の階段のようだった。部屋の一辺の壁紙がまるごと剥がれ落ち、漆喰の残骸がくっついたまま垂れ下がって、ドアをほとんどふさいでしまっている。マスターBは幽霊となってからずっと、壁紙を引きはがすのを身上としてきたのだろうか。どうしてそんな馬鹿なことをするんだろうねと訊いてはみたが、主人もアイキーも答えてはくれなかった。

屋敷のてっぺんに、やたらにだだっ広いロフトがあること以外、大した発見はなかった。家具もそれなりに揃っていたが、やや質素ではあった。家具の中にはいくつか――だいたい三分の一ぐらいか――家と同じぐらい古いものがあり、あとの三分の二はここ半世紀のうちの様々な時代のものがまぜこぜになっている。この家に関して交渉したいと言うと、州都の市場にある商業組合を紹介された。その日のうちに出向き、六か月間の賃借契約を結んだ。

わたしが未婚の妹とともに移り住んだのは、ちょうど十月の半ば（あえてはっきり言おう、妹は三十八歳、凛としていて思慮深く、しかも人好きのする女性だ）。一緒に連れてきたのが、耳の遠い馬丁、ブラッドハウンドの愛犬ターク、女の召使が二人、そして小間使い《オッド・ガール》と呼ぶことにした若い娘。お供の列の殿《しんがり》の人物について、こうして敢えて書き残すには理由がある。彼女はセント・ローレンス連合教区女子孤児院にいた孤児なのだが、彼女を選んだことこそが命取りだったし、彼女を連れて来た時点でもう、破滅は約束されていたのである。

その年は、冷え込むのが早かった。木々の葉がひっきりなしに落ちていく。わたしたちが引っ越してきた日は、痛いほど風の冷たい寒い日で、屋敷の暗いことといったら、心底気が滅入ってしまうほどだった。料理人《コック》

〈気のいい女性だが、知性のほうはさっぱりだ〉は台所を見るなりわっと泣きだし、この湿気のせいで自分に何かあった場合は、自分の銀時計を妹のところ〈クラファムライズのリッグズ通り、タピントックスガーデンズ二番地〉に届けてくださいね、と言いだした。家政婦の早業《ストリーカー》はわざと陽気にふるまっていたが、それがまた余計に痛々しかった。オッド・ガールだけは、田舎暮らしが初めてなせいか、ひとりではしゃいでいて、食器洗い場の窓の外にドングリを蒔いてオークの木を育てるんだと、さっそく準備にとりかかっていた。

暗くなるまでに、わたしたちはこういうときに起こりがちな自然現象——超自然現象の逆である——によるありとあらゆる苦難をひと通りやり過ごした。がっかりな知らせが幾つも、地下室から〈煙のように〉上がって来たし、上階からは降りてきた。のし棒はないし、料理用の焼き網《サラマンダー》もない〈これには驚きようがなかった。なにせわたしは、それがどういうものか知らなかったから〉、この屋敷にはなんにもなくて、あるものは全部壊れている、最後に住んだ人たちは豚と変わらない暮らしをしていたに違いない、宿の主人はだから寝られないと言ったのか？　等々。こうしてがっかりしてばかりいる間も、オッド・ガールは元気いっぱい、みんなのお手本だった。が、日暮れから四時間が過ぎるころには、わたしたち全員が超自然の罠にはまりこんでしまったようだった。オッド・ガールが、「ふたつの目」を見たと言ってついにパニックを起こしてしまったのだ。

妹とわたしは、心霊現象が起きても絶対に、屋敷の外の人間には漏らすまいと決めていた。だから、アイキーに荷馬車から荷物を下ろすのを手伝ってもらうときも、ほんの一瞬たりとも、アイキーと女たちだけ、若しくはアイキーと女たちのうちの一人とだけ、にはならないようにしたつもりだし、今もそう思っている。然り乍ら前述のとおり、オッド・ガールは「目を見た」〈それ以上の説明はついに引き出せなかった〉わけで、それは九時前のこと。そして十時までには、立派なサーモンがピクルスになるくらいたっぷりのヴィネガーが、オッド・ガールに与えられたのだった。

この逆境のさなか、十時半ごろに、マスターBの鐘が鳴りだした。それも怒りに任せたような、世にも激しい鳴り方なのだ。するとタークが吠えだし、ついにはその悲壮な声が屋敷じゅうに響きわたるまでになったのだ！　このときのわたしの心情がいかばかりだったかは、見識ある諸君に判断をゆだねようと思う。

マスターBのことを常に意識しながら、わたしは数週間を過ごしたわけだが、あのときほどキリスト教徒にあるまじき野蛮な心境になったことはなかったし、再びあんな精神状態になるのは、絶対にごめんだと思っている。マスターBの鐘を鳴らしていたのがネズミなのかコウモリなのか風なのか、はたまた思いもよらぬ振動が起きたのか、それか、うち一つの原因で鳴ることもあり、また違う原因で鳴ることもあり、二つ以上が合わさって鳴ることもあるのか、わかりようもない。ただ確かなことは、三日のうち二晩は鳴る、ということだった。ついにわたしは、こんな痛快なアイデアを思いつく。マスターBの首をねじ切ってやり――言い換えれば、鐘なんかぶち切って壊してやり――その若い紳士を、わたしの全経験と信仰に基づいて、永遠に黙らせてしまおう、というものだった。

ところがそのころには、オッド・ガールはカタレプシー（強硬症）の症状がかなり強く出るようになってきていて、その至って不都合な疾患の、輝かしいまでの典型となってしまっていた。オッド・ガールは、理不尽なことをされたときのガイ・フォークスよろしく、まったく予測不能のきっかけで固まってしまう。わたしは使用人たちに、わかりやすく話して聞かせた。マスターBの部屋にはペンキを塗って壁紙を覆ってしまったし、マスターBの鐘も取ってしまって鳴らないようにした、とはっきり言った。そして、想像してみてくれないか、その厄介な少年はかつて生きていて、死んだ。だからといってあの魔女の箒の冴えわたる魔力と、絶対に間違いなく、結びついているなんてことがあるか？　肉体のない不完全な存在状態ではまず無理だろう。また、わたしみたいな、ただの人間ごときが、こんな卑怯な手段で、死んで肉体を持たない霊魂の、いやどんな霊魂であれその力を、弱めたり対抗したりできると思うか？――語気が強まって、自己満足とまでは言いきれまいが、説得力を増していたと思う。だがそんな話をしている最中に、オッド・ガールが突然つま先から上に向かって硬直しだしたものだから、わたしの話はまるでなかったことになってしまった。わたしたちを睨みつけたまま固まるその様は、体の一部が本当に石になってゆくみたいだった。

家政婦のストリーカーも、まったくもって厄介な体質の持ち主だった。普通によくいるリンパ質なのか、そうでなく彼女に何かあったのか、わたしにはわからないが、とにかくこの若い娘、実は人間蒸留所で、わたしが今まで見たこともないような大きさの、今まで見たこともないほどの透明な涙を、作り出せることがわかったのだ。このような特徴と合わさるのが、その液体を保持し続ける特異な持続性で、そのおかげで涙は落ちることなく、顔や鼻の先まで伝い、とどまるのだ。この状態で控えめにかつ悲しげに首を振るものだから、彼女の沈黙は、かのあっぱれクライトンが金の入った財布をものにすべく口先八寸でどれほど巧みにまくしたてようともかなわないほど、強くわたしを打ちのめすのだ。コックもやはり、わたしに衣服ならぬ大混乱を、頭からバサリとおっかぶせてくる。話し合おうにも、こう訴えることで巧みに打ち切ってくる。ウーズ川の湿気のせいであたしはもうフラフラですと。そして世にもしおらしく、銀の時計についての最後のお願いを、また繰り返す。

暮らしの中で夜ごと、疑惑と恐怖がわたしたちの間で伝染していったのだが、満天下ならば、こんなものが伝染などするわけもないのだ。頭巾をかぶった女はどうなった、って？　話だけ聞いていたら、わたしたちはまるで、頭巾をかぶった女だらけの修道院にいるも同然だった。物音はどうだったかって？　一階で恐怖がはびこったのをうけたわたしは自ら、陰気な客間に居座り、ずっと耳を澄ませていたことがあった。果たしてたくさんの、いかにもおかしな物音が聞こえた。恐怖のあまり血まで凍りついてしまいそうだったが、聞こえるたびに客間を飛び出し原因を突きとめていたので、幸い血は温まり凍りつくことはなかった。ベッドで、草木も眠る丑三つ時にでもやってみればいい。自室の暖炉のそばでくつろぎながら、宵の口にやってみてもいい。どんな家でも、聴いてやろうと耳を澄ませていたら、それこそ物音だらけになるのだ。そしてついには、自らの神経系統の全部の神経に障る音が、聞こえてきてしまうわけだ。

あえて繰り返す。疑惑と恐怖がわたしたちの間で伝染していたけれど、満天下ならば、こんなものが伝染などするわけもないのだ。女たち（気つけ薬の嗅ぎすぎで、みんな慢性的に鼻が擦り剥けていた）は常に、いつ卒倒してもいいように心構えができていたし、何かあったら間髪入れず逃げ出せるよう準備してもいた。年上の二人は、どこかを調べに行くとなって、そこがいつもより危険かもしれないとなると、決まってオッド・ガールに行かせていた。すると必ず、カチカチに固まって帰ってきて、よくやったと褒めたたえられていた。日が暮れてから、コックあるいはストリーカーが上に上がると、ほどなく天井からドン、という音が聞こえるものと、わたしたちは察するようになり、現に頻繁にそうなってきていた。まるで家を見まわってもらうために雇った用心棒が、使用人と行き会うたびに自慢の技を軽く一発披露しているみたいだと思った。その想像上の自慢の技を、わたしは勝手に「オークションハンマー」と呼んでいた。

　何をやっても無駄だった。油断しているときに本物のフクロウの声で震え上がり、すぐに本物のフクロウだとわかっても、もう駄目なのだ。ピアノを弾いていて、たまたま不協和音を叩いてしまったおかげで、タークがある特定の音符とその組み合わせに反応して吠えるのだとわかったところで、駄目だった。冥界の審判者《ラダマンテュス》となって鐘を取締り、不運な鐘が無断で鳴ったときには容赦なく黙らせたとしても、やはり駄目。すべての煙突に火を入れてみても、井戸の中をたいまつで照らしてみても、部屋や壁の凹みが怪しいとなるとすぐさま、猛然と突っ込んでいって確かめてみても、何にもならなかったのだ。使用人を総とっかえしたが、変わらなかった。新人たちも逃げてしまい、また次の使用人たちに来てもらったけれど、やはり変わらない。ついには家の中のことがすべてメチャクチャになり、立ち行かなくなって、快適な暮らしなど到底望めなくなった。そこである夜、わたしはしょんぼりしながら妹にこう告げた。「パティ、人を雇って一緒にこの屋敷に住んでもらうのは、あきらめたほうがよさそうだ。だから、もう引き払うしかないと思うんだ」

　妹は、計り知れない精神力の持ち主なので、こう答えた。「だめよ、ジョン。引き払うなんて。負けないで、ジョン。別の方法があるわ」

「別の方法って？」わたしは訊いた。

「ジョン」妹は答えた。「わたしたちはここを追い出されるわけにいかないんでしょ、だったら是非もないわ、分かりきってるじゃない。自分たちのことは自分でするの、そうしてこの屋敷全部をまるごと、わたしたちの手でとりしきるの」

「でも使用人は」

「使用人はなし」妹はきっぱり言ってのけた。

　わたしのような生活レベルの人たちはみんなそうだろうけれど、あの従順な邪魔者たちがいなくてやっていけようなどと、考えたこともなかった。その意見はわたしにはあまりにも斬新で、聞いた瞬間、とても信じられないという顔をしてしまった。「使用人たちはここに来て、怖がって、その怖さが仲間うちで広がっていくわけよね。実際見てて分かったでしょう、みんな怖がって、ほんとにその怖さがどんどん広がっていくの」と妹は言う。

「ボトルズだけは別だがね」わたしは思いを巡らせつつ、意見を述べた。

（耳の遠い馬丁で、ずっとわたしに雇われていて、今も変わらずわたしのところにいる。イギリスじゅうを探してもかなうものがいないほど、徹底的に不機嫌を貫く逸材だった。）

「確かにね、ジョン」妹は頷いた。「ボトルズは別よ。けどそれが何だっていうの？　ボトルズは誰にも話しかけないし、よっぽどの声で怒鳴りつけられない限り、誰の言うことも聞こえない。そんなボトルズが何かに驚いたり、誰かに危ないよって言ったりするかしら！　絶対しないでしょ」

まったくもって正論だった。件の人物は毎晩十時に、馬車置き場の二階にある寝床に引きあげる。枕もとに置いてあるのは干し草用の熊手と、手桶一杯の水。もし十時以降に、予告もなしに侵入してボトルズの視界を妨げたりしたら、わたしは手桶一杯の水をひっかぶり、熊手にぶっ刺されることになる。これだけは決して忘れてはならないこととして、しっかり心に留め置いてきた。ボトルズにしても、わたしたちがあげてきた数々の叫び声に、どれ一つとして気づいたことがない。決して動揺しないし、しゃべりもしない男。夕食の席につけば、同席するストリーカーは取り乱しているし、オッド・ガールは石のように固まっている。それでもボトルズはポテトのおかわりを口に含むか、意気消沈した空気に乗じてビーフステーキ・パイを自分で勝手に取り分けるか、その程度のことしかしない。

「だから」と妹は話をつづけた。「ボトルズはいいわ。それで考えたんだけど、ジョン、屋敷は広すぎるし、たぶん村から離れすぎてるでしょう、ボトルズと、兄さんと、わたしの三人だけで切り盛りするのは無理だと思うの。だからお友達のなかから、とっても頼りがいがあって、絶対に協力してくれそうな人を、何人か探してみたらどうかしら——共同体を作って、三か月間ここで暮らすのよ——自分のことは自分でして、お互いに面倒を見合って——明るく楽しく、共同生活を送って——それで、何が起こるかよ」

我が妹ながらすっかり魅了されてしまい、すぐさま抱擁した。そして妹の計画に、熱烈に賛同し、乗っかることにしたのだった。

十一月も第三週に入っていたが、わたしたちは全力で手を尽くしたし、信じて打ち明けた友人たちが本気で手伝ってくれたこともあり、十一月もまるまる一週間残っているタイミングでもう、参加者全員がにぎやかに、幽霊屋敷に集まってきた。

ここで話しておこう。まだ妹と二人の時にわたしは、二点だけ、ささやかな変更点を決めていた。タークが夜中、家の中で吠えるのは、外に出たいからというのもあるんじゃないか、それはないとも限らない、と思いついた。そこで外の犬小屋に居させることにした。ただし鎖ではつながずに放し飼いにする。そして村人たちを、真剣に戒めた。タークの邪魔をするものは誰であれ、喉を噛みちぎられずには済まないと覚悟するように、と。それから、さりげなくアイキーに、銃の良し悪しがわかるか尋ねてみた。アイキーが「わかりますよ、いい銃は一目瞭然ですって」と言うので、悪いが屋敷まで来て、わたしの銃を見てもらえないか、と頼んだ。

「こいつはほんもんですよ」数年前にニューヨークで買った二連式ライフルをじっくり見たあと、アイキーは言った。「こいつだけは、間違いないです」

「アイキー」とわたし。「ここからは他言無用だ、見たんだよ、この屋敷の中に、何かいる」

「言うもんですか」小声で言いながら、物欲しげに目を見ひらく。「頭巾の女ですかい?」

「怖がるんじゃないぞ」とわたし。「人影だ、きみと似たような感じの」

「ええっ?」

「アイキー!」アイキーと暖かな握手をかわしながら、わたしは言った。心を込めて、と言ってもいいかもしれない。「この屋敷にまつわる幽霊話に、ほんの少しでも真実が含まれているなら、わたしがきみのためにできることはこれしかない、その人影に弾を撃ち込むことだ。だから約束しよう、天と地の名にかけて、またそいつを見たら、わたしはこの銃で、仕留めてみせる」

　若者はわたしに礼を言い、少し慌てて帰っていった。一杯どうだ? とすすめたが断られた。秘密をアイキーに打ち明けたのは、彼が鐘を帽子でぶっ叩いたあの場面がどうしても忘れられなかったからだ。また、別の折に、気づいたからでもある。何かあの毛皮の帽子とそっくりなものが、例の鐘からあまり遠くないところに落ちていたのだ。あの鐘が突然鳴りだした夜のことだった。また、アイキーは夕方になるとちょくちょく、使用人たちの気晴らしにと遊びに来ていたのだが、そういう日に限って必ず、ものすごい心霊現象がおきていた、というのもあった。アイキーに濡れ衣を着せることにはなるまい。彼はこの屋敷を怖がっていて、幽霊がいると思い込んでいた。その一方で、機会があれば必ず、脅かすほうにまわって偽物の幽霊を演じていたのだ。オッド・ガールの場合もほぼ同じだ。本当に怖くてたまらない心理状態で家の中を歩いていながらも、とんでもない嘘をわざとついていた。あの娘自身が触れまわった脅威のほとんどがでっち上げだったし、わたしたちが耳にしたおかしな音の多くも、彼女が出していた音だった。この二人をずっと監視していて、気づいたのだ。わたしがここで、この馬鹿げた心理状態について釈明する必要はあるまい。ただ、以下のことだけ分かってもらえれば満足だ。正統な医学や法律学といった、注意力を要する学問の経験を積んだ知的な人たちにはよく知られていることだし、きちんと実証されていると同時に、ごくありふれてもいる心理状態なのである。誰であれ見ていればわかることだし、そして理屈からして、ほかの何よりもまず最初に疑われ、厳しい目で探されるべき要因であり、超常現象の類の問題とは、真っ先に切り離されるべき要素でもあるのだ。

わたしたち兄妹と友人たちの話に戻ろう。全員がそろって最初にやったことといえば、誰がどの寝室を使うか、くじで決めることだった。それがすむと、すべての寝室を、いや屋敷じゅうまるごと全部を、全員で綿密に調べあげ、のちにさまざまな家事をメンバーそれぞれに割り振ったのだが、まるでジプシーの一団になった気分だった。いや、ヨットのクルーか、狩りのチームか、いや船が難破したとかでも、こんな感じになるかもしれないなと思った。そのあと頭巾の女とフクロウ、それにマスターBに関して飛び交っている噂について、詳しく説明した。わたしたちがそこに住むようになってから、違う噂も飛び始めていたので、それらは幾分軽めに話して聞かせた。ちょっと滑稽なのは古の女性の幽霊で、上下に浮き沈みするのはいいが、なぜかいつも円卓を抱えているのだという。また、絶対に触れられないロバの話も。未だかつて誰一人捕まえることができないとか何とか。こういう話の中には、下々の者たちの間で、言葉を介さず、ある種病んだかたちで伝わってしまったものが、少なからずあるとわたしは本気で思っている。そこでわたしたちは真剣に、互いに誓い合った。わたしたちはここに、騙されるために来たのではないし、騙しに来たわけでもないと——わたしたちはこの二つを、ほぼ同じことだと考えていた——また、責任の重大さを踏まえつつ、お互いに対し絶対に忠実であること、絶対に真実を追求し、やり抜くことも。みんなきちんと理解してくれた。誰であろうと、夜に異様な音を聞き、その正体を突きとめたいと思ったら、まずはわたしのドアをノックしてもらいたい、ということ。そして最終日、十二夜（一月六日）の夜、つまりクリスマスシーズンの終わりを告げる夜に、この幽霊屋敷に集まった今現在からの、それぞれの経験を全員に向け明らかにする、ついてはそれまでその件については、沈黙を破らざるを得ないよっぽどのことがない限り、他言無用、ということも。

わたしたちというのはどういう面々なのか、順を追って、その人物像を次に紹介しよう。

まずは——妹とわたしを片付けよう——わたしたち二人。くじを引くと、妹はそれまで自身が使っていた部屋を引き、わたしはマスターBの部屋を引いた。次に、従弟のジョン・ハーシェル。かの偉大な天文学者、サー・ジョン・ハーシェルにちなんで名づけられただけあって、望遠鏡をのぞかせたら、ジョンにかなうものは誰もいないとわたしは思う。ジョンの妻も一緒に来ていた。なかなかチャーミングな女性で、二人はその夏に結婚したばかりだった。わたしとしては（こういう環境だけに）、奥方を連れてくるなんていささか軽率ではないかと思った。なぜならたとえ偽物だとしても、新婚の夫婦の部屋に不気味な音が鳴り響いたりしたら、どうなるかわからないではないか。とはいえ、おそらくジョンは自分のことを一番よくわかっているはずだし、もし彼女がわたしの妻だったら、そのまぶしいほどに愛くるしい顔《かんばせ》をあとに残して来るなどとてもできなかっただろうと言わざるを得ない。夫妻は時計部屋を引き当てた。アルフレッド・スターリングは、非常に好感の持てる二十八歳の若者であり、わたしが大変気に入っている男なのだが、二つ部屋を引いた。そこはずっとわたしが使っていた部屋で、中に着がえ部屋が組み込まれているため、その名がついているのだった。大きくて厄介な窓が二つあり、ガタガタ揺れるものだから、楔で固定しようとしたけれど、わたしにはついにできなかった、という経緯があった。窓はどんな天気の日にも、風があろうとなかろうと関係なく揺れるのだ。アルフレッドはいかにも「すばしっこい」（言い換えれば軽はずみ、ということなのだと今ならわかる）風を装っている若者だが、それでも至って善良だし分別もしっかりしているから、そんなに馬鹿なことはしないだろうと思った。そしてもしも、不幸にも父親から彼一人について年二百ポンドというささやかな遺産を残してもらったおかげで、彼は生まれてこのかた、そのうちの六ポンドを使うことしかしてこなかった、なんてことがなければ、きっと今頃はもっと、頭角を現していたはずの男だ。とはいえわたしは期待している。彼についている銀行家が破産するとか、あるいは二十パーセントの利益が保証される投機に手を出すとか。なぜなら、アルフレッドの場合、もう破滅するしかない、というところまで追いつめられてはじめて、財を成す男に違いないと、わたしは踏んでいるからだ。

ベリンダ・ベイツは妹の親友で、たいへん知的で優しく、明るい女性である。ベリンダは絵画室を引いた。彼女には素晴らしい詩作の才能があり、しかも実業にも熱心に取り組んでいた。それに――アルフレッドの表現を借りれば――突き進んでもいた。『女性』としての使命と権利、『女性』虐待への抗議、そのほか『』で囲いたくなる女性にまつわる、いやまつわらないがまつわるべき、まつわるがまつわるべきでない、すべてのことに。
「本当に素晴らしいよ、きみは。きみに幸あれ！」初日の夜、絵画室にベリンダを残し立ち去る際、ドアの前でわたしはこうささやいた。「だがやりすぎは禁物だよ。わたしたちの文明がこれまで女性に割り振って来たよりもたくさんの仕事が、『女性』の手の届く範囲に置かれるべきだと、その必要性は確かに高まっている。だからといって、不幸な男どもに食ってかかってはいけない、現にそいつらが、きみの行く手に立ちはだかっていたとしても、いかにもきみたちの性を迫害する天賦の才を持っていそうに見えてもだ。なぜなら信じてくれ、ベリンダ、彼らも時には、稼いだ金を妻や娘や姉妹、母や叔母や祖母につぎ込んでいるんだ。芝居にしたって『オオカミと赤ずきん』しか出てこないわけじゃない。ほかの役だってあるわけだから」おっといけない、つい横道にそれてしまった。

ベリンダは、前述のとおり、絵画室に入った。残りの部屋は三つ。角部屋《コーナー・ルーム》と食器棚の部屋《カップボード・ルーム》、そして庭《ガー》が見える部屋《デン・ルーム》だ。わたしの旧友、ジャック・ガヴァナーは角部屋に、彼流に言うと「ハンモックをつるした」。わたしはずっと、ジャックこそが歴史上最高に格好いい船乗りだと思っている。今は白髪交じりだが、四半世紀前と同じくらいハンサムだ――いや、四半世紀前よりもさらにもっとハンサムなのだ。恰幅がよくて陽気で、肩幅も広くとにかくいい体格をしている。屈託のない笑顔、輝く黒い瞳、黒々とした太い眉。髪が黒いころの顔立ちもよく覚えているが、銀髪になった今、いっそう男前になったといえる。彼の名を冠したユニオン・ジャックがはためくところにはどこにでも、彼は行っていたので、わたしが遥か遠くの地中海や、大西洋の向こう側まで行っても、彼の旧知の船乗り仲間と会うことになる。ジャックの名前にさりげなく触れると、みんな破顔し、ぱっと顔を輝かせる。そして大声でこう言うのだ。「ジャック・ガヴァナーを知ってるのか？　てことは、男の中の男を知ってるわけだ！」まさにそうなのだ！　つまり、彼こそが紛うことなき海軍将校なのである。だからもしジャックがエスキモーの雪の小屋から、アザラシの毛皮を着て出てきたとしても、完璧に上から下まで海軍の制服を着ているものと、なぜだか誰もが思い込んでしまうことだろう。

ジャックはかつて、その輝く澄んだ瞳を妹に向けたことがあった。が、結局は別の女性と結婚して南アフリカに赴任、かの地でその奥方は亡くなった。十二、三年か、いやもっと前のことだったか。ジャックはわたしたちの幽霊屋敷に、塩漬けの牛肉をひと樽持ってやってきた。というのも、自分が漬けた塩漬け牛肉以外は全部、ただの腐れ肉だ、と頑なに信じて疑わないからだ。だからロンドンに行くときも必ず、旅行鞄にひと塊入れて持ってゆく。ジャックはまた、ナット・ビーヴァーなる人物を、自ら率先して連れてきた。古くからの同僚で、商船の船長だという。ミスター・ビーヴァーは、顔も体もがっしりしていて厳めしく、どこをどう見ても角材並みに頑固そうなのだが、話してみると実は、知性に長けた人物だった。世界じゅうの海を旅してきた経験があるばかりか、現実に役立つ知識を半端なく持っていたのだ。時折、痛立っている様子も見受けられたが、どうも昔患った病の後遺症のようで、ただそれも、数分もしないうちに治まる。ミスター・ビーヴァーは食器棚の部屋を引き当て、そこに入った。隣の部屋にはミスター・アンダリー。ミスター・アンダリーはわたしの友人で事務弁護士だ。アンダリーはあくまでアマチュアの立場から、「なんとかのりきる」ために来た、と言った。また、カードゲームのホイストの名手で、法律家名簿の赤い表紙から赤い背表紙までを網羅した全員の中でも、一番を誇っているのだった。

わたしはこのとき生涯でいちばん幸せだったし、その気持ちは、我ら全員に共通するものだったとわたしは信じている。ジャック・ガヴァナーは、常に素晴らしい才能に満ち溢れた人物であったが、期待通り司厨長を買って出てくれた。そしてわたしに、生まれてこのかた食べたことがないような美味しい料理を作ってくれた。もはや無敵のカレーもそんな料理の一つだ。妹はペストリー職人兼菓子職人。スターリングとわたしは司厨長づきの兵曹となり、かわるがわる従事した。また司厨長がミスター・ビーヴァーに有無を言わさず手伝わせる特別な日というのもたまにあった。屋外で大いにスポーツや体操をしつつも、屋敷の中のことも一切手を抜かなかった。しかも、誰ひとり不機嫌にならなかったし、誤解が生じることもなかった。なのでみんな毎晩がとても楽しくて、だからこそ、誰もがなかなか寝室に引きあげたがらなかったというわけだ。

最初の頃、夜間に不気味な音がしたことは数回あった。一日目の夜、わたしの部屋のドアをノックしたのはジャックだった。その手には、まるで深海の怪物のエラで出来たような、ものすごく立派な船舶用ランタンがぶら下がっていた。ジャックはわたしに、「メインマストのてっぺんまで登って」、風見鶏を下におろしてくる、と言った。外は暴風雨だったのでわたしは反対したが、断末魔の叫びのような音を出しているのはそいつなんだと、彼はわたしに教えたのだ。さらに、もし今下ろさなかったら、じきに誰かが「幽霊とあいさつを交わした」と言いだすぞ、とも言った。というわけで、屋敷のいちばん高いところへ、わたしではとても耐えられないほどの風が吹きすさぶ場所へ、向かうことになった。ミスター・ビーヴァーも来てくれた。そしてジャックが、ランタンを手に、後に続いたミスター・ビーヴァーとともに、煙突の先端からさらに七メートル以上は高いであろう丸屋根のてっぺんまでよじ登り、こともなげに立つと、風見鶏を見事に叩き落したのだ。その後も二人は、風にも高さにも動じず至極上機嫌で立っていて、もしかしたら降りてくる気がないのではないかと、わたしは心配になった。また違う日の夜には、やはり二人で来て、煙突の笠を外してくれた。またまた違う日の夜は、むせび泣いたりガブガブ喘いだりしていた排水管を切って捨ててくれた。またまたまた違う日にも、二人は何だったかほかのことを解決してくれた。その後も何度にもわたって、ふたりはさすがの身のこなしで、同時にそれぞれの寝室の窓から出て、シーツを伝って降りていき、庭にある何かしら不可解なものを「徹底的に点検」してくれたのだった。

わたしたちの間で交わした約束を、みんなが忠実に守ってくれて、誰も何も暴露しなかった。わたしたちにわかったこと、それはひとつだけ。もし仮に、誰かの部屋に幽霊が憑りついていたとしても、それで具合が悪くなったり困ったりしだすものは、誰もいなかった、ということだ。

ディケンズの『幽霊屋敷』

食器棚の部屋

ウィルキー・コリンズ Wilkie Collins

髙橋まり子訳

The Ghost in the Cupboard Room — The Haunted House, Chapter 5

さて、ディケンズの依頼にもかかわらず、リレー小説の参加作家たちが書いたのは、怪談ぽくなかったり、幽霊が現れなかったりと、企画意図とはちょっと違う短篇。さしものディケンズも困った様子だったが、盟友でもあったウィルキー・コリンズ（一八二四―八九）はこの短篇をもって応えた。幽霊屋敷の「食器棚の部屋」に泊まった老船乗りが語る、若き日の冒険譚。霊魂（？）も現れ、物語はクリスマスの読み物にふさわしい結末を迎える。『白衣の女』（一八六〇）や『月長石』（一八六八）などの長篇のみならず、短篇にも発揮したストーリーテラーぶりをお楽しみあれ。

ビーヴァー氏は舵輪を支える〝スポーク〟のように、なくてはならない存在だ（これは友人であり、同志でもあるジャック・ガヴァナーの談）。そのビーヴァー氏は夢の中のハンモックから飛び起きたとでもいうように、はっとわれに返って、さっそうと持ち場についた。「ナット・ビーヴァーが見張り役なら」とジャック。「さぼるわけにはいかないな」ジャックは待ってましたとばかりに、尊敬のまなざしをビーヴァー氏に向けてから、わたしを見た。その視線から、ビーヴァー氏に一目を置いていることがよくわかる。話は変わるが、ジャックは海軍がたるんでいると言って、ときおり嘆いているくせに、わたしの妹の腰に手をまわしていた。こんなふうに触ってしまうのは、昔の航海で必要に迫られて、何かにしがみついていなければならなかったせいなのだろう。

ここからは、ビーヴァー氏の打ちあけ話だ。

話しておかなければならないことは、大して長くはないんだ。まず、昨夜の話をさせてほしい――もう、寝ようと言って、それぞれ部屋に向かったときのことだ。昨夜、ここにいる気のいい仲間たちは、当然のように、いつもどおりの行動をした。各自、寝室用の燭台を持ち、蠟燭に火をつけて、階段をのぼった。わたしは燭台に手を触れなかったし、蠟燭にも火をつけなかったんだが、気づいた人はいるだろうか。こともあろうに、わたしは呪いの館で、真っ暗ななか、寝床についたんだ。そんなことをしていた人は他にいないと思う。

そもそも好奇心が強いほうなんだろうな。ここにいる仲間が燭台を手にしている姿を目の当たりにして、体が震えたのも、昨夜はいい夢が見られなくて、嫌な夢ばかりだったのも、好奇心がうずいたせいなんだから。実を言うと――みんな、心の底から笑って構わないよ――昨夜、わたしは幽霊に取り憑かれたんだ。長年ずっと、ことあるごとに取り憑かれている。こんな状態はわたし自身が幽霊になるまで続くんじゃないかな（そうなったら、あらゆる面で霊に対して抵抗力がつくだろう）。わたしに取り憑いたのは、なんてことのないもの――寝室の燭台なんだ。

そう、寝室の燭台と蠟燭。または、底に平らな受け皿がついた燭台と蠟燭――好きなほうを思い浮かべてくれて構わない――それがわたしに取り憑いた。どうせなら、見ていて気分がいいものとか、突拍子もないものだったら、よかったんだ。美女とか、大量の金銀とか、地下の貯蔵室いっぱいのワインとか、数えきれないほどの財産とか。そういうものだったら、まだあきらめがつくし、何とかして、やれるだけのことを、やるしかないと思えるだろう――誰かがわたしに救いの手を差し伸べて、やれるだけやろうとしてくれるなら、その人に心から感謝したいぐらいだ。

わたしは学があるわけではない。それでも、あえて言わせてもらうが、どんなものであろうと、何かに取り憑かれたら、誰だって、まずは恐怖を感じるんじゃないかな。それはともかく、わたしは寝室の燭台と蠟燭に取り憑かれたせいで、寝室の燭台と蠟燭に恐怖を感じるようになってしまった――いいかい、人生の半分は恐怖におののいていたんだ。しかも、そのあいだは、まるっきり正気を失ってしまう。事の顛末を話す前から、何もかも打ちあけるのは野暮というものだ。でも、これで、わたしが根っからの臆病者ではないと信じてもらえるだろう。今は馬鹿にされてもいいから、すべて話す覚悟は充分にできている。

前置きはこれぐらいで、できるだけ詳しく話をしよう。

船乗りの見習いになったのは、杖と同じぐらいの背丈の頃だ。努力の甲斐あって、二十五歳のときには、航海士の寝台を使わせてもらえるようになっていた。

一八一八年、いや、一八一九年か。どちらだったか、はっきり覚えていない。ともかく、さっきも言ったとおり、わたしは二十五歳になっていた。日付、名称、数字、場所など、うろ覚えなのは勘弁してほしい。もちろん、詳しく話すと約束したことについては大丈夫。すべて、きちんと記憶に残っている。今でも脳裏に焼きついているんだ。ただ、それ以前の出来事は靄《もや》がかかって、おぼろげだし、それ以降の出来事も、ほとんど靄がかかっている。わたしぐらいの年齢になると、記憶の靄は、なかなか晴れないのだろうか。

さて、一八一八年、いや、一八一九年は、わたしたちが暮らしていた場所は平和だった――こう言うと、その前はちっとも平和ではなかったと、みんなに突っこまれそうだな――一方、同じ地球でも船乗りのあいだで〝スパニッシュ・メイン〟の名で知られたカリブ海沿岸の、かねてから争いの絶えない地域では、熾烈な戦いが繰り広げられていた。南アメリカのスペイン領では暴動が勃発し、数年前に独立を宣言した。新旧政府のあいだで多くの血が流れた。しかし、ボリバル司令官の指揮で、新政府がほぼ勝利を収めていた――ボリバル司令官は、当時は有名だったが、今となっては人々の記憶からすっぽり抜け落ちているらしい。イングランド人とアイルランド人はどうだったかと言うと、軍事力は備わっていたが自国で特に問題が起きていなかったので、義勇兵として司令官に力を貸した。わが国の貿易商人の中には、こうした争いに恰好の商機を見出して、海を渡り、優勢なほうへ物資を届ける者もいた。もちろん、危険が伴う商売だ。それでも、こうした山がひとつ当たれば、少なくとも二件分の失敗を埋め合わせることができる。それこそが貿易の本来の原理というものだ。世界中、どこで商売をしようとも変わらない。

南アメリカ・スペイン領での商売に関わったイングランド人のなかに、たまたま小生も少しだけ加わっていた。当時、わたしはシティの某企業が所有するブリッグ型帆船の航海士だった。この企業では貿易全般を手がけていて、主に自国から遠く離れた、かなり辺鄙《へんぴ》な場所で商売をしていた。今、話をしているこの年、ブリッグ型帆船には、ボリバル司令官と義勇兵が使う火薬が載っていた。出帆時、業務内容については、船長以外、誰も知らされていなかった。船長は乗組員を快く思っていなかったんだろう。火薬の入った樽の数や容量がどのぐらいだったのか、今となっては、わたしにもはっきりわからない――覚えているのは、火薬以外の貨物がなかったことぐらいだ。船名は〈善意号〉――ふざけた名前だと言われそうだな。火薬を積んで、革命を手助けする船のくせにって。もっとも、こうした特別な航海の場合、一口に善意と言ってもいろいろだ。おっと、今のは冗談なんだが、残念だな。ここは笑うところなのに、誰も笑ってくれないなんて。

〈善意号〉は今まで航海した船のなかでも、ずばぬけて古く、あらゆる箇所でガタがきていた。積載量は二百三十トン、いや、二百八十トンだったか、忘れてしまった。乗組員は全部で八名――船の業務を滞りなく行うには、到底、人手が足りない。それでも、きちんと、まっとうな賃金が支払われていた。海上で沈没する危険と隣り合わせで、今回の場合、取引の貨物が爆発する可能性もある。貨物の性質を考慮して、新たに規則が設けられたんだが、それはなかなか厄介だった。なかでもパイプを吸うときや、ランタンに火をつけるときの決まりは気に入らなかった。こういう場合でも、例によって、規則を作った船長は守らなくてもいいことが言い渡されていた。乗組員は火のついた蠟燭を持ったまま船員室に入ってはならない――ただし船長は別だ。船長は寝るときや船長室のデスクで海図を見る際、いつもどおり、明かりを使用できる。共同の調理室の蠟燭や、芯先を何度も蠟に浸して作った、重さ十ポンド前後の〝ディップ〟と呼ばれる蠟燭が使われていて、それが底に平らな受け皿のついた、おんぼろの燭台にたてられていたんだ。燭台は漆がすべて剥げたり、溶けたりしていて、中の錫《すず》があらわになっていた。船員がランプやランタンを持っていると、どこから見ても、船乗りらしくて、しっくりくる。それなのに、船長はこの古い燭台を手放そうとしなかった。いいかい、みんな、のちに、この燭台はわたしを手放そうとしなくなるんだ。おいおい、これも冗談のつもりなんだが。でも、部屋の片隅にいるミス・ベリンダが、お愛想でも笑ってくれたので、心から感謝するよ。

さて（さっきも〝さて〟を使ったが、使い勝手のいい言葉だ）、ブリッグ型帆船は出帆し、進路を定めた。まず、西インド洋のヴァージン諸島を目指した。島が見えたら、次はリーワード諸島に船を走らせた。それから、真南に向かって進んでいくと、マストの見張り台から陸地を確認できたことが、甲板にいる乗組員に伝えられた。その陸地が南アメリカ大陸の海岸だ。ここまでは、すばらしい航海だった。円材も帆も失わず、ポンプの扱いにひどく手こずることもなかった。〈善意号〉がこんなふうに航海をしたのは、本当に、めったにないことだったんだ。

わたしも上で陸地の状況を見てくるよう命じられたので、この目でしっかりと確認した。わたしが見張り係と同じ報告をすると、船長は業務内容が記載された書簡と海図を見るために船長室に行った。それから甲板に戻り、進路をやや東寄りに変えた――羅針盤のポイントについては忘れてしまったが、そんなことはどうでもいい。ただ、島に接近する前から、辺りが暗くなっていたのは覚えている。測鉛を下ろし、船を移動させた。水深四ファゾムから五ファゾム、いや、六ファゾムの位置だったか――確かな数値は覚えていない。わたしは船の移動を注意深く見ていた。海岸付近の潮の流れがどうなっているか、誰も知らなかったからだ。船長は錨を下ろさなかったのだが、その理由が乗組員にはわからなかった。すると、船長はこう言った。まずは船首近くのファアマストの檣灯《しょうとう》で明かりを照らし、陸地から明かりの反応が返ってくるのを待たなければならない、と。言われたとおりに待ったものの、陸地からは反応がなかった。星が瞬き、海は凪いでいた。ときおり風が陸地から吹いている。確か、船はわずかに西に押し流されていたはずだ。事が起きる前の平和なひとときを過ごしていると、ようやく陸地に明かりが灯される代わりに、小舟が一艘、たったふたりで漕ぎながら、船に近づいてきたんだ。

わたしたちがふたりを歓迎すると、向こうもこう答えた。「友よ!」そして、船の名前を大声で呼んだ。ふたりは船に乗りこんできた。ひとりはアイルランド人、もうひとりの褐色の肌をした現地の男は水先案内人で、片言の英語を早口で話していた。アイルランド人は〈善意号〉の船長に手紙を渡した。船長はわたしにそれを見せてくれた。手紙には、このあたりの沿岸では安全に荷揚げできないと書かれていた。昨日、近辺で敵のスパイ(つまり旧政府側の人間だ)が捕まり、撃たれたらしい。そういうことなら水先案内人にこの船を任せたほうがよさそうだ。それに、水先案内人の男はわたしたちを別の海岸に連れていくよう指示を受けていた。手紙には当局の署名もされていた。というわけで、わたしたちはアイルランド人だけを小舟に戻し、水先案内人の男にブリッグ型帆船を任せることにした。男は次の日の正午まで、船を陸地から遠ざけた――どう見ても、陸地の様子がわからない場所に、わたしたちを追いやるよう、指示を受けていたとしか思えなかった。午後になって、やっと進路を変更し、再び陸地に近づく頃には、真夜中になるところだった。

この水先案内人の男は顔が醜く、浮浪者のような風貌だった。痩せっぽちで弱々しいくせに、文句ばかりまくしたてて、ろくでもない。乗組員たちは下品な片言の英語でさんざん罵られたので、男を海に投げこもうとしたぐらいだ！　船長が乗組員をなだめていたので、わたしも手伝った。水先案内人はわたしたちの業務内容を受けて、乗船してきたのだから、こちらとしても、せいぜい男とうまくやらなければならない。しかし、日が暮れる頃、わたしはどうにも耐えられなくなって、運悪く男と喧嘩をしてしまった。男がパイプをくわえたまま、船員室に入ろうとしたからだ。許可されていないので、当然、わたしは止めた。すかさず、男は押しのけて無理やり進もうとしたのでわたしは突き飛ばした。押し倒してやろうなどとは思っていなかった。でも、なぜか、男は倒れてしまった。男は一瞬にして立ち上がり、ナイフを出した。わたしは男の手からナイフを奪い、怒り狂った顔をひっぱたき、ナイフを海に投げ捨てた。男はおぞましい目つきで、わたしをにらむと、船尾に向かった。そのときは男の様子など、大して気にしなかった。しかし、あとになってみると、やけにはっきりと、男のことを思い出してしまうんだ。

船は再び陸地に近づいた。風に阻まれ、接岸したのは、その晩の十一時か十二時頃。水先案内人の男の指示で錨を下ろした。真っ暗な闇が広がり、辺りは静まり返って風が止み、波も穏やかになった。船長は有能な乗組員ふたりと一緒に甲板で見張りをしていた。他の乗組員は船員室にいた。水先案内人は船首楼で体を丸めていて、人間というより、とぐろを巻いた蛇に見えた。わたしは朝の四時まで、見張りの番が回ってこなかった。それでも、夜だし、水先案内人の男や、今置かれているこの状況が気がかりだったので、甲板に腰を下ろし、うとうとしながら、何かあれば、すぐに起きられるようにした。最後に覚えているのは、船長が小声でわたしに言ったことだ。やはり、この状況がひっかかるので、船長室で業務内容をもう一度確認してくる、と。そのあとのことは思い出せない。ほどなく波が大きくうねり、古い船がゆっくりと重々しく、規則正しく揺れて、眠りに落ちた。

いいかい、みんな、聞いてくれ、わたしは目を覚ますと、船首楼に引きずられて猿轡《さるぐつわ》を嚙ませられていたんだ。わたしの胸元に男がひとり、またがっていて、もうひとりの男が両足を押さえつけていた。あっという間に手足を縛られた。〈善意号〉はスペイン人に乗っ取られていた。大勢のスペイン人が船にうじゃうじゃいた。大きな水しぶきが上がる音が、立て続けに六回聞こえた――乗組員に駆け寄ろうとした船長が、胸を刺されたのが見えた――それから、七回めの水しぶきの音が聞こえた。わたし以外、乗組員は全員殺され、海に放り投げられてしまったんだ。なぜ、わたしだけが残ったのか、わからなかった。それでも水先案内人がランタンを片手に、わたしに覆いかぶさるようにしゃがみこみ、こちらを見たとたん、合点がいった。男は悪魔のような表情でにやりとして、うなずき、こう言った。おまえはおれを押し倒して、顔をひっぱたきやがった。だから、お返しに、たっぷりかわいがってやる！

わたしは動くことも、話すこともできなかった。スペイン人はメインハッチを取りはずし、貨物を持ち上げる準備をしていた。十五分後、スクーナー船だか他の小型船が近づく音がした。知らない船が〈善意号〉に横づけされた。スペイン人はブリッグ型帆船から貨物を降ろす作業に取りかかっていた。懸命に作業をしていたが、そのなかに、水先案内人の男の姿はなかった。ときどき男はランタンを片手にわたしの様子を見にきて、にやりとしてから、またしても悪魔のような表情でうなずいた。もう、わたしはいい年だし、本当のことを言ったところで、これっぽっちも恥ずかしくはない。恥も外聞もなく白状すると、このとき、男が怖くてたまらなくなってしまったんだ。

恐怖に襲われ、手足を縛られ、猿轡を嚙ませられ、手も足もまったく動かせなくなり、スペイン人が荷揚げ作業を終える頃には、すっかり心が折れていた。空が白み始めた。貨物はほとんど連中の船に移されたが、それで用がすべて済んだわけではない。連中は夜が明ける前に、この船を抜かりなく処分する気だ。言うまでもないことだが、この時点で、考えられる最悪の事態になると、観念しなければならなかった。水先案内人の男が敵のスパイなのは明らかだった。誰にも疑われることなく、荷受人の信頼を得たのだ。男も、おそらく仲間の連中も、わたしたちのことを念入りに調べて、この船の貨物が怪しいと睨んだのだろう。夜、安全な停泊位置についたのは、連中が不意をついて船に侵入するためだ。そもそも〈善意号〉は乗組員の人数が少なかったせいで、充分な見張りを立てられなかったのが失敗だった。状況はわかったが、水先案内人の男はわたしをどうするつもりなのだろう。

話しているそばから、鳥肌が立ってきた。あの男がわたしにしたことを話そうとしているだけなんだが。

残っていた連中が船を降りたあとも、水先案内人とふたりのスペイン人水夫は、まだその場にいた。わたしは手足をロープで縛られたまま、猿轡も外されることなく、連中に抱えられて船倉に下ろされ、床に放りだされた。そして、ロープの両端を床の金具にくくりつけられた。おかげで、かろうじて顔だけは左右に動かせたが、移動はできないし、寝返りすら、まったく打てなかった。そして、連中はわたしを置き去りにして、出て行った。水夫のふたりは酒を飲んで、ぐてんぐてんに酔っぱらっていたが、この空恐ろしい水先案内人の男は冷静だった――いいかい、男は今のわたしと同じぐらい、いたって冷静だったんだ。

しばらく暗闇の中で倒れていると、心臓が飛び出しそうなほど、激しく脈打っていた。五分ほどたった頃、水先案内人の男がひとりで船倉にきた。〈善意号〉の船長愛用の、底に平らな受け皿がついた忌々しい燭台と、工具の錐を片手に持ち、もう片方の手には油をたっぷり塗った、細長い綿の撚《よ》り糸を握りしめていた。まずは火がついた、真新しいディップの蠟燭を立てた燭台を床に置いた。燭台の位置はわたしのすぐ目の前、船の側面の壁際だった。蠟燭の明かりは弱々しいが、それでも、船倉には、わたしを取り囲むように、火薬が十樽以上置いてあるのが、はっきりわかった。樽を見たとたん、男が何を企んでいるのか、ようやく察しがついた。頭のてっぺんからつま先まで恐怖に襲われ、顔から滝のような汗が流れた。

次に男は、壁際の火薬の樽に近づいた。その並びの蠟燭までは、三フィートそこそこだ。男は樽の脇に錐で穴を開けた。黒々とした恐ろしい粉がこぼれると、手で受けた。粉が片手いっぱいになったところで、男は油を塗った撚《よ》り糸の端を樽の穴に突っこんで、ふさいだ。それから、黒い粉を撚り糸に擦りつけた。糸のすみずみが黒くなるまで念入りに。そのあと、男がやったことなんだが――これは紛れもなく事実だ。今、わたしがここに座っているのと同じぐらい、いや、天国と同じぐらいと言ってもいい――恐ろしい導火線と化した長細く黒い撚り糸の端を、獣脂で作ったディップの蠟燭に何重にもくくりつけた。糸をくくりつけたのは、蠟燭の長さの、上から三分の一の部分。それが終わると、わたしを縛っている縄が切れていないことを確かめた。そして、こちらに顔を近づけ、耳元でささやいた。「船と一緒に、ふっ飛んじまえ!」

男は再び甲板に戻り、他の水夫ふたりと一緒にわたしの頭上のハッチを閉めた。ハッチのの奥が完全に閉まっていなかったので、隙間から日の光がかすかにきらめいているのが見えた。スクーナー船が波を切って進む音がする――バシャ! バシャ! 少しずつ音が小さくなっていく。大凪のなか、船は沖合で帆に風を受けるために進んでいる。さらに少しずつ音が小さくなる。バシャ! バシャ! 音は十五分ほど続いている。

音を聞いてはいたが、目は蠟燭に釘づけだった。火はついたばかりだ――放っておけば、六、七時間後に蠟燭は燃え尽きるだろう――もっとも、蠟燭の上から三分の一の位置に導火線が巻きつけられているので、そこに到達するまでは、あと約二時間。わたしはといえば、猿轡を噛ませられ、手足を縛られ、床にくくりつけられ、倒れていた――すぐそばに置かれた蠟燭と一緒に、命が燃え尽きることになる。海上で、たったひとりで倒れていて、木っ端みじんに吹き飛ばされる運命なのだ。その運命の瞬間が確実に少しずつ、刻一刻と迫っている。そのときまで、あと約二時間。この窮地を脱したいのに力がなく、助けを呼びたくても声が出ない。どういうわけか、炎や導火線や火薬から目を背けられなかったし、船倉に放りこまれて三十分たっても、恐怖で死ぬことはなかったんだ。

スクーナー船の波しぶきの音が止んだあと、どのぐらい意識をしっかり持ち続けていられたのか、今となっては、はっきりわからない。ある時点までは、何をしたのか、どう考えたのか、思い出せる。しかし、それを過ぎると、頭の中が混乱して、記憶のなかをさまよってしまう。あのときも同じように、感情の波に溺れて、自分を見失っていたんだ。

頭上のハッチが閉まると、連中はわたしの代わりに船の作業を始めた。わたしは両手を縛っている縄を必死にほどこうとした。必死のあまりナイフで切られたのかと思うほど、縄が擦れて皮膚が切れてしまった。それなのに、肝心の縄はほどけなかった。足の縄がほどけて自由に動かせる見込みはないし、体を固定している床の留め具も引きはがせそうにない。あきらめると、息が切れて、窒息しそうになった。そう、猿轡の存在を思い出してほしい。これが恐るべき強敵となっていた。自由に呼吸ができるのは鼻だけ――極限まで緊張していると、鼻だけでは充分な呼吸ができないのだ。

あきらめて、静かに倒れたまま、再び呼吸をした。片時たりとも、蠟燭から目が離せなかった。じっと見ているうちに、ひらめいた。鼻から一気に長く息を吐いて、蠟燭の火を消せないだろうか。その方法を試すには、火の位置はいささか高く、いささか離れていた。何度も繰り返してみた――またしても、無理だとあきらめて、おとなしく床に倒れた。まだ蠟燭から目が離せないし、蠟燭もわたしをじっと見ている。この時点で、スクーナー船の音はほとんど聞こえなくなっていた。かろうじて聞こえるのは、朝の静けさだけだ。バシャ！　バシャ！

――ますます音が小さくなる――バシャ！　バシャ！

いつまで正気でいられるか、わからなかったが、この時点ですでに壊れかけていたのは確かだ。蠟燭の芯の燃えて黒くなった部分はどんどん長くなっていた。逆に、炎と導火線のあいだの獣脂の部分、つまり、わたしの命の長さを表している箇所は、どんどん短くなっていた。この分だと、せいぜい、あと一時間半ぐらいしか生きられそうにない。一時間半！　そのあいだに、海岸から、小舟がブリッグ型帆船に向かってくるチャンスはあるだろうか。船が停泊している近くの陸地は味方の領地かもしれないし、敵の領地かもしれない。いずれにしても、遅かれ早かれ、小舟が近づいてくるだろう。何しろ、このあたりでは見かけない船なのだから。問題は、小舟が近づいてくるのが、いつなのかだ。ハッチの隙間を見る限り、まだ太陽は昇っていない。船が乗っ取られる前、海岸に明かりはひとつもなかったのだから、近くに村がないのは間違いない。耳を澄ましているが、よその船が近づきそうな風は吹いていない。あと六時間生きられるなら、夜明けから正午までのあいだぐらいに、チャンスがあるかもしれない。しかし残り、あと一時間半。この時点では、さらに短くなって一時間十五分――言ってしまえば、早朝、人気《ひとけ》のない海岸、大凪、何もかもがわたしの前に立ちはだかっていた――これでは、わずかなチャンスもない。そう思いながら、もう一度、もがいてみた――これが最後だ――なんとかして腕に巻きつけられた縄をほどかなければ。しかし、縄が擦れて痛みが増すばかりだった。

今度もあきらめて、おとなしく横たわったまま波しぶきの音を聞こうとした。聞こえない！　ときおり聞こえるのは、魚が水面を飛びはねる音と、恐ろしく古い帆柱の円材がきしむ音だけ。船は静かな海で、かすかなうねりを受けて、ゆるやかに左右に揺れていた。

あと一時間十五分。蠟燭の四分の一が消え、芯がとんでもなく伸びていた。芯先の黒焦げの部分が太い塊になり、マッシュルームのような形になった。塊はやがて落ちるだろう。塊は猛烈に熱いのだろうか。船が揺れて、塊が蠟燭の脇に落ちたら、導火線に当たるだろうか。そうなったら、わたしの命は一時間どころか、あと十分ももたない。こんな恐ろしいことに気づいてしまったので、何か別のことを考えて気を紛らわせようとした。爆発で死ぬのはどういう感じなのだろう。痛いのか。まあ、そのときは唐突にやってくるに違いない。おそらく、一度は何かに衝突するはずだ。体の内側か、それとも体の外側か。両方か。その程度で済むのか。これ以上何も起きないのか。ひょっとして、衝突すらしないかもしれない。何より、生きているこの体がばらばらになって、何百万もの真っ赤な火花のなかに飛び散ってしまうのは、死と同時なのか。わからない。いったい、どうなってしまうのか、見当もつかない。わずかに、冷静さは残っていたが、ちゃんと考えられず、またもや頭が混乱してきた。

再び、考えた。いや、考えがわたしに追いついたのかもしれない(どちらとも言えないが)。蠟燭の芯はぞっとするほど伸びていて、炎は煙をたてて燃えあがり、焦げた芯先は広がって、赤く、重々しくなり、今にも落ちそうだ。見ているだけで、絶望と恐怖に襲われたので、思わず、他のことを考えた。すっかり弱り果てたわたしの心にとって、何かで気を紛らわせるのは、とりあえずは良いことであり、正しいことだ。祈ろう。と言っても、心の中で。察しのとおり、猿轡のせいで、口を動かして祈る力は、もう残っていなかった。どうにかして祈ろうとしたが、その思いも蠟燭の炎で焼き尽くされてしまいそうだ。じわじわと、わたしを殺そうとする炎から、懸命に目をそらし、ハッチのすきまからこぼれ落ちる、恵みの光を見ようとした。まずは一回やってみる。そしてもう一回。だめだ、あきらめた。次は目を閉じてやってみる。ぎゅっと目を閉じ続ける――一回――二回――二回めはうまくいった。「神様、母さんと妹のリジーに幸せをお与えください。ふたりをお守りください。そして、わたしをお許しください」心の中で、それだけ言うのが精いっぱい。再び目を開けてしまい、願いもむなしく、蠟燭の炎が目の中に飛びこんで全身を覆い、他に考えていたことも、たちまち全部焼け尽くされてしまった。

もう、魚が水面を飛びはねる音は聞こえなかった。帆柱の円材がきしむ音も聞こえなかった。何も考えられなかった。死の苦しみで顔から汗が噴き出しているのも感じなかった。――重そうに黒焦げになっている蠟燭の芯先しか目に入らなかった。芯先はさらに太い塊になり、ふらつき、曲がって、落下する瞬間、猛烈に熱くなっていた――船が揺れ、燭台の底のほうに傾く前は黒々としているだけで、危険ではなかったのに。

気がつくと、笑っていた。そうだ！　芯先は落ちたが無事だったのだから笑えばいい。とはいえ、猿轡を噛ませられていたので、笑いながら、悲鳴を上げたほうがよかったのかもしれない。実際、体が震えるほど、心の中で笑ってしまったのだ――体が震えて頭に血がのぼり、呼吸ができず、窒息しそうになった。それでもまだ、正気だったので、恐怖の瞬間におぞましい笑い声をあげたのは、ついに脳がいかれたサインだとわかった。それでもまだ、正気だったので、再びもがいた。驚いた馬のように、心が外に飛び出して、暴走する前に。

せめてもの慰めに、ハッチの隙間から、きらめく光がこぼれ落ちるのを、もう一度見よう。無理やり蠟燭から目をそらし、日の光に視線を向けようとしたが、かなり苦戦し、しまいには戦意喪失してしまった。腕を縛っている縄がものすごい速さで擦れ、それに負けないぐらいのスピードで、炎がわたしの目をとらえた。炎から目をそらすことができなかった。今度は目を閉じようとしたが、それもできなかった。蠟燭の芯はさらに長く伸びていた。炎と導火線のあいだの蠟燭は、まだ燃えずに残っている――だいぶ減って、あと一インチ弱。蠟燭一インチ分だと、わたしの命はあとどれぐらいだろう。四十五分？　三十分？　五十分？　二十分？　落ちつくんだ！　一インチの獣脂の蠟燭なら、二十分以上燃え続けるはずだ。獣脂が一インチ分あるのだから！　一インチの獣脂のおかげで、人ひとりの心と体が、ひとつでいられることに気づくとは！　すばらしい！　何しろ、偉大な国王だって、心と体がひとつにはなれやしない。一インチの獣脂で、国王にできないことが、できるのだ。故郷に帰って、母に知らせたい。今後の航海の予定を知らせるよりも驚くだろう。考えただけで、また心の中で笑いがこみあげる。体が震え、胸がいっぱいになり、窒息しそうになる。蠟燭の火が目に飛びこんで、笑い声を覆い、燃やし尽くしてしまった。わたしはすっかり空っぽになり、寒気がして、またおとなしくなった。

母とリジーがそこにいた。いつ来たのか、わからない。しかし、確かに来てくれた――わたしの目には見えていた。今度は心の中ではない。船倉に放りこまれたわたしの前に、生身の人間として、間違いなく現れたのだ。

そうだ。確かに、リジーだ。いつものように明るく、わたしに笑いかけている。笑いかけている！　いいじゃないか、笑ったって。リジーが勘違いしているのは誰のせいだ。わたしがこんな調子だから、地下室でビヤ樽に囲まれて、酔っぱらって寝ころんでいると、早合点しているだけじゃないか。落ちつけ！　今度はリジーは泣いている――燃えさかる靄の中で、何度も回りながら、不安そうに両手をもみ、甲高い声で助けを求めている――声が小さくなっていく。スクーナー船の波しぶきの音が遠ざかっていくように。消えた！――燃えさかる靄の中で灰になってしまった。靄なのか。火なのか。違う。どちらでもない。明かりをつけたのは母だ――編み物をしている。十本の指先は燃えあがる点で象られ、白髪頭は顔の周りに垂れ下がった導火線で表されている。母は古いひじ掛け椅子に腰かけている。水先案内人の男の、長く骨ばった手が椅子の背にぶらさがり、火薬を落としている。違う！　火薬も、椅子も、母もいない――そこにいるのは男の顔だけだ。燃えさかる靄のなかで、太陽のように、猛烈に熱く輝いている。燃えさかる靄の中で、男がひっくり返る。燃えさかる靄の中で、男が導火線を行ったり来たりしている。燃えさかる靄の中で、男が瞬く間に猛烈に回転する――回転しながら小さくなり、ひとつの小さな点になる。その小さな点がいきなり、わたしの頭をめがけて突進してくる――ふいに、すべてが炎で、すべてが靄となる――聞こえないし、見えないし、考えられないし、感じない――船、海、わたし自身、全世界、何もかもが消えてしまった！

そのあとのことは、ひとつもわからないし、ひとつも覚えていない。ようやく目が覚めたとき、なんて寝心地のいいベッドにいるのだろうと思った。枕の両脇には、わたしに似た、いかにも武骨で、何かあれば、すぐに動きだしそうな男がふたり座っていた。足元には、立ったまま、わたしを見つめている男がいた。午前七時頃だった。わたしは八か月以上眠っていた（わたしは眠っていたと思っていたわけだが）。八か月以上寝ているあいだ、トリニダード島の地元の人々が交代で枕の両脇にいて、見守ってくれていたんだ。足元に立っていた男は医者だった。八か月のあいだ、わたしが何を言ったのか、何をしたのか、わからないし、この先も謎のままだ。とにかく、目が覚めた。長い眠りについていたような気がした。わかっているのは、それだけだ。

それから二か月あまりたって、ようやく医者はわたしの質問に答えても大丈夫だとみなした。

案の定、スペイン人の連中は誰にも邪魔される恐れがない沖合で、ブリッグ型帆船をぽつんと停泊させたんだ。その間、残虐極まりない作業を、闇に紛れて、こっそり行っていた。わたしの命は海岸からではなく、海上から助け出された。沖合で動けずにいたアメリカの大型船が、太陽がのぼったときに、ブリッグ型帆船を見つけてくれた。凪で、船長が乗組員といたところ、何やら訳ありの船が停泊しているのに気づき、詳しく調べるために乗組員を小舟で向かわせた。乗組員は船の様子を報告するために戻ってきた。状況から、船長と乗組員はブリッグ型帆船が放棄されているとわかり、船に乗りこむと、ハッチの隙間から蠟燭の炎の光が見えた。船長が船倉におりたとき、炎は導火線すれすれまで近づいていた。もし、船長が機転を利かせなかったら、冷静に対処しないで、導火線をナイフで切らずに、蠟燭に触れていたら、全員が船とともに吹っ飛んでしまっただろう。もちろん、このわたしもだ。蠟燭の火を消そうとした、まさにそのとき、導火線に火が移り、音をたてて赤々と燃えあがった。火薬の樽から切り離していなかったら、その後のことは神のみぞ知るだ。

スペイン人が乗っていたスクーナー船のその後や、水先案内人の男の消息は、いまだに何も聞いていない。ブリッグ型帆船に関しては、わたしを救助したアメリカ人が船を引き取ってトリニダード島に運ぶと自国で使用するために、救出財貨の権利を請求し、手に入れた。それが嘘でないことを願いたい。わたしはブリッグ型帆船から救出されたときと同じ容体のまま、島に運ばれた。つまり、完全に正気を失っていたのだ。でも、思い出してほしい。この話は、ずいぶん前のことだ。信じてくれ、ちゃんと完治して退院した。さっきも言ったとおりだ。ありがたいことに、このとおり、今はもう、すっかり元気で、ぴんぴんしている。この話をすると、ほんの少し身震いするけれど——たかだか、ほんの少し。ただ、それだけのことだ。

解説

ディケンズの『幽霊屋敷』

リレー小説『幽霊屋敷』*The Haunted House*は、週刊誌『オール・ザ・イヤー・ラウンド』の一八五九年十二月十三日増刊号に一挙掲載された。余談ながらこの年、『ブラックウッド』誌の八月号に、エドワード・ブルワー＝リットンの「幽霊屋敷」が発表された。

この連作は、ディケンズが自ら編集する雑誌のクリスマス企画として寄稿者たちを集めたもので、ここに掲載したのはそのうち第一話「幽霊屋敷の人々」と、第五話のコリンズ「食器棚の部屋」である。

部屋ごとを書き手が割り当ててられた。第二話「時計部屋」は児童文学者ヘスバ・ストレットン。第三話「二つ部屋」は『イラストレーテッド・ロンドン・ニュース』や『デイリー・テレグラフ』に寄稿していたジャーナリスト、ジョージ・オーガスタス・サラ。第三話「絵画室」は詩人にして社会運動家のアデレード・アン・プロクター。第七話「庭の見える部屋」は『女だけの町』など多くの作品が邦訳されているエリザベス・ギャスケル。第六話「マスターBの部屋」と最終話「角部屋」はディケンズが担当した。

ディケンズとしては、自作『クリスマス・キャロル』（一八四三）のように、幽霊（実は語り手の内心）と遭遇した結果、語り手の人生が良い方に向かっていく、という物語を集めたかったらしい。もっとも「幽霊屋敷と噂された家には、本当は幽霊はいませんでした。実は幽霊は、ここを訪れる人々それぞれの、心の声だったのです」という大枠を示されたのだとしたら、寄稿者たちは苦戦せざるを得なかったことだろう。それでも、各話とも不思議な出来事が多少なりとも起きるし、明るい結末を迎える、クリスマス向きの読み物に仕上がっている。

当時流行した心霊主義と、そこから派生した幽霊屋敷探検ブームが、英国怪談の数々の傑作同様、本作の下地にもあることを思うと、さらに興味の深まる連作と言えるだろう。

（M）

チャールズ・ディケンズ

『個』を持つ部屋

木犀あこ

――家は「箱」の集まりでできているんだ――。

神戸、北野の異人館街。初めて足を踏み入れた〝洋館〟の中で、私は幼心にそう思いました。部屋と部屋が厚みのある壁で区切られ、それぞれの出入り口にはこれまた重みを感じさせる扉というものがある。間取り図を見ると、「箱」として閉ざされた部屋たちの役割や特徴がよりはっきりと浮かび上がってきます。食堂に居間にサンルーム。広い厨房とつながる使用人の部屋。当時日本家屋に住んでいた私は、こうも思ったものでした。「全ての部屋に名前がついているの？」――と。

洋間が増えた現代の日本の住宅においても、部屋それぞれの機能というものは流動的で、はっきりとした個性を持っていないように思います。食事をとる空間がそのまま家族のくつろぎの場ともなるし、食卓でお客さまを迎えることもある。子供たちは昼間遊んでいた部屋の床に布団を敷いて寝て、大きくなれば衝立などを置いてそれぞれのプライベート な空間を確保したりもする。部屋の数が限られがちな住宅事情においては、空間ごとの役割というものは複合的で没個性なものになりがちです。だからこそどっしりとした洋館の、重厚な壁に守られた部屋に入ったときに、私たちはより強くその「個」というものを意識してしまうのだと思います。動かしがたい我を持った、特別な場としての部屋。「応接室」と名付けられた部屋は、いったい誰を迎え、送り出し――何を見聞きしてきたのであろうか？

不動の役割を与えられた部屋には、時そのものが厚く積み重なっているようにすら思えてくるのです。

家というものは、確固とした役割を持つ「箱」の集合体である。エドワード・ケアリーの『堆塵館』（東京創元社）の見返しに描かれた屋敷の間取り図を見たときには、改めてそう感じたものでした。ごみから財を築いたアイアマンガー一族の住む、巨大な屋敷。もはや一つの街として機能している（なにせ地下階には駅まであるのですから！）かのようなその建物は、個性あふれる部屋たちの集合体と呼ぶにふさわしいものです。「礼拝堂」や「大食堂」はわかるけれど、「逢瀬の間」って何だろう？「かつての床屋」をなぜ残してある？「ピゴットさんの金庫」には何かありそうだ。そして閉ざされた屋根裏部屋には……。物語に入る前にあれこれと思いを巡らせ、強烈すぎる個性を持つ部屋たちがどのように活躍するかとわくわくしたものです。圧倒的な質量と、噎せ返るような臭気をもって迫ってくる世界の中で、部屋たちは単なる舞台装置を超えた存在感を見せつけてきます。『堆塵館』では物の声を聞くことのできるクロッドという少年を中心にすさまじい物語が展開していきますが、なぜか人の名前を叫び続ける物たちと同様、役割を背負った空間としての部屋たちもまた、その存在を高らかに主張するのです。声を持たない彼らは、かえって饒舌にその意思を伝えてくるかのようです。出ていけ、よそ者、私の中に足を踏み入れるな――あるいは、やあようこそ、歓迎するよ、ただしもう逃がしはしないけれどね、などと。

足を踏み入れた瞬間から、生きた人間をからめ取ってしまうような部屋というものはたしかに存在しているようです。ブラム・ストーカーの「判事の家」に初めて触れたときには、まさにその「捕らわれる恐怖」というものを生々しく味わいました。主人公が例のお屋敷に入る前の描写からして、怖い。何が恐ろしいとは具体的に語られないのですが、とにかくそのお屋敷にはかつての主である判事の影が未だにつきまとっていて、お屋敷そのものが悪意に満ちている気さえする。行かなければいいのに、と思うけれど、幽霊屋敷ものの主人公はそんないわくつきのお屋敷にどうしても足を踏み入れなければならないのですね。大警鐘の引き綱と樫の大椅子のある「空間」に主人公が足を踏み入れたときから、決着はついていたのだろうと思います。調度品にしても、判事本人の絵にしても、あの空間には悪意あるものにおいが残りすぎている。もはや判事の霊がその場に残っている（あるいは、その霊がネズミの姿として顕現している）といった類のものではなく、部屋そのものが邪悪なる個を持った存在であるかのように思えてきます。確固とした役割を持ち、かつてそこで息をしていたものたちの手垢を残した調度品を備えた部屋は、単なる背景であることをやめて、個を主張しはじめます。それはいわゆる「穢れ」とはまた性質を異にするもので、染みつくのではなく空間そのものが変容している、とでも言えばいいのでしょうか。個を主張するからこそ、部屋たちはよそ者の侵入を許さず、排除しようとする。あるいは誘い入れて呑み込み、命まで奪ってしまう。H・G・ウェルズの「赤の間」において、部屋はそこで死んだ者たちの人格すら必要とせず、それ自体が最も恐ろしい存在と成り果てていました。生きた人間が怪異と対峙して、まともに済むはずがありません。幽霊屋敷における犠牲者は皆、確かな意思と力を持つ「空間」——独立した化け物としての部屋にやられてしまった、哀れな生者たちであるのです。

もはや不動の役割と人格を得た部屋というものは、新たな住人や侵入者に媚びようとはしません。そこに生きた人間たちがずかずか入り込むからこそ、機能不全が起こるのだと思います。……そういえば、部屋の「顔」とでもいうべき壁紙が強い印象を残すシャーロット・パーキンズ・ギルマンの「黄色い壁紙」も、そんな機能不全を強く実感させる作品でした。主人公のいる場所（お守り部屋）は本来子供が使うべき空間であって、神経の「まいって」しまった——自らの赤ちゃんと共に居ることすらできない——大人が寝起きしてもいい場所ではないのです。その不一致と部屋の強い個性こそが、取り返しのつかない歪みを産んでしまった。

あの主人公が名もない一階の、窓から薔薇の見える部屋を居場所としていたら？　強すぎる我を持つ部屋の声に耳を傾けなければ？　あれほど長く部屋の「顔」と向き合って、その内面にまで没入して行かなければ……。あのおぞましい結末を迎えずに済んだのではないかと、私にはそう思えてならないのです。

レ・ファニュの幻妖世界

トム・チャフの見た幻

The Vision of Tom Chuff

J・シェリダン・レ・ファニュ J. Sheridan Le Fanu
山田蘭 訳

ジョゼフ・シェリダン・レ・ファニュ（一八一四―七三）はアイルランドの小説家だが、その人気はイギリスでもきわめて高く、ヴィクトリア朝の怪奇幻想文学を語るさいには欠くことのできない存在だ。『アンクル・サイラス』（一八六四）などの長篇や、『吸血鬼カーミラ』（一八七二）を筆頭とするヘッセリウス博士ものが有名だが、今回は埋もれがちな短篇から、未紹介のものを収録する。飲んだくれの密猟者トムが見た霊界の幻視と、その後に彼を見舞った運命を語った本作は、*All the Year Round*誌の一八七〇年十月八日号に掲載された。

イングランド北部にある陰鬱なキャットスティーン荒野の外れに、樹齢を重ね、老いてごつごつとした幹のポプラが五、六本ほど固まって生えていた。そのうち一本は、三十年前の夏に落雷に遭い、中ほどからぽっきりと折れてしまっている。どれもすばらしく背が高く、おかげでかたわらに建つ粗末な石造りの家が、どうにもちっぽけに見えてしまう。太い煙突のあるその家は、一階に台所と寝室があり、梯子のかけられた板葺きの屋根裏はふたつの部屋に仕切られていた。

この家の持ち主は、世間から白い目を向けられている人物だった。名前はトム・チャフ。ぼさぼさの髪にがっしりした体格、腕っぷしは強いが、どちらかというと短躯で、不機嫌にひそめた眉に、腫れぼったい目をしている。稼ぎはもっぱら密猟だが、もっとまともな仕事で食いぶちを稼いでいるふりをして、他人の目をとりつくろう気もないらしい。そのうえ、大酒呑みでもあった。女房を殴るのも、いつものことだ。父親が家にいるときは、子どもたちはいつも恐怖に怯え、みじめな日々を送っていた。トムは時おり一週間かそこら家を空けたが、そのときだけは、この慎ましい一家もしばしの安らぎを得ることができた。

その夜八時ごろ、トムは手にした棍棒で自宅の扉を叩いた。季節は冬で、あたりは深い闇に包まれている。たとえ荒野からやってきた幽霊が扉を叩いたとしても、この小さな家に暮らす家族はこれほど怯えはしなかったにちがいない。女房はすくみあがり、あわててかんぬきを外した。女房の佝僂《くる》病持ちの妹は炉端に立ち、戸口に視線を向ける。子どもたちは奥に身をひそめていた。

トム・チャフは棍棒を手に敷居をまたぐと、黙りこくったまま、暖炉の前の椅子にどすんと腰をおろした。家を空けていたのは二日、それとも三日間だっただろうか。憔悴した顔で、目は血走っている。酒を飲んできたことは、家族にはわかっていた。

トムは暖炉の泥炭を棍棒で突き、炎を起こすと、足をその前に投げ出した。小さな戸棚を指し、女房にあごをしゃくってみせる。杯となるものをよこせという意味だと悟り、女房は無言のままそのとおりにした。トムは外套のポケットからジンの壜を取り出すと、渡されたティーカップになみなみと注ぎ、二口、三口ですっかり飲み干した。

こうして酒を二、三杯あおり、それから家族を殴って憂さ晴らしをするのが、トムのいつもの習慣だった。三人の幼い子どもたちは部屋の隅にうずくまり、お伽噺で巨人から身を隠していたジャックのように、テーブルの下からじっと父親を見つめている。女房のネルは椅子の後ろに立ち、いつ何時この棍棒が振りおろされても椅子で受けとめられるよう、亭主から油断なく目を離さずにいた。佝僂病持ちのメアリはぎょろぎょろと大きな白目をむき、ナラ材の戸棚の前で、やはり油断なく身がまえている。その顔色はあまりにどす黒く、背後の茶色い板に溶けこんでしまって表情が見えない。

トム・チャフはいまや三杯めの酒をあおっていた。家の敷居をまたいでから、まだひとことも口をきいていない。息の詰まるような緊張が高まるなか、トムはふと、粗末な椅子の背にぐったりと身体を預けて動かなくなった。その手から棍棒が滑りおち、顔からは死人のように血の気が失せる。

しばらくの間、家族はじっとその様子を見つめているだけだった。あまりにトムが怖ろしくて、声を出すのも、身じろぎするのもはばかられたのだ。うかつなことをして、結局はただのうたた寝だったりしたら、トムはすぐに目をさまし、気分のおもむくままに棍棒を振るいはじめるだろうから。

だが、いくらなんでもおかしいと、すぐに家族は気がついた。女房のネルと妹のメアリは思いきって目を合わせ、疑いと不安に満ちた視線を交わす。亭主の身体は椅子の片側からはみ出しており、こんなにも巨大でがっしりした椅子でなければ、とうに床に転げ落ちていたことだろう。顔色はどす黒さを増し、どこか鉛色がかってさえ見える。家族の懸念はつのるばかりで、やがて女房が勇気を振りしぼり、おずおずとした声で呼びかけた。「トム！」次はもっと鋭い声で、やがては愛称ではなく正式な名を、何度も金切り声でくりかえす。合間には「うちの人が死んでしまう――うちの人が！」という怯えた叫びもあげたものの、どれだけ声を枯らし、どれだけ肩を揺すぶってみても、亭主はぐったりとしたまま動かなかった。

いまや、これまでとは別ものの恐怖に衝き動かされ、大人たちの会話や泣き声にかぶせるように、子どもたちも甲高い悲鳴をあげはじめた。もしもこの果てぬ眠りからトムを呼びさますことができる声があるとしたら、それはこの密猟者の粗末な部屋に響きわたる、耳に突きささるような子どもたちの叫びしかあるまい。だが、トムは何も聞こえないかのように、ぴくりともせず横たわっている。

女房は妹のメアリを村へ使いに出した。ほんの三、四百メートル先に、ネルが洗濯女として下働きをしている医師の家がある。いまにも死んでしまいそうな亭主のために、どうか往診してくださいと言付けて。

やがて、善良な医師がやってきた。帽子を取ろうともせず、まずはトムを見て、容態を調べる。呼びにきたメアリの説明を聞き、とりあえず用意してきた吐剤も役には立たなかったし、皮膚にメスを走らせてみても血液はにじんでこない。手首に触れても脈は感じられず、医師は頭を振ると、心の中でつぶやいた。

「いったいこの女房は、何が悲しくてこんなに泣き叫ぶのだろう？　子どもたちにとっても自分自身にとっても、これ以上のことは望むべくもない、まさに降って湧いたような幸運だというのに」

たしかに、トムはどう見てもすでにこと切れていた。

口もとに手をかざしても、呼吸の気配は感じられない。医師の指に、脈は触れなかった。手や足もすでに冷えきり、その冷たさはしだいに身体に伝わりはじめている。

二十分ほどいろいろと試みた後、医師は外套のボタンをはめ、帽子を目深にかぶりなおした。これ以上ここに残っても役に立てそうにないからと、チャフ夫人に別れを告げたそのとき、ふいにトム・チャフのこめかみの、さっき医師がメスを走らせた傷口から、ぽたぽたと血液がしたたり落ちはじめた。

「これは驚いた」医師が声をあげた。「もう少し様子を見ますかな」

さて、ここで、トム・チャフ自身はどんな体験をしていたのか、逐一たどっていかなくてはなるまい。

両方のひじを膝につき、両手であごを包みこんだ姿勢で、かたわらにはジンの壜を置いたまま、トムはじっと暖炉のおきを見つめていた。そのとき、ふいに頭がくらくらして、揺らぐ残り火が見えなくなったかと思うと、教会の鐘を思いきり打ち鳴らしたかのような音がたった一度、頭の中に響きわたる。

続いて支離滅裂な鼻歌のようなものが聞こえたかと思うと、頭が鉛のように重くなり、トムは椅子の背に仰向けに倒れこむと、そのまま意識を失ってしまった。

やがてふっと気がつくと、身体はすっかり冷えきっていた。背をもたせかけているのは、葉のすっかり落ちた巨木の幹だ。夜空に月はなく、目をあげると、これまで見たこともないほど暗い空に、やはり見たこともないほど大きな星々がぎらぎらと輝いている。その星々もまたこちらを見おろしているかのように、時おりゆっくりとまたたくのだ。暗い夜空からふっと光が消え、そしてまた、さらにぎらついて輝きはじめるその姿は、まるで何やら静かな憤りを秘めてこちらを脅かす存在の表れのようだと、トムはぼんやり考えていた。

どうして自分がこんなところにいるのか、記憶は奇妙に混乱している。ひょっとしたら、たとえばどこかの連中の肩にでもかつがれて、あわただしくここに連れてこられたような気もした。だが、それもごくぼんやりとした、断片的な感覚の記憶にすぎない。何かを見た、あるいは何かを聞いた記憶は何ひとつ残っていないのだ。

トムは周囲を見まわした。生きているものが近くにいる気配は、まったく感じられない。やがて、ここがどこなのか気づくにつれ、畏怖の念が胸に広がる。

背中をもたせかけていた巨木は、シャックルトン教会の墓地にある。いましがた気を失った粗末な家とはキャットスティーン荒野をはさんで反対側、青々と風にそよぐ木々の生えた一角を、不規則に囲む美しいブナの老木の一本だ。自宅からここまでは十キロ以上の距離があり、目の前には見わたすかぎりの荒野が不穏な闇に覆われている。どれほど目をこらしても、空と大地は渾然と混じりあい、怖ろしい虚無にしか見えない。

あたりを包みこむのは、不自然なほどの静寂だった。ずっと慣れ親しんできた遠い小川のせせらぎは、いまは静まりかえっている。周囲の木々の葉も、そよぐ気配さえない。空気も、地面も、頭上に広がる空も、何もかもが奇妙なほど鳴りをひそめてしまっている。何か怖ろしいものが近づいてくる虫の知らせめいたものに、トムの心臓は戦いた。とうてい逃げられないような相手が行く手に待ち伏せているという、どうにも説明しがたい予感がなかったら、きっと家に帰ろうと歩きはじめていただろうに。

シャックルトンの古びた灰色の教会堂、そして塔は、影のようにひっそりと背後にそびえている。そのころには、建物の輪郭をどうにかたどれる程度には、トムの目も闇に慣れてきた。だが、その姿は心をおちつけてくれるどころか、むしろ不安をかきたてるばかりだ。トムがこんなご禁制の生業《なりわい》のやりくちを叩きこまれたのは、まさにここが始まりだった。かつて父親はまだ幼いトムを連れ、この場所でほかのふたりの密猟者と落ちあっていたのだ。

夜明け前、この教会の軒下で獲物を分けあい、前日に売りさばいた金を分配し、ジンをあおる。酒を飲むことも、汚い言葉で毒づくことも、法を破ることも、トムはここで教わった。父親の墓は、いま立っている場所から八歩ほどしか離れていない。すっかり意気阻喪しているいま、こんなに恐怖をかきたてられる場所もほかにあるまい。

さらにもうひとつ、気分の滅入るものがすぐ近くにあった。寄りかかっていた木の後ろから左に向かって、墓穴がひとつ口を開けており、右側には掘りかえした土くれがこんもりと積みあげてある。墓穴の上手には、このブナの木が立っていた――その幹は、まるで巨大な墓標のようだ。なめらかな樹皮に走る傷や皺は、どれもよく知りつくしている。はるか昔、ここに刻みこんだ自分の名の頭文字は、いまや伸びたり皺が寄ったりして、気まぐれな彫版師の手による奇怪な字体のように変わりはてていた。この墓穴を見おろしているかのような、怖ろしくも堂々とした巨木の姿は、まるでトムの心の中の問いに答えているかのようだ――「この墓穴は、誰のために掘ったんだ?」

まだ頭はいささかぼうっとしていたし、節々にはまだ震えが残り、ここから必死に逃げ出そうという気にはなれない。そもそも、どちらの方向へ逃げたとしても、ここにとどまるよりもっと怖ろしい危険が待ち受けているにちがいないという、漠然とした予感もあった。

そのとき、ふいに星々がさらに激しくまたたきはじめた。ほんの一瞬、かすかな星明かりが寒々とした風景を真上から照らし出し、こちらに向かって荒野を渡ってくる何ものかの姿が浮きあがる。軽やかな小走りで、時おり左右にぴょんぴょんと跳ねるその足どりは、このあたりの土地を歩くのに慣れた人間が、ところどころに広がる泥地やぬかるみを避けているのだろう。かつての父親にも、また自分自身にも似ているその人影は、近づきつつあることを知らせるように指笛を鳴らした。だが、その指笛は、かつてのように鋭く高らかには響かず、おそろしく遠くから、まるで自分の頭の中にだけ聞こえているように思える。習慣からか、それとも怯えたあまりか、トムもそれに応え、二十五年以上も昔、いつもやっていたように指笛を鳴らした。この世のものとも思えない恐怖に、こんなにもすくみあがっているというのに。

その人影も、やはりかつての父親のように、左手に提げていた袋をこちらに掲げてみせ、その中身が何なのか叫んでよこした。だが、その不自然なほどかすかな叫びがけっしてトムの心を安らげてはくれなかったことは、読者もすでに予感していたのではなかろうか。その幻が袋を宙に掲げながら叫んだ言葉は、かすかながらはっきりと耳に届いた。「トム・チャフの魂だ!」

墓地の低い塀のかたわらに立つトムから、五十メートルと離れていないあたりの泥炭にはやや広めの溝が走り、そこから葦や蒲がこんもりと生い茂っている。かつて父親が何かに驚いたとき、よくそうしていたように、近づきつつあった人影は、ふいに身体を伏せてその茂みの陰に隠れた。

その背の高い葦や蒲の茂みから、次の瞬間ぬっと現れたのは、いましがた身を伏せた人影が這い出してきたのだとばかり、最初のうちトムは思いこんでいた。だが、すぐに熊とも見まごうごわごわした毛皮に覆われた、巨大な黒犬の姿が浮かびあがる。その犬はしばしあたりを嗅ぎまわっていたかと思うと、やがて無駄のないゆったりとした足どりで、軽やかに跳ねながらこちらに向かってきた。しだいに近づきながら、燃えさかる石炭のようにぎらぎらと輝く目でトムを見すえ、その巨大なあごを開くと、背筋も凍るようなうなり声を漏らす。

いまにもその獣に襲いかかられそうになり、狼狽したトムは逃げようとして、背後に口を開けていた墓穴に倒れこんだ。必死につかんだ縁はむなしく崩れたものの、どうせごく浅い穴なのだから、すぐ底にぶつかるはずと高をくくる。だが、どうしたことか、どこまでも落ちていくばかり！　なんという底知れぬ深淵！　速度など測るすべもなく、ぐんぐんと増す勢いにまかせ、漆黒の闇に髪を逆立て、息もできず、空気の抵抗に煽られるまま両腕を前に投げ出して、ただひたすらに裂け目の深みへ落ちていくうち、やがて全身は恐怖のあまり冷たい汗に濡れ、いまにも何かに激突して砕け散るかと思った瞬間、ふいに衝撃とともに落下が止まったが、奇妙なことに、一瞬たりとも意識を失うことはなかった。

トムは周囲を見まわした。そこは、煙にすすけた洞窟、あるいは地下墓地のような場所だった。天井は、せり出したアーチ型の梁がところどころに見えるだけで、あとは闇に沈んでいる。この中央の部屋からは、まるで巨大な鉱山の坑道のように粗末な通路が何本か伸びていた。その通路からかすかに漏れてくる、燃える木炭のようなぼんやりとした明かりだけを頼りに、トムは周囲に目をこらすしかなかった。

そんな薄暗い通路の一角に、突き出した岩のように見えていたものがふいに動いたかと思うと、人間の姿となってこちらに手招きする。近づいていくと、そこにいたのは父親だった。誰なのかすぐに見わけられないほど、ひどく変わりはててしまっていたが。

「おまえを探してたんだ、トム。おかえり、息子よ。おまえの場所へ案内しよう」

トムの胸は重く沈んだ。その声はうつろで、思わず身ぶるいしてしまうほどの嘲笑がこめられているように思えたからだ。だが、それでもこの邪悪な霊の言葉にしたがうほかはなかった。案内されるままついていくと、まるで岩の内部から聞こえてくるかのような、すさまじい悲鳴や慈悲を求める叫び声が耳につく。

「あれは何なんだ？」トムは尋ねた。

「気にすることはねえ」

「どういう連中なんだよ？」

「新入りだ、おまえのようにな、息子よ」父親はそっけなく答えた。「あてがわれた仕事に追われとるんだ、何の役にも立たんと知りつつな」

「おれは何をさせられるんだ？」トムは恐怖にうめいた。

「みんな同じさ」

「同じって、いったい何を？」骨の髄までがたがたと震えながら、そうくりかえす。

「何があろうと笑って耐えろ、それしかなかろう」

「だけど、お願いだよ、おれのことを思ってくれるんなら、息子を可愛いと思ってくれるんなら、おれをここから逃がしてくれ！」

「逃げる道などねえ」

「入ってくる道があるんなら、逃げる道だってあるはずだろう。お願いだ、おれをここから出してくれよ」

だが、怖ろしげな霊はそれっきり口をつぐみ、トムの肩先をかすめてぐいと滑るように後ろに下がったため、さらに多くのものたちが集まっている光景が視界に飛びこんできた。それぞれが永遠の憤怒、あるいは嘲笑をかたどったさまざまに怖ろしい姿形をし、赤くぼんやりとした光に包まれて、ぞっとするような目でこちらを見つめている。こんなにも多くの目ににらみつけられて、トムはしだいに正気を失いつつあった。目の数はみるみる増えるばかりで、じわじわとこちらに詰めよってくる。さらに、遠くから、近くから、あちらから、こちらから、後ろから、すぐ耳もとから、何万もの声がトムの名を呼んでいるのだ。それらの呼び声も、たたみかけてくるような勢いでしだいに数が増え、合間に笑い声や冒涜の言葉、とぎれとぎれの侮辱、嘲りの声が交じりあい、お互いに重なり、打ち消しあって、トムには半分も聞きとることができなかった。

こうした身の毛もよだつ光景、そして声がみるみる激しさを増し、自分のほうに迫ってくるのを感じて、トムの頭は恐怖にしびれ、まったく働かなくなっていた。やがて、すさまじい悲鳴をひと声、長く後を引かせて、トムは意識を失った。

ふと目がさめると、そこは丸天井と重々しい扉のある小部屋だった。壁に掛けられた唯一の明かりが、奇妙なほどのまばゆい輝きで、小部屋全体を照らしている。

トムの目の前には、すばらしい長さの真っ白なあごひげをたくわえ、畏怖すべき清廉さと厳格さを兼ねそなえている、いかにも威厳のある人物が椅子にかけていた。身にまとっているのは粗末な衣で、腰帯に三つの大きな鍵をぶらさげている。たとえば、ジョン・バニヤンが『天路歴程』などで好んで描写した、天の都の入口を守る古《いにしえ》の門番を想像してもらえれば、さほど遠くはあるまい。

その老人の堂々たる明晰な瞳は、ぴたりとこちらを見すえている。トムは自分がどうしようもなく無力に思えてならなかった。長い沈黙の後、老人は口を開いた。

「おまえのことはいったん解放し、いまひとたび試練の機会を与えよとのご命令だ。だが、今後もしまた呑んだくれどもと酒を酌み交わし、同じ神をいただく同胞《はらから》を殴るところを見つけたら、すぐさまあの扉からここへ引き戻し、二度と外に出ることは許さぬからな」

そう言うと、老人はトムの手首をつかんで最初の扉をくぐった。洞窟の入口の鍵を開け、トム・チャフの肩をぴしりと叩き、その背後で扉を勢いよく閉める。あたりに響いた雷鳴のような轟音は、すぐ近く、はるか遠く、ぐるり四方から空の彼方まで、幾重にもこだましながらしだいに消えていき、最後には静寂が広がった。何もかもが漆黒の闇に包まれていたが、新鮮な冷たい空気にさらされて、トムは力が湧いてくるのを感じていた。自分はまた、地上の世界に戻ってきたのだ。

数分のうちに、耳になじんだ声たちが聞こえてくる。まずはかすかな明かりがぽつんと目の前に輝きはじめ、それが蠟燭の炎の形をとると、やがて女房や子どもたちのなつかしい顔が見えてきたが、話しかけてくる家族の声はぼんやりと聞こえても、それに答えることはいまだできそうになかった。

家族たちから離れてひとり立つ医師の姿も見え、こんな声が聞こえた。「おやおや、どうやら息を吹きかえしたようだな。これでもう、ご主人は助かりますよ」

ようやくあたりの光景がはっきりと目に映り、口がきけるようになると、首と襟もとが血で濡れているのを感じながら、トムは女房に向かって最初にこう語りかけた。

「すまなかったな、おまえ。おれは生まれかわったよ。先生を呼んでくれ」

最後の言葉は、「教区司祭を呼んでくれ」という意味だ。

やがて教区司祭が到着し、小さな寝室に通される。魂がいったん死を迎え、すっかり怯えた密猟者は、いまだ病んでぐったりとしたままベッドに寝かされていた。恐怖に打ちひしがれたトム・チャフは、家族たちに力なく手で合図し、部屋から出ていかせた。やがて寝室の扉が閉まると、善良な教区司祭は奇妙な告白を聞かされることになる。トムの真剣で熱のこもった改心の誓いにも、自分を支え、助言をしてほしいという弱々しい訴えにも、教区司祭は同じくらい驚きながら耳を傾けた。

とはいえ、どちらの言葉も温かく受けとめられたのは言うまでもない。それからしばらくの間、教区司祭はこの家を足しげく訪れることとなった。

ある日、別れの握手をしようと教区司祭が手をとると、病人はその手を離さず、こう訴えた。

「シャックルトンの司祭さま、どうかお願いします。おれが司祭さまにいろんなことを約束したみてえに、司祭さまもおれの願いをひとつだけ聞きとどけてほしいんだ。これからは女房も、子どもらも、ほかの誰だろうとも、けっして引っぱたいたり殴ったりしねえって、おれは司祭さまに約束しました。これから先はけっして、呑んだくれどもとつきあったりしねえ、ともね。トムはこれから、けっして引き金も引かねえし、罠を仕掛けたりもしねえ、まっとうな仕事に励んで食ってくんだ。だから、どうか司祭さま、おれの願いをひとつだけ、どうか聞いてやってください。シャックルトンの司祭さまには、やすやすとおできになることなんだから。いつかおれが死んだら、おれの亡きがらはきっと、シャックルトンの教会の墓地を囲むブナのどの木からも、二十メートルよりたっぷり離して埋めてほしいんだ」

「わかりましたよ。いずれ本当にそのときが来たら、あなたのお墓はきっと、夢に出てきたというあの場所から充分に離れたところを選びましょう」

「お願いします。あそこに埋められるくれえなら、おれはいっそ泥に沈められるほうがましなんだ！　いっそ、どっかほかの教会の墓地に墓を作ることにすりゃ、こんな怖い思いはしなくてすむんだが、それでもシャックルトンの墓地は、おれの縁続きがみんな眠ってる場所だから。どうか、司祭さま、おれとの約束をけっして違えないでくださいよ」

「ええ、たしかに約束しましょう。わたしのほうが、あなたより長生きするとは思えませんがね。だが、もしもあなたが先にこの世を去り、そのときわたしがまだシャックルトンの司祭だったとしたら、あなたのお墓はきっと墓地の真ん中あたりに、空いている場所を探しますよ」

「ありがてえ」

心から満足し、ふたりは別れた。

トム・チャフの見た幻の効果はすばらしく、その変化は永遠に続くかと思われた。気まぐれに山を張り、その合間には怠惰に暮らしていたこれまでの生活を返上し、日々まじめにこつこつと働くようになったのは、まさに必死の努力の結果だ。酒もやめたし、生まれつき不機嫌な性格が許すかぎり、女房や子どもたちにも優しく接した。そして、教会にも通うようになったのだ。天気のいい日には、家族みなで荒野を渡り、シャックルトン教会にやってくる。トムはこの教会に来て、幻に登場したあの場所をあらためて目にすることにより、けっして改心の決意が揺らがぬようわが身を戒めているのだと、教区司祭は評した。

とはいえ、幻の上に築きあげた決意など、しょせんは移ろいやすいものだ。悪人が恐怖に衝き動かされて行いを改めたところで、それはけっして本心から生まれた変化ではない。幻の記憶が薄れていくにしたがい、恐怖から起こしていた行動もやがて鳴りをひそめ、生まれ持っての本性がふたたび頭をもたげてくるものなのだ。

しばらく時が経つと、トム・チャフはしだいにこんな新たな生活に嫌気が差しはじめた。日々の暮らしにもかつての怠け癖が顔を出し、こそこそと人目をはばかってはいるものの、また野うさぎをしとめたり、かつてのように禁じられた猟に手を出したりしているらしいと、世間の噂にのぼるようになってきた。

ある荒れ模様の夜、帰宅したトムはひどいだみ声で機嫌が悪く、酒気を帯びているのは明らかだった。翌日になると、申しわけないと思ったか、それとも怖じ気づいたのか、とにかく改悛の念を見せ、それから一週間かそこらはかつての恐怖を思い出して、ふたたび行いを改めた。だが、ほどなくしてまた悪い癖が出て、今度もすぐに後悔したものの、やがてはまた誘惑に負けてしまう。こうしてじわじわと昔の習慣がよみがえり、かつての生きかたが日々の暮らしを侵蝕していく。いまや蔑んで顧みない、しかし怖ろしい警告の記憶がかきたてられるたび、トムはいっそう苛立ち、以前よりももっと粗暴に、不機嫌になっていくのだった。

あの家にも、かつてのみじめな暮らしが戻ってきた。たまに思いがけず顔を見せる日射しのような笑みも、いまはもう浮かぶことはない。可哀相な女房の顔も、かつてのように蒼白く、すっかり打ちひしがれている。こざっぱりとして朗らかな雰囲気だった家の中も、いまは雑然として暗く、見る影もない。日が落ちてからこの不運な家のそばをたまたま通りかかった人間は、ときとして悲鳴やすすり泣きを漏れ聞くこともあった。トム・チャフはすっかり酒びたりになり、家にもあまり寄りつかない。たまに帰ってきたと思えば、可哀相な女房の稼ぎをかっさらっていくだけだった。

あの善良な老司祭と、トムはもう長いこと顔を合わせていなかった。自分がこうしてまた堕落したことを、恥じる気持ちも混じっていたのだろう。痩せぎすの〝先生〟が道を歩いてくるのに気づくと、あわててきびすを返し、会うのを避けるだけの慎みは、まだトムにも残っていた。教区司祭のほうは、その名を耳にするたび頭を振り、時おりうめき声を漏らしたものだ。教区司祭の怖れと嘆きは、ふたたび堕落した罪人より、むしろその哀れな女房に向けられたものだったろう。どう見ても、女房のほうが不憫に思えたからだ。

女房の兄、ジャック・エヴァートンはこうした噂を聞きつけ、妹をつらい目に遭わせているトムを殴ってやろうとヘクスリーから出かけてきたが、すんでのところで行き違いとなった。おそらくはみなにとって幸運だったことに、トムはたまたま獲物を追い、長く家を空けていたのだ。哀れなネルはひどく怯え、夫婦のことには立ち入ってくれるなと、懸命に兄を説きふせた。そんなわけで、ジャックはまた腰をあげ、ぶつぶつと不平をこぼしながら家へ帰っていった。

それから二、三ヵ月の後、ネリー・チャフは病に伏せってしまう。希望を失った人間がそうなるように、ネルもかなり長いこと、病の床で苦しみつづけた。だが、やがてそんな日々も終わりを告げる。

ネルがついに息をひきとると、検視官の審問が開かれた。殴られたことが死因とは言わないまでも、死期を早めることにはなったのではないかと、医師が疑問を抱いたからだ。とはいえ、結局のところ、審問では何も確かな事実は解明されなかった。トム・チャフは女房が死ぬ二日以上前に家を離れていたのだという。密猟の旅に出かけたきり、検死官が審問を開いている間も帰ってくることはなかった。

ジャック・エヴァートンは妹の胸ふさぐ葬式に出席すべく、ヘクスリーからやってきた。妹の亭主だったろくでなしに、こんなにも腹が立ったことはない。結局のところ、あの男のせいでネリーは早死にしてしまったのだ。審問はその日の早いうちに終わっていたが、亭主は姿を現さなかった。

とはいえ、チャフのたまの猟仲間——密猟の共犯者と呼ぶべきかもしれない——が見つかった。チャフとはウエストモアランドの境界あたりで別れたが、おそらく明日には帰ってくるはずだという。だが、ジャックはその話を信じようとはしなかった。おそらくトム・チャフは、殴られ顧みられないまま死んだ女房の葬式にわざと欠席し、世間に後ろ指をさされることによって、この不幸だった結婚生活を公然と笑いものにし、ひそかな満足感を味わうつもりにちがいないと、兄は考えていたのだ。

この心重い葬儀の準備にかかるべく、ジャックは腰をあげた。荒野の反対側にあるシャックルトン教会の墓地、母の眠る墓の隣に妹の墓を掘ってくれと、すでに指示はしてある。先にも述べたとおり、亭主がどれほど冷酷で女房に思いやりがなかったか、誰から見てもはっきりわかるよう、ジャックは妹の葬儀をその夜に執りおこなおうと決めていた。弟のディックも、すでに顔をそろえている。さらに下の妹のメアリ、遺された子どもたち、そして何人かの近所の人間で、ささやかな葬列が組まれることとなった。

万が一、トム・チャフがぎりぎりになって姿を現したときのため、ジャック・エヴァートンは自分だけ家に残り、もうしばらく待ってみるとみなに告げた。そうなったら、何があったかを亭主に告げ、ともに荒野を横断して葬式に出席させなくてはならないから、と。おそらく、兄の本当の目的は、かねてからの願いどおり、積年の恨みをこめてあのろくでなしをぶちのめすことにあったのだろう。とはいえ、葬列の到着にまにあう時間には荒野を渡り、墓地に着いていなくてはいけないと、ジャックは心を決めていた。教区司祭、牧師、寺男、そして昔の友人たちと、ひとことふたことでも言葉を交わしておきたい。シャックルトンの教区はジャックが生まれた地であり、少年時代の思い出が詰まっているのだ。

だが、その夜、トム・チャフは自宅に現れなかった。むっつりとふさぎこみ、ポケットには一シリングの金もないまま、これからようやく家に向かうところだったのだ。最後の金を注ぎこんだにもかかわらず、もう半分しか残っていないジンの壜は、こんなふうに帰宅するときの常として、外套のポケットから首だけ突き出していた。

キャットスティーン荒野を横切って家へ向かうとなると、やはりシャックルトン教会の墓地から荒野に入る道がいちばんだ。トムは墓地を囲う低い塀を飛びこえると、墓の間を歩き、平らな、半ば土に埋まっている墓石をたくさんまたぎ越えて、キャットスティーン荒野に接している側に向かった。

シャックルトン教会の古い建物、そして塔は、空を背景に黒い影となって右側にそびえていた。月のない夜だったが、空はよく晴れている。そのころにはもう、トムは反対側の低い塀にたどりつき、目の前に広がるキャットスティーン荒野を見わたしているところだった。すぐ近くに生えていた巨大なブナの老木の、すべすべした幹に背中をもたせかける。こんなにも闇が深い空、こんなにもぎらぎらとまたたく星々を、たしか以前にも見たことがなかっただろうか？　あたりは、何もかもが死にたえたような静寂に包まれている。夏のひどく蒸し暑い日、雷鳴がとどろく直前にも似た静けさだ。目の前には、ただただ漆黒の闇がどこまでも広がるばかり。トムは奇妙な不安に心臓がおののくのを感じていた。この空、この光景は、かつて見た幻そのままではないか！　同じ戦慄、同じ疑念が胸に広がる。いま立っている、まさにこの場所から、抗いようのない恐怖が這いのぼってくる。いっそ祈りを捧げたいくらいだったが、その勇気すら湧いてこない。重い心に何か弾みをつけたくて、トムは外套のポケットに入っていたジンの壜をつかんだ。

そのはずみで左を向くと、いま寄りかかっている巨木の根もとから、ぱっくりと口を開けている墓穴と、掘りかえした土くれの山が目に飛びこんでくる。

　トムは呆然と、その場に立ちつくすしかなかった。あのときの幻がよみがえり、ゆっくりと自分を包みこもうとしている。目に映る何もかもが、あのときの幻とゆっくり溶けあい、一体と化していくようだ。凍りつくような恐怖が、身体を這いあがってくる。

　荒野の彼方から、かすかながら甲高くはっきりとした口笛が聞こえてきた。何ものかが軽やかな小走りで、足を下ろす場所を選ばなければならない場所を歩く人間がよくやるように、時おり左右にぴょんぴょんと跳ねながらこちらに近づいてくる。生い茂る葦や蒲を抜け、その人影は前に進んだ。あの幻を見たときと同じように、どうにも説明できない衝動がこみあげてきて、トムもまたその人影に応えるように口笛を吹いた。

　その応答を聞きつけて、人影はこちらにまっすぐ近づいてきた。低い塀の上に立ち、墓地の中に目をこらす。

「口笛に応えたのは誰だ？」墓地に入ってきた人影は、展望のきく場所から呼びかけた。

「おれだ」と、トム。

「おまえは誰だ？」塀の上に立つ男はくりかえした。

「トム・チャフだ。この墓穴は誰のために掘った？」身体を震わせるほどの恐怖を押し隠そうと、わざと横柄な口調で答える。

「それはこれから教えてやるさ、このろくでなし！」正体のわからない男はそう答えると、塀から飛びおりた。

「あっちこっちでおまえを探し、長いこと待ったが、ようやく見つけたぞ」

　こちらに近づいてくる相手が何ものなのかわからないまま、トム・チャフは逃げようとしてつまずき、口を開けた墓穴に背中から落ちていった。とっさに穴の縁をつかもうとしたものの、体重を支えることはできなかったのだ。

　一時間後、棺とともに明かりが到着して、墓穴に横たわるトム・チャフの亡きがらが発見された。頭から落ち、首が折れていたという。転落による即死という見立てだった。こうして、トム・チャフの見た幻は現実となったのだ。

　あの奇妙な幻に登場した父親と同じ道筋をたどり、荒野を渡ってシャックルトン教会の墓地に近づいてきたのは、トムの義理の兄だった。ジャック・エヴァートンにとって幸運だったのは、シャックルトン教会の牧師と寺男が、ジャックからは見えない位置からネリー・チャフの墓穴に向かって墓地を歩いており、ちょうどトムがつまずいて穴に落ちるところを目撃していたことだ。その場面を見たものがいなければ、激怒した義兄が暴力をふるったのではないかという嫌疑がかけられていたにちがいない。そんなわけで、この劇的な幕切れについて、法的な責任が追及されることはなかった。

善良な教区司祭は、約束を守った。シャックルトンの古くからの住民に尋ねれば、墓地のほぼ中央にあるトム・チャフの墓を、いまも指さして教えてくれることだろう。恐怖に怯える男が口走った、自分の埋葬場所についての懇願を、司祭がこんなにも誠実にきっちりと遂行したがゆえに、トムの用心も運命には打ち勝てなかったこと、死を迎える場所は動かせなかったこと、このふたつの奇妙な事実が怖ろしくも滑稽に浮かびあがる結果となった。

それからどれほどの月日が流れても、おそらくはいまもなお、この物語は多くの田舎家の炉端で語り継がれている。いわゆる迷信めいた内容も多く含まれてはいるものの、教育のない素朴な聞き手にとっては胸躍る話にちがいない。さらには、けっして無意味な説教に終わらぬよう願うばかりだ。

ジェリダン・レ・ファニュ

レ・ファニュの幻妖世界

ドラムガニョールの白い猫

The White Cat of Drumgunniol

J・シェリダン・レ・ファニュ J. Sheridan Le Fanu
青木悦子訳

『吸血鬼カーミラ』（創元推理文庫）が五十年の長きにわたって読み継がれているのは、絶えることない吸血鬼人気もあるだろうが、やはり平井呈一の名訳によるところが大きい。もちろん、名訳あればこそ新訳もされるもので、その後、ヴィジュアル本や電子書籍なども含めて、何人もの訳者が表題作を手がけている。「白い手の怪」もまた然り。

仁賀克雄訳「白い猫」で知られるこの猫怪談の逸品も、短篇の代表作の一つとして、ここに新訳で収録する。初出は*All the Year Round*誌の一八七〇年四月二日号。

白い猫については有名な物語があり、われわれはみな、子ども部屋にいる頃からそれに慣れ親しむ。しかしわたしがこれから話す物語の白猫は、しばらくのあいだ姿を変えただけの愛らしく魅力的な王女とはだいぶ違う。わたしが語る白猫は、もっと不吉な生きものだった。

リメリックからダブリンへ向かう旅人は、左手にキラローの丘陵地帯を通りすぎると、キーパー山が高くそびえているのを目にし、右側は低く連なる丘がだんだんと迫ってくることに気づく。しだいに道路より低くなっていく波打つ平原があらわれ、そのいくぶん荒れた憂鬱な感じを、あちこちに散らばる自然のままの潅木の生垣がやわらげている。

その寂しい平原から、霞のような泥炭の煙を立ちのぼらせているわずかな人家のひとつは、くたびれた草葺屋根の、土造りの家で、マンスター（アイルランド南西部の地域）で小作階級の比較的裕福な者をさす〝頑健な農夫〟の住まいだ。その家は曲がりくねる小川のほとり近くの木立の中、山々とダブリン街道のあいだのなかほどにあり、何代にもわたってドノヴァンという名の人々が店子となっていた。

わたしがある遠い土地で、それまでに入手したアイルランドの記録を研究したいと思い、またアイルランド語を教えてくれる教師を探していたところ、ミスター・ドノヴァンという、夢見がちではあるが、温和で博学な人物が、その目的にかなうとして推薦されてきた。

彼はダブリンのトリニティ・カレッジ（ダブリン大学のこと）で給費生として教育を受けたとのことだった。いまは教師で生計を立てており、わたしの研究の方向が、おそらく、彼の愛国心をくすぐったのだろう。というのは、長く胸に秘めていた考えや、みずからの国や若き日々についての思い出をたくさん打ち明けてくれたからだ。わたしにこの話をしてくれたのも彼なので、できるかぎり彼の言葉で再現してみようと思う。

苔むした林檎の巨木が並ぶ果樹園のあるその古い農家を、わたしも自分自身で見にいった。そこの独特な景色も見てまわった——二百年前には夜盗や民兵からの避難所を提供し、囲いの隅にいまでも昔の場所を占めている、屋根のないツタのはう塔。ほんの百五十ヤード離れたところで、昔の人々の労働のあとを残している、やぶのおいしげった〝円形砦《リース》〟。彼方に暗くそびえたつ、年を経たキーパー山の輪郭。それから、たくさんの列をなす灰色の岩やニガクサやカバノキの茂みをそなえ、より近くの防壁となっているハリエニシダやヒースにおおわれてさびしく連なる丘。それはひしひしと迫ってくる寂寥感のせいで、狂気じみてこの世のものとは思えない物語に似合いの景色となっていた。そして、遠く広く雪におおわれた冬の朝の灰色に、あるいは秋の落日のものがなしい輝きに、あるいは月の夜の凍えるような光彩にひごろから親しんでいれば、それが純朴なダン・ドノヴァンが持つような夢見がちな心を、どのように迷信や空想の幻へ傾かせていたか、わたしにもはっきり思い浮かべることができた。とはいえ、どこの土地へ行っても、彼以上に純真な人物、あるいは心から頼りにできる誠実さの持ち主に会えなかったのもたしかなのである。

わたしが幼くて——と彼は言った——ドラムガニョールの親元にいた頃、よく『ゴールドスミスのローマ史』

を持って、お気に入りの場所に行ったんです。平らな岩で、小さなラック、つまりイングランドではターンと呼ばれるらしい、大きくて深い池のほとりにあって、サンザシの木の陰になっていました。そこは古い果樹園のそばの、北へ出っぱった野原のゆるやかなくぼ地にあり、人の来ない場所なので、わたしが静かに勉強するためにはうってつけでした。

　ある日も、いつものように、そこで本を読んでいたのですが、とうとう疲れてしまい、読んでいたばかりの勇壮な場面を思い浮かべながらあたりをながめました。いまこのときのようにはっきり目がさめていましたよ、すると果樹園の角に女があらわれて、坂をおりていくのが見えたんです。女は長くて薄いグレーの服を着ていて、その丈がとても長いので後ろの草の上をひきずっているようにみえましてね、それにその土地では女性の服装が慣習でひどく厳格に決められているため、その恰好がとても珍しかったものですから、わたしは目を離すことができませんでした。彼女は野原の端から端へ斜めに行こうとしていて、その野原はとても広かったのですが、彼女は方向をはずすことなく進んでいきました。

　女が近くまで来たとき、わたしは彼女が足に何もはいておらず、何か遠くのものを目印にひたと見据えている様子であるのに気づきました。そのまま進めばわたしとすれ違うはずでした——あいだにターンがなければ——わたしが座っている場所より十ないし十二ヤードほど下で。しかしわたしが予想したように池《ラック》のほとりで歩みを止めるかわりに、女は池の存在に気づいたふうもなく進みつづけました、そしてわたしは、いまあなたを見ているのと同じくらいはっきりと見たのですよ、サー、彼女が水面を歩き、わたしが目に入らないかのように、先ほど見当をつけたくらいの距離のところを通りすぎていくのを。

　わたしはあまりの恐ろしさに気を失いそうになりました。当時はわずか十三歳でしたし、そのことはついさっき起きたかのように、何から何まで思い出せます。

　その人影は野原のむこうのぽっかりあいたところを抜けていき、そこで見えなくなりました。わたしは気力をふりしぼって歩いて家に帰りましたが、心底おびえ、とうとうひどく具合が悪くなってしまったので、三週間のあいだ家から出してもらえず、一刻でもひとりになるのは耐えられませんでした。その野原には二度と足を踏み入れませんでしたよ、恐怖があまりに強かったので、そのときからあそこにあった何もかもがその恐怖でおおわれてしまったのです。こんなに時がたっていても、あそこを通る気持ちにはなれないでしょうね。
わたしはその幻が、ある謎めいた出来事と関係があると思いました。それはまた、奇異な重荷となって、八十年近くものあいだ、うちの一族をほかの家とは違うものにしてきた、というより、悩ませてきたのです。空想なんかではありません。あの地方のあの土地の誰もがそのことを知っています。誰もが、わたしの見たものはそれに関係があると思いました。そのことをできるかぎりていねいに、すべてお話ししましょう。

わたしが十四歳のときでした――あの池《ラック》の野原であの光景を見てからほぼ一年後ですね――わたしたちはある夜、キラローの定期市から父が帰ってくるのを待っていました。母は父の帰宅を迎えようと寝ないでおり、わたしも一緒にそうしました、そんなふうにいつもより遅い時間まで起きているのが何より好きだったのです。兄弟姉妹たち、それと定期市から牛を家まで連れてくる男たち以外の農場の使用人は、もうそれぞれのベッドで眠っていました。母とわたしは炉端に腰をおろしておしゃべりしながら、父の夕食が火の上であたたかくなっているよう目を配っていました。父が牛を連れてくる男たちより先に帰ってくるのはわかっていました、なぜなら父は馬に乗っており、彼らがちゃんと出発したのを見届けてから家に向かう、と言っていたからでした。

やっと父の声と、鉛を詰めた鞭でドアを叩く音が聞こえ、母とわたしは父を迎え入れました。父が酔っ払ったのを見た記憶はありませんが、あの地方の同じ土地出身で、わたしの年齢の者のほとんどは、自分たちの父親は違うと言うでしょう。しかし父もほかの男たちと同じくらいウィスキーを飲めましたし、定期市や市場から帰ってくるときはいつもちょっぴり陽気でにこやかで、頬が楽しげに赤くなっていました。

けれどもその夜、父はげっそりして、青ざめて沈んだ様子でした。鞍と馬勒《ばろく》を手に入ってきて、それをドアのそばの壁にどさっとほうると、妻の首に両腕をまわしてやさしくキスをしました。「お帰りなさい、ミーハル」と母は言い、心をこめたキスをしました。「神の祝福を、いとしい人《モヴァニーン》」父は答えました。そしてもう一度母を抱擁すると、父の注意を引こうと手を引っぱっていたわたしに顔を向けました。わたしは小さく、年のわりに軽かったので、父はわたしを抱き上げ、それからキスをしました、そしてわたしが父の首に腕をまわすと、父は母に言いました。「かんぬきをかけるんだ、おまえ」母が言われたとおりにすると、父はひどく力なくわたしをおろして、火のところへ歩いていって腰掛けに座り、赤く燃える泥炭のほうへ両足を伸ばし、膝に両手を置いて背中を丸めてしまいました。

「元気を出して、ミック、あなた」母はしだいに心配になってきて言いました、「それから牛の売れゆきがどうだったか話してちょうだい、それに定期市では万事運よくいったの、それとも地主さんと何か揉め事が起きたの、でなければいったい何をそんなに悩んでいるの、ミック、あなた？」

「何でもないんだ、モリー。牝牛たちはうまく売れたよ、ありがたいことに、それに地主とは何の問題もないし、万事そうだ。何もまずいことはない」

「まあ、だったら、ミッキー、本当にそうなら、あたたかい食事に目を向けて、それを食べて、何でもいいから新しい話を聞かせて」

「食事はしてきたんだ、モリー、途中でね、それに全然食べられないんだ」父は答えました。

「途中で食べてきたんですって、家で食事が待っていて、あなたの妻も寝ずに待っているとわかっていたのに！」母はとがめるように声をあげました。

「わたしの言うことを勘違いしているよ」と父は言いました。「あることがあって、それでひと口も食べられないんだ、それにおまえに隠し事はしないよ、モリー、というのはね、たぶん、わたしがこの世にいなければならないのも長いことではないんだ、だからどういうことだったのか話そう。わたしは見たんだよ、あの白い猫を」

「主よお助けください！」母は叫び、たちまち父と同じように青ざめ、がっくりしてしまいました。それでもすぐに、気をとりなおそうと笑い、こう言いました。「ハ！いまのはわたしをからかっているだけなんでしょう。たしかにこの前の日曜、グレイディの森で、白いウサギが罠にかかったわ。それにテイグがきのう、囲いの中で大きな白いネズミを見たって」

「あそこにいたのはネズミでもウサギでもない。わたしがネズミやウサギと大きな白猫の区別がつかないと思っているのか、半ペニー銅貨くらいある緑の目をして、背中は橋みたいに持ち上がっていて、小走りに走ってわたしの前を横切ったんだ、おまけに、わたしが足を止めようものなら、すぐにでも脛に横腹をすりよせてこようとしていたし、飛び上がってわたしの喉に食らいついてきかねなかったんだぞ、あれがただの猫で、もっと悪いものじゃないとでもいうのか？」

　低い声で、まっすぐ炎を見つめながら言い終えると、父は大きな手で一、二度、額をぬぐいました、恐怖のあまりに汗で顔が濡れて光っていたのです。それから重くため息を、というよりは、うなり声をもらしました。

母はまた狼狽してしまい、おびえながらまた祈っていました。わたしもひどく震え上がって、いまにも泣きそうになりました、なぜならその白い猫のことはよく知っていたからです。

元気づけるように父の肩を叩き、母は父のほうへ身をかがめ、キスをしましたが、とうとう泣きだしてしまいました。父は母の両手を片手でぎゅっと握り、ひどく思い悩んでいるようでした。

「わたしと一緒に家に入ってきたものはなかったな?」父はとても低い声で、わたしのほうを向いてききました。

「何もなかったよ、お父さん」とわたしは言いました、「お父さんが持っていた鞍と馬勒だけだよ」

「何か白いものは一緒に入ってこなかったな」父はもう一度言いました。

「何もなかったよ」わたしは答えました。

「ならよかった」父はそう言い、十字を切って、何かつぶやきはじめ、わたしは父が祈りの言葉を口にしているのだとわかりました。

父にその儀式を終える時間を与えるため、しばらく待ってから、母はどこで最初にそれを見たのか尋ねました。

「馬であのボーリーンを」――アイルランド語で、農家に通じるような小さい道路のことです――「走っていたときに思ったんだ、うちの男たちは牛を連れて移動中だし、わたし以外にこの馬の世話をしてくれる人間はいないってね、だから馬を下のあの曲がった野原に放して、外に出ないようにしていったほうがいいだろうと思ったんだ、馬の体はひんやりしていたし、疲れも見せていなかった、ずっとのんびり走らせてきたからね。わたしが馬を放して、鞍と馬勒を手に振り返ったときだった――あれが見えたんだ、道のわきの長い草の中から出てきて、わたしの前で道を渡り、それから同じように、またわたしの前を逆に渡って、ときには片側で、ときには反対側で、あの光る目でわたしを見た。おまけにそいつがわたしの横に――見たことがないくらいそばに――くっついてきて、うなったのが聞こえたような気がしたよ。わたしがやっとうちの、あのドアまでたどりついて、さっきおまえが聞いたように、叩いて呼ぶまでずっとな」

さて、そんなにも取るに足りない出来事の何が、父や母や、わたし自身や、そしてついにはこの田舎の一家全員に不吉な予感を抱かせたのでしょうか? それはわたしたちがひとり残らず、そんなふうに白い猫と出くわしたのは、父はもうじき死ぬという警告を受けたのだ、と信じたからでした。

それまでもその予兆がはずれたことはありませんでした。今度もはずれませんでした。一週間後、父はその頃流行していた熱病にかかり、ひと月もたたないうちに亡くなってしまいました。

わたしの誠実なる友、ダン・ドノヴァンはここで間を置いた。彼が祈っているのがわかった、唇が忙しく動いていたからだ。わたしはその旅立っていった魂の平安のために祈っているのだろうと思った。

じきに彼は話を再開した。その予兆が最初にうちの一族につきまとうようになってからもう八十年がたちます。八十年だったかな？　うん、そうです。九十年と言ったほうが近いですね。それにわたしはたくさんの年寄りとも話をしたんですよ、もっと以前にね。その人たちはそれに関係のあったことをすべてはっきりおぼえていました。

始まりはこんなふうでした。

わたしの大おじ、コナー・ドノヴァンは生前、ドラムガニョールに古い農場を持っていました。彼はうちの父や、父の父よりも裕福でした、バルラファンに家を短期間借りて、それで金を儲けたからです。でも金で冷たい心はやわらぎませんし、大おじは冷酷な人でした――放蕩者だったんですよ、たしかに、それにそういう人はたいてい心根も冷たいものです。大おじは酒も飲み、怒ったときには罵詈雑言を口にしました、みずからの魂が安らかに眠れないほど。

その頃、カッパー・カレンからそう遠くない山の上のコールマン家に、美しい娘がいました。いまではもうそこにコールマンと名のつく者はひとりもおらず、その一家はみな亡くなったと聞いています。凶作の年が続いたせいで、ずいぶんいろいろなことが変わってしまいました。

エレン・コールマンというのが娘の名前でした。コールマン家は裕福ではありませんでした。しかし、それだけの美人だったのですから、娘にはいい結婚相手が見つかるはずでした。けれども彼女はそれ以上ないほどひどいあやまちを犯してしまったのです。

コン・ドノヴァンは――大おじさん、神よ彼を許したまえ！――そぞろ歩きのおりに、定期市や聖人の祭りでときどき彼女を見かけ、恋をしました、誰もがそうだったように。

けれども大おじは彼女にひどい扱いをしました。結婚を約束し、彼女を説き伏せて家から連れ出したんですよ。なのに、結局、その約束を破ったんです。昔からよくある話です。大おじは彼女に飽きてしまった、それに彼は出世したかったんです。それでコロピー家の娘と結婚しました、その家はたいへんな物持ちだったんです――牝牛が二十四頭、羊が七十頭、それに山羊が百二十頭もいて。

大おじはそのメアリー・コロピーと結婚し、いっそう金持ちになりました。そしてエレン・コールマンは心破れて亡くなりました。けれどそれも〝頑健な農夫〟である大おじにはたいしたことではありませんでした。

大おじは子どもがほしかったのでしょうが、ひとりも持てず、それだけが彼の背負わなければならない悩みでした。ほかのものはすべて望みどおりにいっていたからです。

ある夜、大おじはニーナの定期市から家に向かっていました。当時は浅い川が道を横切っていて――その後しばらくして、そこには橋がかかったそうです――夏の気候ではしばしば干上がっていました。川はあのドラムガニョールの古い農家のそばを、あまり大きくうねらずに通っているので、そういうときには一種の道のようになり、当時はみんなその家に行くときの近道として使っていました。月の光がこうこうとしていたので、大おじはその干上がった川床へ馬を乗り入れ、やがて農場の境にある二本のトネリコの木のところまで行くと、反対側のオークの木の下にある生垣の隙間を走りぬけようと、川ぞいの野原へ馬を向けました、そうすれば自分の家まで数百ヤードだったからです。

その〝隙間〟へ近づいていくと、彼は見たのです、もしくは見たと思いました。ゆっくりとした動きで、自分と同じほうへ地面をすうっとすべっていき、ときどきやわらかくはずんでいる白いものを。大おじはせいぜい自分の帽子くらいの大きさだと言っていましたが、それが何なのかはわかりませんでした。そいつは生垣にそって進み、大おじが目ざしていたところで消えたのです。

大おじがその隙間まで行くと、馬はその手前で止まってしまいました。せかしてもなだめても無駄でした。彼は馬から下りて引っぱっていこうとしましたが、馬は後ずさりし、鼻を鳴らし、激しく震えはじめました。彼はもう一度馬にまたがりました。しかし馬はおびえつづけ、撫でても鞭をくれても頑固に抵抗しました。あたりは月の光で明るく、大おじは馬が言うことをきかないのでいらだち、しかもその原因が見当たらないうえ、家まではもうすぐだったものですから、なけなしの忍耐心もなくしてしまい、鞭と拍車を思いきり繰り出して、悪態や呪いの言葉を吐きはじめたのです。すると突然、馬が駆けだし、コン・ドノヴァンは、オークの太い枝の下を通りすぎざま、横の土手に女が立ち、片腕を伸ばすのをはっきり目にしました。そして彼がものすごい速さでそばを行きすぎるとき、その女の手が彼の背中を打ったのです。その勢いで彼は馬の首につんのめり、馬はやみくもな恐怖にかられ、全速力で玄関まで走り、やがて体を震わせてそこらじゅう湯気をたてながら止まりました。

　死人よりも生気を失い、おじは家の中へ入りました。彼は、少なくとも、自分で決めただけのことは話しました。妻はどう考えればいいのかまったくわかりませんでした。しかし何かとても悪いことが起きたことだけは、疑う余地はありませんでした。大おじはひどく弱って具合が悪くなり、すぐに司祭を呼びにやるよう懇願したのです。みんなが大おじをベッドに運んでいたとき、彼の肩の肌の、さっきの幽霊が叩いたところに、五本の指の跡がくっきり見えました。その異様な跡は――みんなは人が雷にうたれたときの色にそっくりだと言っていました――彼の肌に印されたまま残り、本人が死んで埋葬されたときにもまだありました。

　大おじはまわりの人と話せるくらいに回復すると――まるで最期を迎えた人間のように、重荷を背負った心と、悩める良心とから言葉を吐き出し――さっきの話を繰り返しましたが、隙間に立っていた人影の顔を見たとは、あるいは、いずれにしても、見分けたとは決して言いませんでした。信じる者はいませんでした。彼も司祭にはそのことについて、ほかの者にするよりも詳しく話しました。話していまいたい秘密があったのはたしかです。腹蔵なく明かしてしまったほうがよかったんですよ、近隣の人たちはみんな、彼が見たのは亡きエレン・コールマンの顔だとちゃんとわかっていたんですから。

　そのとき以来、大おじが顔を上げることはありませんでした。彼はおびえ、無口で、心の折れた人間になってしまいました。それはまだ夏のはじめだったのですが、同じ年の木の葉が落ちる頃に亡くなりました。もちろん通夜がおこなわれ、彼のような裕福で〝頑健な農夫〟にふさわしいものでした。けれどもある理由のため、その通夜の準備はふつうのやり方とは少し違うものになったのです。

　ふつうの通夜では、その家の広い部屋《グレートルーム》、というか、いわゆる〝台所〟に遺体を安置します。でもこの特別なときには、先ほどお話しましたように、ある理由があって、ふつうとは違う用意をしました。遺体はある小さい部屋に置かれ、そこはもっと大きな部屋につながっていました。そこのドアは、通夜のあいだじゅう、開いたままにしてありました。ベッドのそばには蠟燭が何本も置かれ、それに中まで入ってくれる弔問客のために、テーブルにはパイプと煙草、それから丸椅子がいくつも置かれて、その人たちを入れるためにドアを開け放してあったのです。

遺体は埋葬の支度をされ、通夜の準備のあいだ、その小さい部屋にひとり残されていました。日が暮れたあと、女性たちのひとりがベッドに近づき、そのそばに置いておいた椅子をとろうとしたのですが、悲鳴をあげてその部屋から走り出てきて、〝台所〟の反対側でやっと声が出るようになり、驚いている聞き手たちに取り囲まれると、ようやくこう言いました。

「あたしの罪じゃありませんように、ベッドのむこう側であの人の顔がまた持ち上がって、ドアのほうをじっと見てて、その目が真鍮のお皿みたいに大きく見開いて、月の光で輝いていたとしても！」

「おいおい、あんた！　頭がおかしいんじゃないか？」と農夫《ファーム・ボーイズ》のひとりが言いました。男は何歳であってもそう呼ばれるんです。

「もう、モリーったら、そんなことを言うんじゃないよ、まったく！　あの暗い部屋へ、明かりも持たずに入っていくから、そんな想像をしたんだろう。どうして蠟燭を持っていかなかったの、間抜けだねえ」女性たちのひとりがそう言いました。

「蠟燭があろうとなかろうとね。あたしは見たのよ」とモリーは言い張りました。「それにそれだけじゃない、誓ってもいいわ、あの人の腕も、ベッドから床の上をふつうの三倍も長く伸びてきて、あたしの足をつかもうとするのを見たんだから」

「何を言ってるの、お馬鹿さん、何だってあの人があんたの足なんかさわりたがるのよ?・」誰かがあざ笑うように声をあげました。

「蠟燭をとって、誰か――早く」と老サール・ドゥーランが言いました。しゃきっと引きしまった体つきで、司祭のように祈禱のできる女性でした。

「この人に蠟燭を渡して」と全員が賛成しました。でも口では何と言おうと、誰もが青ざめてけわしい顔になって、ミセス・ドゥーランについていき、ミセス・ドゥーランは唇の動くかぎり早口で祈りをとなえ、小蠟燭のように立てた獣脂蠟燭を持って先頭を進んでいきました。

さっきの動転した娘がやったまま、ドアは半開きになっていました。そして部屋をよく見ようと蠟燭を高く持ち上げ、ミセス・ドゥーランは中に一、二歩入りました。

大おじが手を床の上に、先刻の言葉のように不自然な状態に伸ばしていたとしても、体にかけられたシーツの中へ戻してしまっていました。ですからミセス・ドゥーランは、中へ入るときに彼の腕につまずく恐れはありませんでした。けれども蠟燭を高くあげたまま、一、二歩入っただけで、さっと顔を引きつらせ、突然立ち止まり、はっきり見えるようになったベッドを見つめたのです。

「主よ、わたしたちを守りたまえ、ミセス・ドゥーラン、ねえ、戻りましょう」隣で彼女の服、というか、いわゆる〝スカート〟をつかんでいた女性が言い、おびえて彼女を後ろに引っぱりました。と同時に、彼女が立ち止まったことで、ついてきた者たちもみな、警戒心もあらわに後ずさりしました。

「静かにしてもらえないかね?」先頭の女性はぴしゃりと言いました、「あんたたちがうるさくて耳が聞こえやしない、それと誰があの猫をここに入れたんだい、あれは誰の猫?」彼女は尋ね、遺体の胸の上に座っていた白い猫を疑わしげに見つめました。

「あれをどかしておくれ」彼女は死者への冒瀆に恐れおののいてもう一度言いました、「これまで何人もの亡骸《なきがら》をベッドで整えて、手を組ませてきたけど、あんなのは見たことがないよ。この家の主人が、あんなけものにのつかられて、まるで小鬼《プーカ》じゃないか、主よ、この部屋でそんなものの名前を口にしたことをお許しください。あいつを追い払いなさい、誰か!　あれを追い出して、いますぐ、さあ」

全員がその命令を繰り返しましたが、実行する気がありそうな者はひとりもいませんでした。みんな十字を切り、そのけものが何なのかと推測や疑念をささやきあっていました。その家の猫ではなく、これまで見かけたことのある者もいなかったからです。すると突然、その白い猫が遺体の頭のむこうの枕にのり、その場所から遺体の目鼻ごしにしばらく彼らを見つめると、遺体の横をこちらへそろそろと這い、低く激しくうなりながら近づいてきました。

みんなは恐怖にわれを忘れて飛び出し、すばやく後ろでドアを閉めました、そしてしばらくしてからようやく、思いきってもう一度のぞいてみたのです。

白い猫は元の場所、つまり死者の胸の上に座っていましたが、今度は音もたてずにベッドの横を降り、その下に消えました。シーツがベッドカバーのように広げられ、床近くまで垂れていたので、猫が見えなくなってしまったのです。

祈り、十字を切り、聖水をまくことも忘れず、みんなはベッドの下をのぞきこみ、そして最後には、シャベル、〃棒され〃《ワトルズ》、干し草用の三つ又やそういった道具を突っこんで探しました。けれども猫は見つからず、みんなは自分たちが入口のそばに立っていたときに、足のあいだから逃げたのだろうと考えました。それで掛け金とかんぬきで念入りにドアを閉ざしました。

しかし次の朝、ドアが開かれると、その白い猫は、まるで邪魔されたことなどなかったかのように、死者の胸の上に座っていたのです。

またしても同じような場面が繰り広げられて、同じような結果に終わりましたが、ただ、誰かがあとで、猫が外の部屋の隅にある大きな箱の下に隠れているのを見たと言いました。大おじが賃貸契約書や書類、祈禱書や数珠をしまっていたところでした。

ミセス・ドゥーランは、どこへ行ってもすぐ後ろでそいつがうなるのを耳にしました。そして姿は見えないのですが、彼女が椅子に座るとその背に飛びのり、耳元でうなるのが聞こえるので、彼女は喉に噛みつかれると思い、何度も悲鳴と祈りの声をあげて飛び上がりました。

それから司祭の侍者の少年も、古い果樹園の枝の下であたりをながめていたとき、一匹の白い猫が、大おじの遺体が置かれていた部屋の小さな窓の下に座っていて、よく猫が鳥を見ているときのように、そこの四枚のガラスを見上げているのを目にしました。

この話の結末は、部屋に弔問客が来ると、その猫がまたしても遺体の上にいたということです。みんなが何をしても、遺体のほかに誰もいなくなると、猫はまた同じように死者と不吉な接触をしているのです。そしてそれはとうとう、近隣の醜聞や恐怖にまでなってしまい、ようやく通夜のためにドアが開かれるまで続きました。

大おじは亡くなり、当然あるべき儀式をもって埋葬されたので、彼の話は終わりです。しかし白い猫とのかかわりはまだ終わっていません。どんなバンシー（家に死者が出るときに泣いて予告する女の妖精）でも、この不吉な幻影ほど、うちの一族に分かちがたくとりついたものはありませんでした。とはいえこんな違いはあります。バンシーは代々とりついている家族への、好意まじりの忠誠心が生気の源のようですが、こちらのほうは敵意があるようなのです。こちらは単に死の伝令なのでしょう。そしてそれが猫――けものの中でももっとも冷酷で、世間が言うところの、もっとも悪意に満ちたもの――の姿をとっていることこそが、そいつのやってくるわけを示しているのです。

わたしの祖父が死に近づいたときも、といっても当時はきわめて元気にみえたのですがね、そいつはさっきお話したのとそっくり同じというわけではないにしろ、ほぼ同じやり方で、わたしの父に姿を見せたんですよ。

　おじのテイグが銃の暴発で亡くなる前の日も、そいつは夕方の、たそがれどきに、池《ラック》のほとりの、さっきお話した水面を歩く女を見た野原にあらわれたんです。おじは池《ラック》で銃身を洗っていました。そこの草は丈が短くて、そばに隠れられるような場所もありません。そいつはいつのまにか近づいてきて、おじはそのときはじめて見たのですが、その白い猫はたそがれのなか、おじの足のそばを、怒ったように尻尾をねじり、両眼を緑色に光らせてぐるりと歩いて、おじが何をしても彼のまわりを大小の円をえがいてまわりつづけ、やがておじが果樹園に着くと、そいつは消えてしまいました。気の毒なおばのペグも——ウーラーのそばの、オブライアン家の者に嫁いでいたんですが——いとこが一マイルほどのところで亡くなったので、葬儀に出るためにドラムガニョールへ来たんです。彼女も、気の毒に、ほんのひと月後に亡くなりました。

　夜中の二時か三時に彼女が通夜から帰ってきて、ドラムガニョールの農場に入ろうと、踏み越し段をこえたら、わきに例の白い猫がいて、横にぴったりくっついてきたものですから、彼女は気を失いそうになりながら家の戸口へたどりついたのですが、そこで猫はそばに生えていたセイヨウサンザシの木に飛び上がり、彼女から離れました。それにわたしの弟のジムもそいつを見たんですよ、死ぬちょうど三週間前に。ドラムガニョールで死ぬか、死病にかかるうちの一族は全員、必ずその白い猫を見るんです、そしてそいつを目にした者は誰ひとり、その後長く生きる望みはありません。

レ・ファニュを偏愛す

三津田信三

ヴィクトリア朝文学を語れるほど詳しくも何ともないが、好きな作家を一人だけ選ぶとしたら、シェリダン・レ・ファニュを挙げる。だからといってM・R・ジェイムズや岡本綺堂のように、その作品を高評価しているわけでは決してない。でも未訳の短篇が読めるとなったら、いそいそとアンソロジーでも雑誌でも買ってしまう。やっぱり好きなのだろう。もっともレ・ファニュとは、あまり良いとは言えない出会い方をしている。

ミステリに嵌まっていた十代の頃、主として本格物を読みながら、僕はその周辺にまで手を伸ばしていた。ミステリの前身が怪奇小説だと勉強してからは、該当する作品になるべく目を通すようにした。だがミステリの面白さに魅せられていた僕にとって、怪奇幻想小説は退屈で眠たくなるお話が多かった。今の自分からは考えられないが、当時はそうだった。

そんな中でレ・ファニュの「緑茶」だけは、ちょっと違う印象を受けた。無気味な小猿の「幽霊幻覚」に悩まされる牧師を、ドイツ人医師のヘッセリウス博士が助けようとする。この牧師の知り合いの女性と博士が会話する場面があるのだが、それがシャーロック・ホームズと依頼人のやり取りを連想させ、僕は「おや」と思った。ただし、この部分の謎解きはない。肝心の小猿の真相も緑茶のせいなのだから、「何だ、これは?」と読後に呆れた覚えがある。でも作者の名前だけは、きっちりと脳の奥に刻み込まれた。

大学生から社会人にかけて、本格ミステリを愛するあまり「すべてが割り切れることに不満を覚える」ようになった僕は、その反動で一気にホラーにのめり込む。モダンホラーから古典まで、とにかく読み捲った。このときレ・ファニュの『ワイルダーの手』の存在を知った。しかも内容はミステリ寄りらしい。さっそく読んでみたが、あまりの冗長さに半分で挫折した。読みはじめた小説を途中で投げ出したのは、中学生のときの小栗虫太郎『黒死館殺人事件』以来だった。ちなみに『黒死館』は大学生時代に完読した。

斯様《かよう》にレ・ファニュとの再会も、また良くなかった。それが好転したのは数年後に読んだ『アンクル・サイラス』のお陰である。あの作品は冒頭から一気に、それは強く物語に引き込まれた。「ここで何が起きているのか」というサスペンスが濃厚で、そのうえ密室の謎まで出てくるのだから、かつてのディクスン・カーファンには堪らない。ポー「モルグ街の殺人」より早いではないか、と当時の僕は興奮した。あの作品の基となる「アイルランドのある伯爵夫人の秘めたる体験」を未読だったのも、今から思えば幸いだった。

とはいえプロット自体は実に他愛ない。それでは何に優れているかというと見せ方である。この段階で何処まで読者に知らせるか、という塩梅が絶妙なのだ。同じことが岡本綺堂の一部の長篇にも言える。仮にお話の出来があまり良くなくても、とにかく読ませる力が凄いので、ふと気づけば引き込まれている。

この『アンクル・サイラス』の読後、すぐに『ワイルダーの手』に再挑戦したかは定かでないが、いずれ通読して楽しんだ覚えがある。前は冗長だと感じた文章と展開にも、特に引っ掛からなかったはずだ。とっくに僕は古典的な怪奇幻想小説の愛読者になっていたのである。

そうなると次に読むべき作品は、『墓地に建つ館』となる。本作と『アンクル・サイラス』と『ワイルダーの手』で、レ・ファニュの三大長篇と呼ばれていることからも、また本作の第十二章が短篇として独立させた「白い手の怪」であることからも、弥《いや》が上にも期待が高まって、それはもう読むのが楽しみだった。

特に僕が注目したのは、「白い手の怪」が純粋な怪談だという点である。あとの二長篇が描いていたのは、残念ながら犯罪だった。それに問題は別にないが、僕はレ・ファニュの怪奇長篇を読みたかった。「白い手の怪」は明らかに怪談である。つまり『墓地に建つ館』は、そのタイトルから推測しても、純粋な怪奇長篇ではなかろうか。そう睨んだのである。

この期待は見事に裏切られてしまう。思えば『墓地に建つ館』を買ってから、十九年も積ん読にしてしまったのは、そんな予感があったからなのか。しかし「白い手の怪」のせいで、かなり楽しみだったのも間違いない。この積ん読の長さは、自分でも不思議で仕方ない。

本作の読書によって僕は、一度目に『ワイルダーの手』を読んだ際の悪夢が、まざまざと蘇る体験をする。あの当時はまだ若かったから辛抱もできたが、もう駄目だった。辛うじて投げ出さなかったのは、レ・ファニュに対する偏愛故だろう。

騙されたような気分を覚えたのは、怪談として楽しめるのが、あの「白い手の怪」の第十二章のみで、他にはほとんどなかったことだ。もちろん僕の勝手な思い込みに過ぎないのだが、どうにも釈然としない。

そもそも『墓地に建つ館』というタイトル自体が、お話の内容に鑑みると合っていないのではないか。

おまけに本作でも犯罪が描かれるのだが、あとの二長篇とは違って、あまり作者が隠そうとしていない。おまけに本筋とあまり関係のない話がだらだらと続くのだから、如何に好きなレ・ファニュでも辛かった。

アン・ラドクリフの短篇「呪われた部屋」を読んだ際、未読の長篇『ユドルフォの秘密』から、やはり一章だけ抜き出したものだと知ったのだが、その途端、元の長篇に対する興味が微妙になったのも、「白い手の怪」と『墓地に建つ館』の関係を思い出したからである。

それほど出来が良いとは言えない『ゴールデン・フライヤーズ奇談』でさえ、『墓地に建つ館』に比べると数倍も面白かった。『ゴールデン・フライヤーズ奇談』の場合、作中で起きる不可解な出来事が、本物の怪異か人為的なものか、それが分からない。合理的な説明がつく現象もあるが、そのまま放置される事件もあり、かなり混沌としている。でも僕は、そこに得も言われぬ魅力を感じた。

メタ的な短篇「ある幽霊屋敷に関する手記」でも、結局は幽霊が出たのか、悪者の仕業だったのか、お話は不明のまま終わっている。

ヘッセリウス博士がオカルト探偵の嚆矢と言えることからも、レ・ファニュの作品にはミステリとホラー各々の要素が混在していることは間違いない。

その事実に十代の僕は、ひょっとすると無意識ながら気づいたのかもしれない。そうして時間は掛かったものの、いつしか僕が偏愛する作家の一人に彼はなった。今にして思えば、当然と言える結果だろう。

レ・ファニュの幻妖世界

教会墓地の櫟《いちい》

"The Churchyard Yew" by J. Sheridan Le Fanu

An Imitation by August Derleth

J・シェリダン・レ・ファニュ（オーガスト・ダーレス）
夏来健次 訳

本作は〈ウィアード・テールズ〉一九四七年七月号に、レ・ファニュの作として掲載された。「新発見か未発表作か」と研究者や怪奇愛好家が騒いだかどうか、アイルランドでもイギリスでもなくアメリカの雑誌にとなると、むしろ眉に唾したかもしれない。もっとも、読めば「なるほど、これはレ・ファニュだ」と思わずにはいられない短篇ではあるが。

一九七五年、アーカム・ハウス刊の*The Purcell Papers*に収録された際、本作の最初のページには、オーガスト・ダーレスによる模作であることが記されるとともに、こう結ばれている。「レ・ファニュ愛好家諸氏よ、楽しまれんことを」

半世紀前、ワイヴァーン湿原の辺縁からほど遠からぬところに、三百人ばかりの民が住む小さな町があった。その当時以後ほとんど廃墟同然になったその町は、一般的にはホックスレーと呼ばれていたが、一部ではその地に住んでいたある古い名家にちなんでマーレー・タウンとして知られた。四、五十年前にダブリン街道を旅したことのある者なら、かつて栄えた町として記憶しているだろう。中心付近に低い丘があり、その頂に建つ教会を囲むように家々が寄り集まっている町であった。教会は通例よりもやや広い境内《けいだい》の真ん中に位置し、近くには墓地があった。

わが小説作品の読者には、この教会の寺男《てらおとこ》チャーリー・スプロールのことをご記憶の向きもあるにちがいない。見た目の芳しからぬ男だったが、気質はとても善良であり、その穏やかな物腰のおかげで顔の醜さもさほど気にならないと言われていた。いつも擦り切れた茶色い服を着て、それと同色ながらやや褪せた半鬘《はんかつら》をかぶっていた。なんとも好ましからぬ面相のうえに、頭がでこぼこしているせいで、顔は実際より大きく感じられたが、その一方で体のほかの部分は痩せ細り、いつも寒さに震えて縮こまっているように見えた。町の通りで姿を見かけることはあまりなく、おおむねは教会とその左手に建つ司祭館とを足ばやに行き来するか、あるいはまた教会右手遠方の墓地のはずれにあるこぢんまりした自宅から司祭館までを行きつ戻りつしているのがつねだった。またときには墓地にいて、新たな墓を準備したり古い墓の手入れをしたりして忙しく働いていることも多かった。

スプロールはそのように温和な気質でありながら、教区司祭ハーカー師に対しては長年にわたって不満をいだいていた。ハーカー師は蜘蛛を思わせる長い四肢を持った長身痩軀の人物で、顔色は浅黒く、眉が高く突きだし、猜疑心の強そうなその灰色の眸《め》を向けられた教区民は、罪の意識か恐怖心かあるいはその両方によって思わず震えあがる者が多かった。非常に活動的で、ホックスレー市内のみならず近隣地域をもよく歩きまわっては教区民の家々を訪ねた。どんな問題についても自分の考えを詳《つまび》らかにすることをためらわず、その考えが本当に適切か否かにも頓着しなかった。聖職者一般に多く見られる欠点ではあるが、自分の意見に異常なほど強く執着する癖があり、正しいかまちがっているかにかかわらず、人に反対されるのが大嫌いな性格だった。

スプロールとハーカー師は十年以上に及んで不和がつづいていたが、その原因は一《いつ》にかかって、教会の建物から右手へ三ヤードばかり離れたところに立つ一本の発育の悪い櫟《いちい》の木に由来していた。ハーカー師の前任の教区司祭の時代にスプロールが植えた木であったが、ハーカー師は後任に就くや否やすぐに寺男のもとにやってきて、その木を教会の左側に移すよう指示した。反対は許さず、ただちにやるべしと命じた。だがスプロールは応じようとしなかった。そこでハーカー師はひまさえあれば訪ねて、文句を言わず命じられたとおりにやれとくりかえした。そちらに植え替えれば司祭館から櫟を眺められるようになるというのが師の言い分だったが、それに対するスプロールの返答はいつも決まっていた。

「植え替えはいたしやせんよ。そのお話はもうこれきりにしてくだせえ。司祭館からあの木を眺められようがどうだろうが、あっしの知ったことじゃありやせん。申しあげることはそれだけです」

　そのたびにハーカー師は怒りをあらわにして、「だれがここの教区司祭だと思っているんだ、わたしなのかおまえなのか？」と声を張りあげた。「このわたしが、あの木は教区のものにすべきだと言っているんだぞ」

「無理にでも移したら——司祭さまは呪われましょうよ」

「おお神よ、なんたる悪態を！　櫟の木は必ず移さねばならんが、もしおまえが怠慢のあまりやれないと言うのなら、わたし自らがやるしかあるまいな」

「あっしの目の黒いうちは、決してそうはさせやせん」

　このようにして論戦はいつも物別れとなり、そのまま歳月がすぎていった。スプロールのつぶやく悪態はハーカー師の耳をますます焦がし、師の怒りは寺男をさらにいらだたせた。やがてどちらも相手に対して堪《た》えがたい気持ちになり、公《おおやけ》の場ではたがいに努めて冷静に振る舞うものの、二人きりのときはよほどの必要がないかぎり口も利かなくなった。それもこれも、すべてはこの寺男同様に見てくれのよからぬ一本の櫟の木のせいであった。しかも真実のところ、寺男はその木が自分同様に育ちが悪く不格好であるがゆえにこそ、そんな代償を払ってまで変わらぬ愛着を傾けつづけているのだった。

　またこれはよく知られたことだったが、スプロールは酒神バッカスの誘いに背を向ける気質の男ではなく、居酒屋《パブリックハウス》で酔いが昂じるごとにこの話をくりかえし語った。そのため司祭と寺男の不和は教区じゅうの人々の知るところとなっていた。民の半分はハーカー師に与《くみ》して、教区司祭には櫟の木を思いどおりに処分する権限があると見なし、もう半分はスプロールに味方して、問題の木はある意味で寺男の所有物であり、どうこうする資格もそちらにこそあると考えた。民衆というものが往々にしてそうであるように、二分された意見はたがいに相《あい》容《い》れず、双方とも利益なく、どちらの理が正しいかも不分明のままとなった。

　当事者どちらも負けず劣らず頑固だった。司祭は寺男を馘首《かくしゅ》に処することもできたが、そうはしなかった。辞めさせる手に出てしまっては、直接的ではないにせよ理に屈したと受けとられかねないからであった。それでそのまま職に就けてはいたが、相変わらず自説を曲げず、少なくともひと月に一度はこの件を思いつけ、そのたびにスプロールのもとを訪ねては言いつけに従うよう説得した。一方スプロールも櫟の小枝ひとつたりとも手をつけようとはしなかった。それどころかこれまでにも増して丹念に世話をし、しかもそうしているところをこれ見よがしにひけらかした。司祭はさらに怒りをつのらせ、鋤《すき》を持って司祭館から出てきたと思うと、自分で木を植え替えようと試みることが一度ならずあった。だがそのたびにスプロールの憎悪のなまざしに睨まれて思いとどまり、やむなく引きあげるのがつねであった。

こんなふうに対峙がつづいたが、ある夜のこと、居酒屋で酔いすぎたスプロールが墓地を通って自宅へ帰る道中、穿《うが》ちたての墓穴《はかあな》に過《あやま》って落ち、首の骨を折って死んでしまった。翌朝死体が見つかって大騒ぎになったが、もはや手遅れで、人々は亡骸《なきがら》を教会に運びこみ、弔いをしたのち埋葬に付すほかなかった。ホックスレーの町は新たな寺男を要請し、エイムズという若い男が雇い入れられた。そしてスプロールはすぐ忘れ去られた。

前任の寺男が墓に埋められてから二週間と経たないうちに、教区司祭ハーカー師は新任のエイムズを司祭館に呼びつけ、件《くだん》の櫟についての指示をくだした。

「あの木を今あるところからこちら側に移したいと思っているのだが、今日の午後さっそくやってくれるか?」

「わかりました、司祭さま。それで、どこに植え替えましょうか?」

「この司祭館側で、教会の正面に近いほうの壁から十フィートから十二フィートぐらいの位置に植えてくれ。それより遠すぎも近すぎもしない程度が好ましい」とハーカー師は答えた。「注意深く穴を掘り、丁寧に植えつけるように」

「では、あの木はチャーリー・スプロールの持ちものじゃなかったんですね?」とエイムズが念を押した。

「いい加減にしろ! あの頑迷な泥棒男に、教区の所有物を自分のものだと言い張る権利などあるはずがなかろう。そんなこと二度と口にするなよ!」

ハーカー師にしてみれば、もうスプロールに無礼な反抗をされずに済むから気が楽になったのはもちろんのことだが、それでいてかすかな寂しさが伴うのも否めなかった。ハーカー師自身が諍《いさか》いに慣れたからでもあったし、じつを言えば、表向きの怒りほどには本心から憤っていたわけではないのである。師は新しい寺男が櫟を植え替えるようすを満足感とともに見守ったあと、夕刻になると外が見える席に座し、その日最後の祈りを捧げながら、ときおり件の木を眺めやった。心地いい景色ではあったが、本当に喜ばしく思っているのか、それともそう思うように努めているだけなのか、自分でもなんとも言えなかった。スプロールの死によって初めて争いに勝ったという思いが、喜びを半減させているようだった。

その夜ハーカー師は心騒がせる夢を見た。穏やかならぬ眠りのなかに、スプロールの憎悪に満ちた目とあの櫟の木がいっぱいに広がった。おかげで何度も目が覚め、そのたびに蠟燭を点けてあたりをさぐり見た。いつもより長い夜に感じられた。翌朝起床してからも疲労感といらだちを覚え、死んだ寺男をめぐる快からぬ反芻を心に溜めこまねばならなかった。それでも気をとりなおして朝の身仕度《みじたく》を整え、急いで教会に出勤して日課の弥撒《ミサ》をこなした。そして帰途に就く段になってようやく、櫟の木の立ち方が奇妙であることに気づいた。植え替え方がよくなかったものと見え、まるで根こそぎにされかけたようになっていた。

ただちに新任の寺男を呼びつけ、声を荒らげて叱責した。ところが寺男エイムズが言い返すには、誓ってしっかり植えたつもりであり、水もたっぷりくれてやったという。それを聞くと司祭はさらに怒った。どんなに否定しようとこの日で見たものは覆しようがないと言って。とにかくこのうえはあらためて植えなおすしか手はなく、こんどは司祭自らが作業を監督することにした。植樹の仕方に満足がいくまでは現場を去らない覚悟で。

この出来事以降、司祭が異常なまでに気むずかしく短気になり、睡眠不足のせいで目のまわりが赤らんでいるのがしばしば人々に見られた。司祭館から外へ出ることが極端に少なくなり、日課の弥撒のために教会に行くときも、いつものように正面ではなく裏口から入るようになった。二週に一度はエイムズを呼びつけ、櫟を植えなおさせた。いつのときも前に植えた位置からなぜか少しずれているのだった。つねに自ら監督していたにもかかわらず。それは司祭にある恐怖心を呼び起こすにいたり、いっそ木を抜き去って燃やしてしまおうかとつぶやいたことさえ一、二度あった。

ある朝ハーカー師がやつれて具合が悪そうに見えたので、エイムズはつい口に出して懸念を問いかけずにはいられなかった。

「ああ、エイムズ、わたしも年老いてきたようだ。十年以上前に雇っていた料理人を呼び戻したほうがいいのかもしれんな」そしてエイムズが同情の言葉をかけると、この際おまえが一緒に住んでくれれば助かるのだがと言いだした。

エイムズは初め驚き、これまで以上にたくさん仕事をさせられるのではないかと案じたが、しかしそうではないことを司祭が請けあった。そこでエイムズはこの提案を受け入れ、司祭館の階下の心地よい部屋を与えられて同居することになった。司祭自身は上階のいささか住むに手狭な破風《はふ》部屋に移った。

ところがエイムズは移り住んだ第一夜めにして、暗闇のなかでハーカー師が大声をあげるのを聞き、その意味するところを考えて戦慄するはめになった。

「おまえなのか、スプロール?」と司祭がわめいたのである。「おお神よ！　早く墓に戻れ、この虚仮威《こけおど》しの悪党めが！」

そんなことが幾度もつづき、しかもさらに騒々しさを増したため、エイムズはついに寝床から起き、自分の部屋の外へ出て階段の上を見あげた。だがなにも見えず、月光の筋が階段を横切って射しこんでいるばかりだった。それでまた部屋に戻り、きっと司祭は悪い夢でも見ているのにちがいないと自分に言い聞かせた。零時をすぎたころ館のなかが静まり返ったので、そのあとエイムズはぐっすり眠れた。初めての寝床は前のそれよりも柔らかく心地よかった。

翌朝姿を現わしたハーカー師は、これまでにも増して加減が悪そうだった。肉が削げ落ち、不気味なほど痩せ衰えていた。眠れていないらしい顔つきに加えて目も虚ろだ。エイムズの懸念の問いかけに対し、師は「悪い夢を見た」と言ったあと、「なにかよからぬこと」をしたせいかもしれないが、「時が経てばよくなる」といったようなことをつぶやいた。

翌日の夜も同じことが起こった。

エイムズがなかなか寝つけずにいるとき、またも司祭のあの声が聞こえたのである。

「おお神よ、早く去ってくれ！」とわめいていた。そうしたたぐいのことをさらに多く大声でまくし立てたが、すべてがはっきりと聞きとれるわけではない。そんななかで、司祭に対してほかのだれかの声が言い返しているように聞こえたことが二度あった。

エイムズはまたも部屋の戸口から覗いてみた。なにかがはっきり見えるわけではないが、階段をあがりきったところに位置する司祭の部屋のすぐ前に、ほかの影よりも黒々とした影がひとつぼんやりとあるような気がした。それはどこかしら小柄な人影のようでもあり、頭にあたる部分が大きくてでこぼこしていた。と思ったつぎの瞬間には、発育の悪い樹木を思わせる形に変わり、そしてほどなく、ふっと失せた。エイムズは自室に引きあげ、司祭の部屋でなにが起こっているのかと案じた。わめき声は夜の過半を通してやまず、だれかがなにかをさかんに訴えているが、司祭がそれに応じようとしないというふうな趣《おもむき》であった。

「わたしは絶対にやらんぞ！」とハーカー師は叫んだ。

「主《あるじ》たる悪魔のもとへ去れ！　まちがったことをした憶

えはない。おまえは自分のもの同然にして眺めていたじゃないか」そんなことを夜の闇がつづくあいだの半ば以上にわたって怒鳴りつづけていた。

翌朝の司祭は疲弊しきった重病人のように見えた。それでも口を頑《かたく》なに閉ざし、〈夢〉と呼んでいるものの実際についてはなにも言おうとしなかった。ただ何度か窓に近寄って、外の櫟の木を憤懣やる方なさそうに見やることがあった。エイムズがあとで思い返すところによれば、司祭はそこに立っているあいだ、聖職者にもあるまじき悪態をついているようすであった。朝の弥撒を務めるときも雷雲のごとき暗い顔をしているので、会衆席に座す教区民たちは恐れをなし、いつもより数多く十字を切るのだった。

その日のハーカー師はずっと機嫌が悪く、エイムズに対してもいらだちをあらわにし、なにかにつけては怒鳴り散らした。叱られた一時間後にはまた別のなにごとかで小言を言われるか知れなかった。

司祭館に泊まりはじめて三日めとなるその夜、新任の寺男は破風部屋からのただならぬ騒音と叫び声によって目覚めを余儀なくされた。初めは激しく口論しあう複数のわめき声のようであったが、そのうちにだれかが嘆願する声に変わった。哀れなエイムズはどうしたらいいかわからず、なにが起こっているのかも不明のままで、自室にこもってときおり祈りをあげるほかなかった。しばしば耳を澄ましてみても、なにを言いあっているのかよく聞きとれなかったが、ただ司祭はなにやら「わたしは公正だった」と訴え、相手にも公正でいてもらいたいと期待しているように聞こえるのだった。零時をまわるころいちだんとひどい喧騒になったと思うと、司祭がエイムズの名前を呼んでいるらしい声が聞こえた。不たしかではあったが、とにもかくにも司祭の部屋の戸口までは駆けつけるべく、階段をあがらねばなるまいと意を固めた。だが自分の部屋の敷居を跨ぐか跨がないうちに、階段からガタンドスンという大きな物音がして、足を止めることとなった。しばし耳を澄まして待っていると、玄関扉が開いたのち閉じる音が聞こえ、そのあとは森閑と静まり返った。エイムズは自室の扉をわずかだけあけて覗いたが、なにも見えない。蠟燭を点けて突きだしてみても、不審なものは窺えない。そこで蠟燭を吹き消し、暗い部屋のなかでじっと立ちつくした。

ところが、ふと窓から外を見やり、月明かりの下の教会墓地へ目をやったとき、そこに二人の人間の姿を認めて驚きを覚えた。一人はでこぼこした頭の小柄な男で、もう一人は長身の痩せた男だ。長身のほうが小柄なほうへぐったりと寄りかかっているように見え、あたかも長身の男が半ば担がれて運ばれていくさまを思わせた。そんな人影がまっすぐに向かっていく道筋の先には、エイムズをこれほどまでに困惑させる原因となった櫟の木が立っている。それを見てとったので、ふたたび戸口に戻って扉をあけ、頭を突きだして破風部屋のほうを見あげた。が、依然物音は聞こえず静かなままだ。

もう一度窓へとって返すと、またもギョッとさせられた。二人の男の姿がなくなっていたばかりか、櫟の木までが消え失せていた。エイムズは当惑のきわみに達し、破風部屋へ駆けあがろうかと何度も思ったが、寝ているときは起こすなと日ごろ司祭に厳命されていることを思いだしてためらった。僧職にある人を強く尊敬している寺男としては、己《おの》が当惑を晴らすためといえど禁を冒すことはできなかった。それで秘かに祈りを捧げるにとどめ、あとは寝床に戻るしかなかった。横になってからもしばらく耳を澄ましたが、相変わらずなにも聞こえず、結局眠りに落ちてしまった。

朝になると、ハーカー師がなかなか階下へおりてこないので、エイムズは大いに不安に駆られるとともに、当然のこととして懊悩に陥った。もし悪夢と闘ってやっと勝ちとった眠りから司祭を覚ますならば、ただちに罰を受けずにはいまい。その一方で、弥撒を務めてもらえなければ困る事態になる。どうすればいいのかとしばらく考えあぐねたあげくに、やはり無理にでも起こすしかないと肚《はら》を決めた。そして破風部屋へとあがっていき、そっと扉を叩いた。だが返事がない。小声で呼んでもみたが同じことだった。そのとき扉がかすかに開いていることに気づき、恐るおそる押しあけたところ、口を閉じるのも忘れるほどの驚愕に襲われた。破風部屋のなかは壮絶な格闘でもあったかのような雑然たる状態を呈していた。寝台からは床《とこ》が引き剥がされて散らかり、椅子はひっくり返り、壁にかかっていた十字架や絵は落ちて毀《こわ》れていた。司祭の姿はどこにも見えず、隅で盛りあがっている寝床の切れ端の山をつついてみてもだれも隠れてはいなかった。

うろたえたまま階下へおりたところで、玄関扉を叩く音がした。急いで駆けつけると、近くに住むある夫人が玄関口に立っており、興奮のあまりかしどろもどろの口調でわめき立てた。

「たいへんよエイムズさん、教会のわきにある櫟の下の地面から、靴を履いた人の足が生えているの。すぐに司祭さまを呼んでちょうだい。あんなものを見てしまったら、わたしもう熱に魘《うな》されそう」

「落ちついてください。もうお宅に帰っていいですよ、わたしが見に行きますから」エイムズはそう諭すと、急いで教会へ向かった。

　駆けつけてわかったことには、スプロールが寺男をしていた時期と同じ位置に櫟の木が戻っていた。到底よく育ちそうにはないぞんざいな植え方をされていた。そして木のわきの地面から人間の脚の片方が突きでており、その足先に履かれている靴が司祭のものであることが見てとれた。それと似た履き物を持つ者は近隣ではほかにいない。この光景にエイムズは束の間呆然としたが、すぐ助けを呼びに走った。人々をつれて戻ってくると、みなで地面を掘った。そこに埋まっていたのはハーカー師の死に果てた骸《むくろ》であり、そのありさまはスプロールの死体に劣らずひどいものだった。つまり司祭は元寺男が埋められている教会墓地の一端に自らも埋まる仕儀となっていたのである！

　当然のことながら検死医が遺体を検分し、陪審では亡き司祭ティモシー・ハーカー師は事故により死亡したものと判定された。自分で櫟を植え替えるべく掘った穴に過って落ち、櫟の木まで引き入れてしまったため、下敷きになったのに相違ないとの推測だった。だがエイムズは死因について別の意見を持っていた。司祭が悪夢に悩まされた同じ夜に帰宅途中で通りがかった老トム・マーレーも同じ考え方をしていた。老人は多少酒に酔ってはいたが、教会の右側でだれかが穴を掘っているのを目撃したことは、自分の死ぬ日まで誓ってもいいほどのまちがいない事実だと確信していた。教会の建物から三ヤードばかり離れたところで、かつてスプロールが寺男だった時期に櫟が立っていた地点にほかならず、またすぐそばには別のだれかがぐったりと倒れており、櫟の木も横倒しに置かれていた。酔いのせいでいい気分になっていた老人は、そんな晩い時間に何者がうろついているのかと怪しむでもなく、穴を掘っている男に呼びかけた。でこぼこした大きな頭を持つその小柄な男は振り向いたと思うと、ものも言わないまま、炎のようにぎらつく目で睨み返した。トム老人は驚きおびえて家に逃げ帰り、チャーリー・スプロールを見たとわめき立てた。だが娘は酔いのたわごとと思ってまともにはとりあわず、さっさと老父を寝かせつけた。トム老人はその出来事以降ずっと口をつぐみつづけた。だがその後の彼が暗くなってから家に帰るとき遠まわりをするようになったのは、教会墓地の櫟がエイムズによって前任の寺男のころのままに植えなおされた場所を避けるためであることに、町の人々はみな気づいていた。

世紀末ロンドン幻視行

下宿人（オリジナル版）

The Lodger

ベロック・ローンズ　Mrs. Belloc Lowndes

岩田佳代子訳

ヴィクトリア朝に起きた事件で、ことに数多くの作家の創作意欲を刺激してきたのは、一八八八年にロンドン、イーストエンドで起きた「切り裂きジャック」事件だろう。本作（初出は*McClure's Magazine* 一九一一年一月号）は、この事件を題材にした作品の中でもごく早い時期のものといえる。のちに加筆され長篇となった（『下宿人』一九一三）が、結末は異なる。また、ヒッチコックの初期作品『下宿人』（一九二六）を筆頭に、たびたび映像化されている。

作者ベロック・ローンズ（一八六八―一九四七）は当時の流行作家の一人。生前の著書は六十点を超え、戯曲化、映画化された作品も多い。

一

「ほら、あのお方がようやくお帰りだ。よかったよ、エレン。犬を外に出しておくのさえ嫌な夜だからな」

バンティング氏の声は明らかに安堵に満ちていた。火の傍らで、深々とした革張りの肘掛け椅子に背中を預けて座っている。きれいに髭を剃った、こざっぱりとした男性で、今は違うものの、かつては長い時を費やしてきた誇り高き執事の面影がまだ残っていた。

「あのお方のことでそんなに気を揉む必要なんてありません。スルースさんなら、ご自分の身はご自分でお守りになれるます、大丈夫です」バンティング夫人の口調は、素っ気ないというよりむしろ辛辣だった。妻の方が夫よりも冷静で、心の均衡を保っていた。かつて奉公をしていた名残は夫ほどには見当たらないが、それでもあることはあった――こぎれいな黒いラシャ織りのドレスと、染みひとつない簡素な襟や袖口に。結婚前は長い間、仕事のできるメイドで通っていた。

「こんな天気に、なんだって出かけたがるんだか。先週の霧のときもそうだった」氏は、納得できないといった口ぶりで会話を続けた。

「まあ、大きなお世話じゃない――今は。でしょう？」

「そうだが。しかしやはり、あのお方の身に何かあれば、俺たちがひどく困るじゃないか。あのお方が下宿してくださったのは、久しくなかったささやかな幸運なんだから」

　夫人は何も返さなかった。答えるまでもなく明らかな事実だったからだ。そして、耳を澄ませ、想像力を働かせて追っていった、下宿人の素早く、異様なまでに静かな足音――夫人が勝手に「忍び足」と称していた足音が、霧に飲みこまれた暗い廊下を抜けて、階段をのぼっていく様を。

「上流階級の方々がこんな天気に出歩くなんて危ないじゃないか。明日まで待てないような用事でもあるなら別だがね」氏はようやく、妻の方に顔を向けた。そして、妻のほっそりとして青ざめた顔をじっと見つめる。氏には意固地なところがあり、自分が正しいことをはっきりさせたかった。「ロイズ保険者協会で昨日あった事件を読んで聞かせてやっただろう。ぞっとしたが、あれだってみんな霧のせいだ！　それに、あの恐ろしい怪物がまた動き出す――」

「怪物？」夫人は夫の言葉をそのままつぶやいたが、上の空だった。なんとかして、頭上で下宿人が立てる足音を聞こうとしていたからだ。一方夫は、妻のつぶやきなどどこ吹く風で言葉を続けた。

「霧が立ちこめる中でそんな奴に出くわしたりしたら、不気味じゃないか、だろう？」

「一体何の話をしてるんです？」夫人がぴしゃりと言った。はっとする夫。夫の言葉に苛立ちが募った。ちょうどそのときロンドンの下町を震撼させていた恐ろしい連続殺人事件のようなことなど、夫人は考えたくもなかった。同情したり、切なさを覚えるような話は好きだったが――婚約不履行の訴訟話などは、軽く面白がるような表情で熱心に聞いている――不道徳な話や暴力の話は毛嫌いした。

そして、それまで座っていた背もたれのまっすぐな椅子から立ちあがった。もうすぐ夕食の支度の時間だ。

だが夫人はそのまま室内を歩き回り、目に見えない埃を払ったり、調度品の位置をきちんと直したりしはじめた。

バンティングは一、二度首を巡らせた。妻のエレンに、そうやって落ち着きなく動き回るのをやめろと言いたかったが、穏やかな平和主義者だったので、じっとこらえた。しかしやがて夫人は、バンティングを苛つかせていた行動を自らやめた。それでも、すぐに地下のひんやりした台所――簡単な料理がつくれるよう、準備万端整っている台所へ降りていくことはしなかった。かわりに、背後にある寝室へ続くドアを開けると、中に入って静かにドアを閉め、暗闇の奥へと後ずさっていき、微動だにせず耳をそばだてた。

最初は何も聞こえなかった。けれどやがて、真上の部屋で誰かの歩き回る音が耳に入ってきた。だがどんなに聞き澄ましても、下宿人が何をしているのかまではわからなかった。やがて、廊下へ通じるドアを開ける音がした。つまり下宿人は今夜これから、客間の上階にある寒々しい部屋で過ごすということだ――実に奇妙なことに、下宿人はあの部屋で座っているのが何より好きだった。とはいえ、暖をとれるのはガスストーブだけで、しかもそれは、一シリングを投入しなければ使えない代物だった。

だが、スルース氏がバンティング夫妻に幸運をもたらしてくれたのは、まぎれもない事実だ。夫妻が明日をも知れない状況のときに、氏が部屋を借りてくれたのだから。

夫妻はかつて、それぞれ別々に、執事と有能なメイドという使用人としてのくびきを自ら受け入れることで、雇い主の庇護のもと、機械的に仕事をこなし、何より、経済的な心配をすることなく暮らしていたのだが、人生も半ばになって不意に、互いの運命と貯金を一緒にすることにしたのだった。

バンティングには先妻がいた。可愛い娘を一人もうけていて、十七歳になる娘は、実母が亡くなってからずっと、裕福なおばのもとで暮らして今に至る。後妻は孤児院育ちだったが、懸命に働いて徐々に使用人の中で地位をあげていき、有能なメイドとしてかなりの金額を貯めていた。

しかし不幸にして、バンティング夫妻には最初から災難がついて回った。海辺で下宿屋をはじめたのだが、あたり一帯が伝染病に見舞われた。その後新たな商売に手を出したものの、散々な結果に終わった。再び使用人として――夫婦一緒でも別々でも――働くことも考えたが、その前に、最後にもう一度だけ出来る限りの事をしてみようと決め、手元に残った僅かな金をはたいて、メリルボーン通りの小さな家を借りたのだ。

バンティングは目鼻立ちが整っていたので、かつての雇い主やその友人たちが覚えていてくれ、おかげで割りのいい給仕の仕事を回してもらえることがあった。先月は仕事の数が目立って増え、当然収入も増えた。バンティング夫人は決して迷信を信じてはいなかったが、ほかのあらゆることと同じくこの件も、新しい下宿人のスルース氏が運んできてくれた幸運のような気がするのだった。

寝室の暗闇の中で、じっとしたまま、依然必死に聞き耳を立てながら、夫人は、スルース氏が出ていってしまったら自分や夫はどうなるのだろうと自問した。これは何も今初めて考えたことではなかった。そしてその答えは、ほぼ間違いなく破滅だった。

ただ幸いにして下宿人は、部屋にも、女主人にも心底満足しているように思われた。そんないい下宿をあとにしなければならない理由など何ひとつない。夫人はもやもやした不安や懸念を振り払った。そしてくるりと向きを変えると歩を進め、廊下へ出るドアの取っ手を手探りで見つけてドアを開け、軽やかでしっかりとした足どりで台所へ降りていった。

ガスの栓を開け、ストーブの上にフライパンを置くと、我知らず再び下宿人のことを考えていて、やがて夫人の心には、スルース氏がここに間借りすることにした日にあったことが一つ残らず鮮やかに蘇ってきた。

この素晴らしい下宿人がやって来たのは十二月二十九日の午後遅くだった。夫人は夫とともに、暗く打ち沈んだまま、ほのかな埋み火の前に座っていた。まだ昼間のうちに、その日の食事はもう終えていた。夫はソーセージを二、三本、夫人は冷たいもも肉ですませた。二人とも、すっかり意気消沈していたが、それでも互いになんとかして、もうなす術がないことを相手に伝えようと苦しんでいた。実は二人は、そのもの憂い午後に、些細な喧嘩もしていたのだった。新聞の売り子がメリルボーン通りを「ホワイトチャペルでひっでえ殺しだ！」と叫びながらやって来たのだが、バンティングはイーストエンドに年老いたおじが住んでいるのをいいことに、出かけて行って新聞を買ったのだ。一ペニーたりとも、いや、半ペニーたりとも無駄にはできないというのに！　夫人がこのときのことをよく覚えていたのは、このホワイトチャペルでの殺人が、一連の恐ろしい事件の最初だったからで――以来四件も立て続けに起こっていた――夫人は、夫がこの件について自分のいるところで話題にすることを頑として許さなかったのだが、最近は、そんな夫人の気どった心にさえ、奇妙で不快な関心を呼び起こすようになっていたからだ。

それはさておき、下宿人の話に戻ろう。そんな憂鬱な午後だった、玄関のドアを叩く、おずおずとした不安げなノックの音が二度聞こえてきたのは。

バンティングが応対に出るべきだったが、新聞から顔をあげなかった。そこで、女性の方がずっと肝が座っているので、夫人が廊下に出て、ガスランプをつけ、ノックの主を確かめるべくドアを開けた。実際には一月も前の黄昏時だったのに、まるで昨日のことのように、夫人はスルース氏の一風変わったいでたちをはっきりと覚えていた。気難しそうな感じの長身痩軀、禿げあがった額を隠すように目深に被った流行遅れのシルクハット。そんな奇妙な風貌の男性が、玄関先に立って、夫人に向かって目を瞬いていたのだった。

「失礼ですが――こちらは下宿屋ではありませんか?」おどおどした、か細い声だったが、その声を耳にした途端、夫人は相手が教養のある人物――紳士だと悟った。そして氏が玄関の中へ入ってきたときには、氏が右手に持っていた薄い鞄――濃い茶色の真新しい革の鞄に目を止めた。

すべてが終わるのに、十五分もかからなかった。夫人はすぐさまスルース氏を客間のある階へお連れした。それから上階へ行き、通りに面した部屋にあるガスランプを祈る思いでつけると、氏は部屋の中をぐるりと見回し、神経質そうに両手を擦り合わせながら言ったのだ、「素晴らしい――いや、実に素晴らしい! これこそまさに、探していた部屋です!」

氏が特に喜んだのが流し――流しとガスストーブだった。「なんとも文句のつけようがありません!」氏は声を張りあげた。「と言うのも、いろいろな実験をするものですから。私は、ご理解いただきたいのですが、えっと、その――そう、バンティング夫人、科学者なのです」それから椅子に身を沈めた――それもがっくりと。「ひどく疲れました」低い声で言う。「もう一歩も動けません! 一日中歩き回っていたのです」

この家に現れた最初から、下宿人の様子は変だった。よそよそしく、無愛想なこともあれば、夫人にはどうしてなのかさっぱりわからなかったものの、信用しきって、物悲しげな顔で秘密を打ち明けてくることもあった。だが夫人は、そんな風変わりな真似ができるのはいつでも、家柄がよかったり、立派な教育を受けた人たちだけの特権、いわば特別な贅沢だということを心得ていた。学者やその手の人たちは、ほかの人間とは断じて違うのだ。

それからこの異彩を放つ紳士は、部屋を貸す側の人間にとって唯一大事な問題について、自分が非常に満足のいく人間であることを証明した。「スルースと言います」氏は告げた。「S—l—e—u—t—h。警察犬という意味です。これでこの名前を忘れることはないでしょう。身元証明書もおわたしできますが」そうつけ加えた氏から、いわく言いがたい馬鹿にしたような目で見られたことを夫人は今思い出した。「そういうことはなしにしませんか。ところで、宿代はおいくらです？　週に二十三シリング、身の回りの世話をつけて？　いいでしょう、分相応です。では、最初の一月分を前払いします。えー、二十三シリングの四倍だから」——氏は夫人を見て初めて笑ったが、なんとも言えないゆがんだ笑顔だった——「九十二シリングですね！」

氏はポケットからソブリン金貨を一握りとり出すと、テーブルに置いた。「さあ。五ポンドあります。おつりはとっておいてください。明日、少しばかり買い物をしてきてもらいたいのです」

氏がこの家に入ってから一時間ほどすると呼び鈴が鳴り、夫人は新たな下宿人から、聖書を貸してはもらえないだろうかと頼まれた。そこで、お気に入りの聖書を持っていった。それは、夫人が数年間仕えた女性の娘から、結婚のお祝いにともらったものだった。この聖書ともう一冊、クルーデンの手になる『コンコーダンス』という奇妙な題名の本しか、氏は読まないようだった。その旧約聖書ともう一冊の本——どうやら聖書用の一風変わった索引らしいと、ようやっと夫人が断じた本を氏は毎日、何時間もかけて熱心に読んでいた。

しかしながらここで、下宿人が最初に訪れたころに話を戻そう。氏は、茶色い小さな鞄以外何も荷物を持っていなかったものの、すぐに氏宛ての小包が届きはじめた。そのときからだった、バンティング夫人がこの下宿人に一抹の不安を抱くようになっていったのは。どの小包も衣類でいっぱいだったが、女主人が見れば、どれもスルース氏のために誂えたものでないことは一目瞭然だった。はっきり言ってすべて古着、それも上等なものを扱っている古着屋で買ったもので、衣類につけられていた名前は——そもそもついていれば、だが——みんな違っていた。そして何より奇妙だったのが、ときおりスーツ一揃いが行方不明になる――いわば、下宿人の衣類の中から忽然と消えることだった。

ちなみに、氏が持ってきたあの鞄を、夫人が再び目にすることもなかった。これもまた、まったくもって実に奇妙だった。

夫人は、あの鞄のことがどうしても忘れられなかった。何が入っていたのか、気になって仕方がなかった。最初に想像したような、寝巻きや櫛、ブラシではない。氏がやって来た翌朝、ブラシと櫛と歯ブラシを買ってくるよう頼まれたからだ。このことが特に印象に残っていたのは、ブラシと櫛を買いに行った小さな床屋で、応対に出た異人から、その前日ホワイトチャペルであった殺人事件の恐ろしい顛末を無理やり聞かされそうになり、おかげでひどく気が立っていたからだった。

あの鞄は今ごろきっと、通りに面した居間に配した、飾り棚の下の引き出しに入れてあるのだろう。しかも施錠して。スルース氏はその小さな棚の鍵を肌身離さず持ち歩いているようだ。夫人がくまなく探しても、結局見つけられなかったから。

にもかかわらず、これほど人を信用するというか、疑うことを知らない紳士もいなかった。一つ屋根の下で生活をするようになって四日間というもの、氏は紙に包んで小分けにした所持金――それも金貨で百八十四ポンドというかなりの大金――を、化粧台の上に出しっぱなしにしておいたのだ。そこで夫人は意を決して、そんなことをするのはとても愚かなことだ、いや、むしろ間違っていると、失礼にならないよう気をつけつつ指摘した。ところが、氏から返ってきたのは笑い声――大きくて耳障りな、悲鳴を思わせる笑い声だけだった。

そのほかにも、スルース氏には奇態な点が数多あった。だが極めて女性らしいバンティング夫人は、融通がきかず、秩序をこよなく愛するにもかかわらず、男性の突飛な行動にはあくまでも寛大だった。

スルース氏がバンティング家で寝起きをするようになった最初の朝、夫人が氏に頼まれたものを買い出しに行っている間に、この新しい下宿人は、自分が間借りした客間の壁にかかっていた絵や写真の大半を、裏返しにしていた！　だが、氏のこの奇妙な行動にも、夫人はさほど驚かなかった。むしろおかげで、はるか昔、若かりしころの出来事を思い出していた。それは二十年前、夫人がまだエレン・コットレルという乙女で、老婦人に仕えていたときのこと。老婦人には、可愛がっている甥がいた。聡明で陽気な若い紳士で、パリで動物画の勉強をしていた。その甥が、ある夏の早朝、老婦人宅の壁にかかっていた有名なランドシーア画伯の手になる美しい銅版画六枚をすべて、臆面もなく裏返してしまったのだ！　老婦人お気に入りの銅版画だったが、とんでもないことをしでかした甥は、「これを見ると目が潰れる」と言ってのけただけだった。

スルース氏の弁明も似たり寄ったりだった。夫人が氏の客間へ行き、自分の絵が全部――図らずもすべて女性の肖像画だったが――裏返しにされていたのを見たとき、氏の口から発された言葉は「あの女性たちにじっと見つめられるので」だけだったから。

氏が女性に対して恐れや嫌悪感を抱いていることに、夫人はやがて気づいた。階段をのぼっていき、あがりきったところで「様子をうかがっている」と、氏が聖書の一節を読む声がよく聞こえてきたのだが、氏の選ぶ聖句にはたいてい、夫人たち女性を蔑むものが含まれていたからだった。今日などは、立ち止まって耳を澄ませていると、凄みのある声で、恐ろしい言葉が発されてきた。「みだらな女は狭い井戸のようだ。彼女は盗びとのように人をうかがい、かつ世の人のうちに、不真実な者を多くする」それから間があり、ついで甲高く、単調な声が聞こえてきた。「その家は陰府へ行く道であって、死のへやへ下って行く」おかげで夫人はすっかり気分が悪くなってしまったのだった。

下宿人は、その生活習慣も変わっていた。午前中はずっと寝ていて、ときには午後になっても起きてこないこともあり、街灯が灯るまでは決して外出しなかった。それから、暖炉の火も我慢ならないようだった。たいていは、最上階の通りに面した部屋にこもっていた。そして、そこにいるときはいつも大きなガスストーブを使っていた。夜は実験のために、昼間は暖をとるために。

だが、下宿人の変わった行動を気に病んだところでどうなるというのか。確かにスルース氏は一癖も二癖もある人物だ。とはいえ、かつてバンティングが評したように、氏の「おつむがすこおしばっかりおかしいだけ」でなかったなら、この家に下宿などしていなかっただろう。今ごろは、身内か同じ階級の友人と、まったく別の日々を送っていただろう。

夫人はそんなとりとめもないことをあれこれ考えながらも、料理をはじめとする諸々を、とても丁寧かつ非常に正確にこなしていった。

だが、トーストを焼き、溶けたチーズをかけようとしていたさなか、不意に音がした。というか、立て続けに音が聞こえてきた。足を引きずって歩くような音が、上階の階段を軋ませながら、ためらいがちに降りてくる。

夫人は顔をあげ、聞き耳を立てた。スルースさんが、こんな寒い、霧の立ちこめる夜にまた出かけていかれるなんてことがあるはずないわ、そうでしょう？　その通りだった。足音はそのまま、玄関へ通じる廊下を歩いてはいかなったからだ。

重たげな足音が、台所へ続く階段をゆっくりと降りてきた。ドスン、ドスン、という音が近づいてくるにつれて、それに呼応するかのように夫人の心臓も、ドキン、ドキン、と鼓動しだした。ガスストーブを消す。せっかく溶かしていたチーズが冷えて固まってしまうことにも気づかない。そして振り返り、じっとドアを見つめる。取っ手がガチャガチャと動き、すぐさまドアが開く。だが現れたのは、思った通り、下宿人だった。

氏は格子縞の部屋着を着ていた。手にはろうそくが握られている。明るく照らされた台所に視線を走らせ、そこにいた夫人を認めると、どういうわけか驚き、怯えたような顔をした。

「まあ、旦那様？　どうかなさいましたか？　呼び鈴を鳴らされていたのでしたら、申し訳ございません」それでも夫人は、下宿人の方へ近づいてはいかなかった。それどころか、ストーブの前から微動だにしなかった。わたしの台所へこんなふうに入ってくる権利は、旦那様にはありません。

「い、いや、な、鳴らしてませんよ」氏は口ごもりながら言った。「まさかここにいるとは思わなくて、バンティング夫人。こんな格好で失礼。実は、私の部屋のガスストーブが故障しましてね。と言うより、硬貨の投入口の方だと思いますが。それで、ほかにもガスストーブがないかと思って降りてきたんです。よければ貸してもらえませんか。今夜実験をしたいものですから」

夫人は動揺していた——これほど動揺するとは、自分でも意外だった。この人はどうして、明日まで実験を待てないのかしら。「ええ、もちろんです。ですが、ここはとても冷えますすでしょう」夫人は周囲に視線を走らせ、眉を寄せた。

「このうえなく暖かくて、居心地がよさそうですよ」氏は言った。「階上の冷え冷えする私の部屋にいたせいか、暖かくて、ほっとできます」

「よろしければ、火を入れましょう」夫人に、主婦らしい感覚が戻ってきた。「旦那様の寝室に火をお入れしなければ。こんな寒い夜には、あそこには火がなくちゃなりませんもの」

「とんでもない——いや、その、結構です。暖炉の火は好まないんです」氏は顔をしかめた。依然として台所のドアの内側にじっと佇む姿は、どう見ても不自然だった。

「では、このストーブを今お使いになられますか？　ほかにご用はございますでしょうか」

「いや、今すぐでなくていいのです――それでも、感謝します。あとで降りてきますから、ずっとあとで――あなたとご主人がベッドに入ってしまってからでも。ただ、明日ガス会社の人に来てもらって、私の部屋のストーブの修理を頼んでいただけると助かるんですが」

「夫が直せるかもしれません。階上へ行くよう申し伝えます」

「いや、いや――今夜はそういうことはやめてもらいたいですね。それに、ご主人には直せませんよ。故障の原因は、まったくもってはっきりしています。シリング硬貨が詰まっているのです。愚かな設計だ。つねづねそう思っていましたがね」

氏は苦虫を噛み潰したような顔で、いつになく向きになって喋っていた。だが夫人には、氏の気持ちがよくわかった。夫人もまた、この硬貨を投入する機械を、まるで人間よろしく絶えず不審の目で見ていたからだ。だいたい、硬貨を飲みこむ様がおぞましかった！

夫人の思いを察していたかのように、氏が進み出てきて、台所の硬貨投入機を見つめた。「硬貨はほぼ満杯ですか？」唐突に聞かれた。「実験にはいささか時間がかかりそうなものですから」

「ああ、いいえ。硬貨でしたらまだたっぷり入ります。旦那様がお部屋のストーブをお使いになるほどには、わたしどもは使いませんので。こんなに寒いと、とても耐えられませんもの、一分だって台所にはおりませんから」

それから夫人は、氏のあとからゆっくりと階段をのぼって、一階へ行った。そこで氏は女主人に丁重に就寝の挨拶をすると、上階の自分の部屋へ向かっていった。

夫人は再度台所へ降りていき、再度ストーブに火をつけ、再度チーズを炙った。だが夫人は、気味の悪さを感じ、何かわからないものに怯えた。台所中で、得体の知れないものがうごめいているようだ。そして、気がつけばまた耳をそばだてていた。だが、それは馬鹿げたことだった。三階とまでは言わない、二階だとしても、そこで下宿人が立てる物音など、聞こえようはずもなかったのだから。夫人にはついぞ、氏が実際にどんな実験をしているのかがわからなかった。わかっていたのは、やたらと高温が必要な実験だ、ということだけ。

その晩、バンティング夫妻は早々に寝床に入った。だが夫人は、眠らずにいるつもりだった。下宿人が、夜更けて何時ごろ台所へ降りていくのかを知りたかったし、何より、どれくらい台所にいるのかが気がかりだったからだ。しかし長い一日だったので、やがて眠りに落ちてしまった。

深夜。近くの教会の鐘が二時を告げ、夫人ははっと目を覚ました。自分にひどく腹が立った。何だってこんなにぐっすり眠ってしまったんだろう。氏はもう何時間も前に降りていき、すでにまたあがってしまったに違いない！

ところがそのうちに、微かだが鼻につく臭いがしてきた。夫人も、隣でいびきをかいている夫も、いささか曖昧模糊とした、正体不明の蒸気のようなものにすっぽりと包まれたような感じだった。

夫人はベッドの中で上半身を起こし、臭いを嗅いだ。それから、寒かったにもかかわらず、暖かく、快適な寝具からそっと抜け出すと、音を立てずにベッドの足元へ歩いていった。そこで、この下宿の女主人はとても奇妙なことをした。ベッドの真鍮製の柵越しに身を乗り出し、ドアの蝶番に顔を近づけたのだ。間違いない、このドアの向こうから、あの得体の知れない、嫌な臭いがしてきているわ。廊下は、もっと強烈に臭っているはず。そういうことね、これで、消えてしまったスルース氏のスーツがどうなったのかがわかったわ。

静かにベッドに戻り、震えながら寝具に潜りこんだ夫人は、寝ている夫を揺り起こしたくてたまらなかった。そして、自分がこんなことを言っているところを想像した、「あなた、起きて！　階下で変なことが起こってるの。調べてみなくちゃ」

だが下宿の女主人は、夫の傍らにその身を横たえながら、痛ましいほど必死に耳を傾けつつ、自分がそんな真似は一切しないことを知り抜いていた。下宿人には、その気になれば自分の服を燃やして処分する権利があった。だがその下宿人のせいで、夫人が大切に使っている台所が多少とも汚れたり、臭いが残ったりしたら？　何を考えているの——あんなにいい下宿人じゃないの！あの方に何か嫌な思いをさせたりしたら、あの方みたいな人にまた来てもらえる望みなんてないでしょう？

時計が三時を打つ前に、台所の階段を軋ませながら一段一段のぼっていく、重い足音を夫人は聞いた。このまま自室へあがられるのね。と思ったが、そうではなかった。氏はかわりに玄関へ行くと、掛け金をかけてからドアを開けたのだ。それから十分ほどのち、ドアを閉めた。このときにはもう、下宿人のこの一連の奇妙な行動の理由が、夫人にはわかっていた。羊毛を燃やした、鼻につんとくる悪臭を、廊下から外へ出していたに違いなかった。だが夫人は、自分の体にあの嫌な臭いが染みついてしまったような気がした。自分が臭くてたまらない気分だった。

それでもようやく、この気の毒な女性は深い眠りに落ちたが、それは心をかき乱される眠りだった。やがて夫人は、これまでにないほど恐ろしい、ただならぬ夢を見た。しわがれた声が、自分の耳元で叫んでいるかのようだった。「エッジウェア通りの向こうで惨殺事件だ！」ついで、不明瞭な、唸るような声で発された言葉。「――またやつの仕業だ！　恐ろしい詳細が明らかに！」

夢の中でさえ、夫人は腹を立て、苛立っていた。こんなぞっとする悪夢に苛まれる理由は、嫌という程よくわかっていた。夫のせいだ――夫が、一連のおぞましい殺人事件の話をしつこくしてくるからだ。陰気で邪な心の人間しか関心を示さない話なのに。どうして今、夢の中でまで、夫の話しかけてくる声が聞こえるのかしら。

「エレン」夫が耳元で言っていた――「エレン、なあ、起きて新聞を手に入れてくるよ。もう七時を過ぎているぞ」

夫人はベッドの上で体を起こした。叫び声、いや、もっとひどい、せわしげにバタバタと走り回る足音が耳に痛いほど響いてきた。これはもう悪夢ではなかった。それよりもさらに恐ろしいもの――現実だった。なぜ夫はもう少し静かにベッドに横になっていて、不憫なわたしにあのまま夢を見させてくれなかったのかしら。どんなひどい悪夢だって、こんな目覚めに比べれば、はるかにましだったろうに。

夫が玄関へ行き、新聞を買いながら、売り子の少年と二言、三言交わしている言葉が聞こえてきた。やがて戻ってきた夫は、静かに室内を動いて何やらはじめた。

「ねえ！」夫人は声をかけた。「どうして話してくれないの？」

「聞きたくないだろうと思ったんだよ」

「自分たちの家の目と鼻の先で起こったことなのよ、知りたいに決まってるでしょ！」ぶっきらぼうに言い返した。

そこで夫は記事を読んでくれた――と言っても結局は数行だったが。簡潔にして感情を排した言葉で語られたのは、数時間前に殺されたらしい、甚だ下品な身なりの女性の遺体が、メリルボーン通りの先にある、今は使われていない倉庫へ続く通路で発見された、ということだった。

「自堕落な女にとっては、当然の報いね！」夫人の評はそれだけだった。

夫人は台所へ降りていったが、一見すると、何もかも昨夜自分があとにしたときのままだ。あると思っていた、鼻をつく臭いの形跡もない。ただ、だだっ広い白漆喰塗りの台所には、霧が流れこんできていた。そして鎧戸は、昨夜のまま、閂を差し、横木もわたしてあったのに、その背後の窓は大きく開け放たれていた。もちろん、夫人が閉め忘れたはずはない。

夫人は身を屈めると、ガスストーブについているオーブンのドアを勢いよく開けた。思った通りだわ。夫人が最後に使ったあとで、再び火が入れられていた。それもかなり高温の火が。そして、黒い煤の塊がストーブの下の石畳の床にまでべったりと残っていた。

夫人は、昨日のうちに自分たち夫婦の朝食用に買っておいたハムと卵をとり出すと、居間のガスストーブで調理した。夫が、黙ったまま驚いた顔で見つめている。夫人は、今までに一度たりともこんなことをしたことがなかったからだ。

「階下にはいられなかったのよ。寒かったし、霧も流れこんできてたから。それで今日だけは、ここで朝食の支度をしようと思ったの」

「なるほど」夫は穏やかに応じた。「いいじゃないか。確かに、その方がいいと思うよ」

だが、いざ食べるときになると、夫人は、せっかく用意したおいしい朝食に少しも手をつけず、お茶をおかわりしただけだった。

「具合が悪いんじゃないのか?」夫が心配して聞いた。

「まさか」夫人はぶっきらぼうに答えた。「そんなわけないでしょう。馬鹿なこと言わないで! すぐ近くで恐ろしいことが起こったから、気になって落ち着かないだけよ。ほら、あれが聞こえるでしょ!」

閉め切った窓を通して、せかせかした足音と、品のない、大きな笑い声が響いてくる。急いで殺人現場へ向かい、戻ってくる、大勢の人間、いや、野次馬の集まりだった。

夫人は夫に、表の門を閉めてもらった。「あんな残忍な人たちに、入ってこられてたまるもんですか!」怒りもあらわに叫んだ。それから、「世の中には、なんだってああもたくさんくだらない人間がいるのかしら」と言った。

通りを行き来する人の流れは一日中続いていた。夫人は家から一歩も出なかった。バンティングは出かけていった。結局のところ、元執事も人間だったのだ——血が騒ぎ、色めき立つのも当たり前だった。隣人たちも皆然り。なのに妻は、こういったことを前にすると、おかしくなるんだ。何も話さなけりゃ食ってかかるし、詳しく話したら話したで、間違いなく不機嫌になるしな。

二時ごろ、下宿人が呼び鈴を鳴らしたので、夫人は簡単な午餐を用意した。下宿人にとっては朝食も兼ねたものだ。夫人が、客間へ続く階段をのぼりきったところでしばし盆を置いて足を止めると、音読する大きな声が聞こえてきた。氏のその声は甲高く、震えていた。

「女は彼に言う。盗んだ水は甘く、ひそかに食べるパンはうまい。然れども彼は、死の影がそこにあるを知らず。彼女の客は陰府の深みにおるを知らず」

夫人はドアの取っ手を回し、盆を持って室内へ歩を進めた。氏は窓辺に座っていて、その前に夫人の聖書が広げて置いてある。夫人が近づいていくと、氏は慌てて聖書を閉じ、メリルボーン通りの行き交う人々を見下ろした。

「今日はずいぶんと人通りがあるのですね」氏は振り返ることなく言った。

「さようでございますね」夫人は何の説明もせず、ただそれだけ返した。すると、下宿人がようやく夫人の方に顔を向け、嬉しそうな笑みを浮かべた。氏は、この礼儀正しく、口数少ない女性をとても好もしく思い、一目置くようになっていた。こんなふうに思えた女性は、久しくいなかった。

氏はチョッキのポケットから半ポンド金貨を一枚とり出した。夫人は、それが昨日氏の着ていたチョッキとは違うことに気づいた。「昨夜台所を使わせていただいたお礼に、この半ポンドを受けとっていただけませんか。なるべく汚さないようにはしたのですが、かなりこみ入った実験をしていたものですから」

夫人は、手を出したものの、一瞬ためらい、それから金貨を受けとった。

階段を降りていくと、くすんだ空に負けじと顔を出していた黄色く丸い冬の太陽に照らされ、夫人の手にしていた金色の塊が、血のように赤くきらめいた。少なくとも、夫人にはそう見えたのだった。

二

底冷えがする夜だった――ひどく冷えこみ、ひどく風も吹き、ひどく吹雪きそうだったので、むやみに出歩く者など一人もいなかった。そんな中バンティングは、実に喜ばしかった仕事を終えて家路を急いでいた。若い貴婦人の誕生日を祝うパーティーで給仕を務めてきたのだが、そこで素晴らしい幸運に出会えたのだった。その日財産を相続したくだんの若い貴婦人は、寛大にして驚くべきことを思いつき、雇った給仕それぞれに、ソブリン金貨を一枚ずつくれたのだ。

おかげでバンティングは、別の誕生日に想いを馳せていた。娘のデイジーが、今度の土曜日で十八歳になる。あの子に、この金貨の半分、十シリングを郵便為替で送ってやったらどうだろう。そうすれば、ロンドンへ来て、ここで誕生日を過ごせるじゃないか。

デイジーが三、四日もいれば、エレンの気も晴れるだろう。バンティングの歩調は緩み、その思いは、気にかかっていた妻のことへ向かっていった。最近妻は様子がおかしいようだが、一体どうしたのか。やたらとぴりぴりしてきて、「落ち着きがない」。だから、どう接していいかわからなくなるときがある。もともと物柔らかな女性では決してなかった――まあ、仕事ができて、誇り高い女性はまずそうだ――が、それでも、最近の妻はあまりにもらしくない。近ごろは、ひどくとり乱すこともあった。それで先日はついきつい言葉をぶつけてしまったが、すると妻は椅子に座りこみ、黒いエプロンで顔を覆って、いきなり泣きじゃくりだしたのだ。

しかもこの十日ほど、エレンは寝言を言っていた。「いいえ、いいえ、いいえ！」前夜などはそう叫んでいた。「そうじゃないわ！　そんなこと言ってない！　嘘よ！」そして、普段は物静かな気どった声に、ひどい怯えと苦々しさが混じってもいた。ああ、少しの間でもデイジーがいてくれれば、妻もきっと喜ぶだろう。いや、まったく！　なんて寒いんだ。しかもバンティングは、うっかりして手袋を忘れてきてしまった。そこで、少しでも暖めておこうと、両手をポケットに入れた。

そのときだった、スルース氏が、「自分たちに幸運をもたらしてくれた」とも言えるあの下宿人が、人気のない通りの反対側を歩いていくのが見えた。

氏は長身痩軀の背中を丸め、うつむいていた。右腕は、長いインバネスコートのケープの中に押しこんである。左腕は、ときおりさっと空気を切るように動いた。きっと、多少とも暖をとるためだろう。かなり急ぎ足だ。明らかに、下宿の主人が近くにいることには気づいていなかった。

バンティングは、下宿人に会えたことを喜んでいた。おしなべて心が満たされていった。信じられないような話だが、俺たち夫婦の生活が、見違えるほど幸せと安らぎに満ちたものになったのは、一風変わった、見るからに人目を引くあのお方のおかげではなかったのか。

言うまでもなく、バンティングは妻ほど下宿人とは顔を合わせていなかった。当の下宿人である紳士からは、自分が仕方なく呼ぶとき以外は、夫婦のいずれかを問わず、部屋にあがってこられたくないと、はっきり言われていた。だから、五週間前にスルース氏がやって来てからというもの、バンティングが下宿人の部屋へあがっていったのはわずかに一度きりだった。ちょうどいい機会じゃないか、どれちょっと世間話でもしてみるか。

年齢の割に壮健なバンティングは、きびきびとした足どりで通りを横切って行き、氏に追いつこうとした。が、バンティングが急げば急ぐほど氏も足を早め、しかも氏は、今やすっかり凍った通りに背後から響く足音が誰のものなのか、振り返って確かめることもしないのだった。

スルース氏自身の足音は、まったく聞こえなかった――考えてみれば妙だったが。あとでバンティングも、暗闇の中、妻の隣に横たわりながらまんじりともせずに思いを巡らせた。これはつまり、下宿人がゴム底の靴を履いていたことにほかならなかった。

追われる者と追う者という二人の男は、とうとう角を曲がってメリルボーン通りへ入ってきた。もう家までは百ヤードもない。そこでバンティングは意を決して呼びかけた。その声は、静まり返った空気の中でひときわ響いた。

「スルース様！　スルース様！」

下宿人が足を止め、振り返った。あまりにも急いで歩いていたうえに、体調も悪かったので、その顔からは汗が流れ落ちていた。

「ああ！　あなたでしたか、バンティングさん。背後から足音が聞こえてきたので、足を早めたんです。あなただとわかっていたら……。夜のロンドンには、怪しい輩がたくさんいますから」

「今日みたいな夜は大丈夫ですよ。こんな夜に外にいるのは、どうしても出かけなくちゃならない用事がある、真っ当な人間だけですから。それにしても冷えますね！」だがその後、おっとりして、人を疑うことを知らないバンティングの心に、いつの間にやらある疑問が忍びこんできていた。スルース氏は、一体どんな用事があって、こんなに凍てつく寒い夜に出かけなくちゃならなかったんだ？

「冷える、ですって？」下宿人は繰り返した。「そうは思いませんね。雪が降るときは、いつも暖冬ですから」

「さようでございますね。ですが、東からこんなに冷たい風が吹いていると、まったくもって骨の髄まで寒さが沁みますな！」

バンティングは、氏がいっこうに自分との距離を縮めようとしないことに気づいた。実に不自然だ。俺は建物の壁に沿って歩いているっていうのに、あの人はひたすら反対側――道路の端を歩いているんだからな。

「道に迷ってしまったのです」氏が突然言った。「プリムローズ・ヒルの向こうまで、友人を訪ねて行ったのですが、その帰りに、道に迷ってしまったのです」

さもありなん、とバンティングは思った。プリムローズ・ヒルからまっすぐ帰ってきていたなら、北から戻ってきて然るべきだが、最初に氏の姿に気づいたとき、氏は東の方から歩いてきていたからだった。

二人はもう、家の前の小さな門までやって来ていた。そこを入れば、古ぼけた、舗装された中庭だ。スルース氏が先に立って石畳道を歩いていく。だが元執事は、「失礼いたします」と言いながら、下宿人のために玄関のドアを開けようと、脇から下宿人の前にすっと進み出ていった。

その際、バンティングの素手――左の手の甲が、氏の着ていた長いインバネスコートのケープをさっとかすめた。すると驚いたことに、一瞬手が触れた伸縮性のある布地の部分が、すでに積もっていた雪片のせいで湿っていたばかりか、ひどく濡れていたのだ――しかも、べっとりと。

バンティングは慌てて左手をポケットに入れた。そして反対の手で、ドアの錠に鍵を差しこんだ。

二人は揃って玄関へ入っていった。家の中は、街灯に照らされた外の道に比べると、まるで漆黒の闇のようだった。そのとき不意に、バンティングは死の恐怖に見舞われた。すぐそばに、何か恐ろしい危険が迫っていることを本能的に感じたのだ。声が――ずいぶん前に亡くなり、最近ではめったに思い出すこともなかった先妻の声が、耳元で囁いた、「気をつけて!」

「申し訳ありません、バンティングさん、手が触れたときに、私のコートが汚れていて、嫌な臭いがするのに気づかれたのではないですか。お話しすれば長くなってしまうのですが、実は動物の死体に触ったのです――プリムローズ・ヒルのベンチに、死んだうさぎが横たわっていたのです」

氏の声はとても小さかった。囁いているかのようだった。

「いいえ。何も気づきませんでした。お召し物に触れてなどおりませんので」バンティングは、何か外からの力によって嘘を言わされているような気がした。そしてつけ加えた。「それでは、おやすみなさいませ」

バンティングは、下宿人が上階へ行ってしまうのを待ってから、自分たちの居間へ入っていった。そして腰をおろした。ひどく気分が悪かった。やがて、真上の部屋から氏の動き回る音が聞こえてきて、ようやく、左手をポケットから出した。ガスランプを灯し、左手をかざす。顔に近づけて見る。しみだらけの手には、血の筋がついていた。

靴を脱ぎ、妻が寝ている寝室へそっと入っていく。忍びやかに化粧台へ行くと、水差しに左手を浸した。

翌朝、スルース氏の主人ははっとして目を覚ました。手足が異様に重く、目も疲れていた。枕の下から時計を引っ張り出す。もうすぐ九時だ。妻ともども寝過ごしてしまった。バンティングは妻を起こさずに一人でベッドから出ると、鎧戸を開けた。大雪が降っていた。そして、雪が降るときのつねで、不思議なことにあたりはしんと静まり返っていた。ロンドンでさえそうだった。

バンティングは服を着てから、廊下に出てみた。玄関の敷物の上に、新聞と、手紙が一通置いてあった。郵便配達人のノックの音にも気づかずに眠っていたとは！ 新聞と手紙を拾いあげ、居間へ行った。それから後ろ手にそっとドアを閉め、手紙を傍らに置くと、テーブルいっぱいに新聞を広げて、ぐっと身を乗り出した。

ようやく顔をあげ、体をまっすぐに伸ばしたとき、バンティングの寝不足でぼんやりした顔には、なんとも言えないほっとした表情が浮かんでいた。間違いなく載っていると思った記事、紙面の中央に、大きな字で印刷されているに違いないと思っていた記事が、なかったからだった。

バンティングは新聞を畳んで椅子の上に置き、嬉々として自分宛の手紙を手にした。

大好きなお父さん（という言葉ではじまっていた）、お元気ですか。パドル夫人のところの末っ子が猩紅熱にかかって、おばさんから、すぐにここを離れて、二、三日お父さんのところへ行っていた方がいいって言われたの。エレンには、迷惑をかけないからって伝えておいてね。

お父さんを愛する娘
デイジーより

バンティングは素晴らしく幸せな気持ちになった。隣室へ歩いていくその顔には、満面の笑みが浮かんでいた。

「エレン！」大きな声で呼んだ。「聞いてくれ！ 今日デイジーが来る。あの家で猩紅熱が出たそうだ。それでマーサが、デイジーは数日あの家を離れた方がいいって言っているらしい。あの子はここで誕生日を迎えられるぞ！」

夫人は黙って聞いていた。目も開けずに。やがて、「今来られても困ります」とぴしりと言った。「山ほど用事があって、とても手なんか回らないんですから」

だがバンティングも、これで引きさがるつもりはなかった。あまりにも嬉しくて、妙に気が大きくもなっていた。それから、心の底で昨夜のことを思い返し、恥ずかしさと自責の念でいっぱいになった。なんだってあんな恐ろしいことを考え、疑ったりしたのだろう。

「いや、デイジーは来る」負けじと異を唱える。「そうしたら、仕事を手伝ってもらえばいいじゃないか。それにあの子がいれば、お前も俺も少しは気が晴れるだろう」

すると、ひどく驚いたことに、妻は何も言い返してこなかったのだ。そこでバンティングは、唐突に話題を変えた。「昨夜、下宿人と一緒に帰ってきたんだよ」と言った。「確かに、一風変わった紳士だな。わざわざプリムローズ・ヒルの向こうまで散歩に行くような夜じゃなかったのに、そんなことをしてたんだからな——本人が言ったんだ」

十時ごろには雪もやみ、午前中はゆっくりと過ぎていった。

そして、時計がちょうど十二時を告げていたとき、四輪馬車が門の前で停まった。デイジーだった——頬を紅潮させ、見るからに元気そうで、楽しげな瞳のデイジーを前にすれば、どんな父親の心も喜びでいっぱいになっただろう。「おばさんに言われたの、天気が悪かったら馬車に乗ってもいいって」デイジーが告げた。

馬車代を巡って、少々もめた。キングス・クロスはメリルボーン通りから二マイルも離れていないのは誰もが知っているのに、御者は一ポンド六ペンスも要求してきたのだ。若いご婦人を無事に連れてきてやったんだぞ、と含みを持たせて。

バンティングが御者と言い合っているうちに、デイジーはさっさと石畳道を歩いて、義母が待つ玄関へ向かっていた。

突然、静寂の中に大きな声がいくつも響いてきた。異様なまでに不気味な声が、雪のせいでくぐもった空気を鋭く切り裂いた。

「なんだ、あれは？」バンティングはびくりとし、不安な顔で聞いた。「一体どうしたっていうんだ？」

御者が声をひそめた。「キングス・クロスであった、おっそろしい事件のことで騒いでんのさ。今回はやっこさん、二人も殺りやがったんだ！　だから、料金をもっと弾んでくれたってバチは当たらねえって言ってんだよ。お嬢ちゃんの前じゃ黙ってたがよ。ロンドン中から野次馬が集まってきてんだぜ――あっという間にな。上流階級の連中もわんさかいたさ。けどまあ、今さら行ったところで見るもんなんざ何にもないけどな！」

「なんだって！　昨夜また女性が一人殺されたのか？」バンティングは恐怖に身を震わせているようだった。

御者が呆れた顔で見つめてきた。「言ったろ、二人って――数ヤードと離れてねえ場所でな。なんて図太てえ――」

「もう捕まったのか？」バンティングはおざなりに聞いた。

「ハンッ、まさか！　捕まりっこねえよ！　何時間も前に殺ったにちげえねえんだ――二人とも、石みてえに冷たくなってた。アーチがかかってる道の両端で一人ずつな。だからすぐに見つからなかったんだ」

耳触りな叫び声がどんどん近づいてきた――新聞の売り子が二人、互いに負けまいと大きな声をあげていた。「キングス・クロス近くでどえらいもんが見つかったぞ！」二人は得意げに怒鳴った。娘の鞄を持ったバンティングが、急いで石畳道を歩き、玄関を入っても、その言葉はついてきた。まるで薄気味悪い脅しのようだった。

バンティングは力任せにドアを閉め、その耳障りなしつこい怒鳴り声を締め出した。誰が新聞なんか買うもんか。あんな犯罪の記事は、メソジスト派の厳格なおばさんに、令嬢よろしく大事に育てられた箱入り娘、俺のデイジーみたいな娘が読むにはふさわしくないんだ。

こぢんまりした玄関広間に立ち、もう「大丈夫」だと自分に言い聞かせていると、デイジーの声――夢中でしゃべる高い声――が、ロンドンに来ることになった猩紅熱の話を、義母に長々としているのが聞こえてきた。だが、バンティングが居間のドアを押し開けたとき、娘のその声が明らかに不安を帯び、こう言うのが耳に飛びこんできた――

「やだ、エレン！　一体どうしちゃったの？　具合が悪そうよ！」妻のくぐもった声が続く。「窓を開けて――お願い」

バンティングは急いで部屋を横切っていき、窓を押しあげた。ちょうど新聞の売り子が家の前を通りかかったところだった。「キングス・クロス近くでどえらいもの発見――犯人の手がかりだ！」売り子たちは叫んだ。すると妻が、もうこらえきれないといった感じで、いきなり笑いだしたのだ。体を揺らしながら、我を忘れたかのように、ただひたすら笑いに笑った。

「お父さんてば、一体エレンはどうしちゃったの?」デイジーはひどく怯えているようだった。

「ヒステリーだ——きっとそうだ」バンティングは言葉少なに応じた。「水差しを持ってくる。ちょっと待ってろ」

バンティングは、すこぶる不愉快だったが、嬉しくもあった。妻の奇妙な発作のおかげで、今しがた抱えていた、うんざりするような不安どころではなくなったからだった。単純で、察しの悪いバンティングは、自分と妻がよもや同じ恐怖、同じ不安に苛まれているなどとは思ってもみなかった。

やがて、下宿人が呼び鈴を鳴らした。その音になのか、水差しの水をかけられるとの恐怖になのか、とにかく夫人はものの見事に反応した。すっくと立ちあがり、まだ多少震えてはいたものの、しっかりと落ち着きをとり戻したのだ。

夫人は階上へ向かった。足元が定まっていない。そこで震える手を伸ばし、崩折れないよう手摺をしっかりとつかんだ。階段をのぼりきったところでしばし様子をうかがい、それから下宿人がいる客間のドアをノックした。

だが、ノックに応じたスルース氏の声は寝室から聞こえてきた。「具合が悪いのです」暗鬱な声だった。「夕べ友人に会いに行ったときに風邪をひいたようです。お茶を一杯、部屋のドアの前に置いておいていただけると嬉しいのですが」

「かしこまりました」

夫人は階下へ行き、下宿人のためにガスコンロでお茶を淹れた。そんな妻を、バンティングは押し黙ったままじっと見つめていた。

午餐をとりながら夫妻は、デイジーをどこで寝かせるかとしばし話し合った。事前に、ベッドは居間に設えようと決めていたのだが、今のバンティングには、それを変えて然るべき理由がある。そこで、妻と娘が皿を片づけているときに、意を決して、さりげなく言った。「デイジーはお前と寝た方がいいと思うよ、エレン。俺が居間で寝るから」

エレンは何も言わずに受け入れた。

デイジーは気立てのいい娘だった。ロンドンが好きで、義母の役に立ちたいと思っていた。「洗い物はわたしがやるから、階下へは行かなくて大丈夫、ここにいてね」

バンティングが部屋の中をうろうろしだした。妻は、そんな夫の様子をそっとうかがった。あの人は一体何を考えているのかしら。

「新聞は買わなかったの？」とうとう妻が聞いた。

「新聞ならあるさ」そっけなく答える。「いつもとっている新聞がな。『テレグラフ』だ」その顔は、もっと聞きたいことがあるなら聞いてみろ、と言っていた。

「通りで何か叫んでたんじゃなかった？——ほら、わたしの具合が悪くなる少し前に」

だがバンティングは答えなかった。かわりに、台所へ降りる階段の一番上まで行き、大きな甲高い声をあげた。「デイジー！　デイジー、そこにいるのか？」

「ええ、お父さん」下から声が返ってきた。

「早くあがっておいで、台所は寒いんだから」

そしてバンティングは居間に戻った。

「エレン、下宿人はいるのか？　さっきから物音ひとつしないじゃないか。デイジーをあの人には会わせたくないんだ」

「あのお方は今日、体調がよろしくないの」妻は答えた。「少し前からベッドで横になっていらっしゃるわ。デイジーがあのお方と顔を会わせることなんてありませんよ。階下で洗い物を終えたあとも、やることはいっぱいあるんですから。あの娘に手伝ってもらいたいことがね」

「わかったよ」

暗くなってから、バンティングは外へ行き、夕刊を買った。そして、屋外の肌を刺すような寒さの中、街灯の下に立って読んだ。殺人者に結びつく手がかりが何なのかを知りたかったのだ。

が、それは手がかりとも言えないようなごくわずかなものだった——雪泥に残る、かなりすり減ったゴム底の靴跡にすぎなかった。しかも当然のことながら、それが、キングス・クロス駅近くのアーチの下で二人の不運な女性の命を瞬時に、そして無残に奪い去った殺人者の履いていたブーツなり靴の跡だという確証もなかった。その新聞の特別捜査官が指摘しているように、そんな靴底の靴を履いている人間など、ロンドンには数え切れないほどいる。バンティングはその厳然たる事実にほっと胸をなでおろした。そして、ここまできっぱりと断言してくれた特別捜査官に感謝した。

家へ戻っていったときだった、中庭と通りを仕切る低い壁の内側から、妙な音が聞こえてきた。いつもなら、すぐに中庭へ入っていき、誰であれそこにいる人間を道路へ追い払っていた。だが今は、通りに立ち尽くしていた。不安と懸念のあまり、気分が悪くなる。ひょっとして我が家は監視されているのか——もう警察は知っているのか？

だが音の主はほかでもない、スルース氏だった。下宿人がいきなり、壁の奥から石畳道へと姿を現したので、バンティングはいたく驚いた。下宿人は茶色い紙の包みを抱えている。氏が足を踏み出すたびに、履いている新品のブーツが軋み、石畳に当たる木製のかかとの音がカツン、カツンと響いた。

バンティングは依然として、下宿人からは見えない門の外側にいた。そして不意に悟ったのだ、下宿人が壁の向こう側で何をしていたかを。氏は、出かけていってブーツを買い、戻ってきて門の内側でこっそり履き替えてから、新しいブーツを包んでいた紙で、古い履物をくるんでいたのだ。

バンティングは、スルース氏が家に入ってしまうまで待った。それから自分も石畳道を歩いていき、ドアの掛け金と鍵をはずした。

その後の三日間、バンティングは毎日、起きている間ずっと、当然のことながら恐怖と不安に苛まれ続けた。バンティングに言わせれば、ほぼどんな選択肢でも構わなかったのだ、自分がとるべき唯一の道だとほとんどの人が思うもの以外であれば。こんな恐ろしい事件に巻きこまれたことが公になれば、俺もエレンもおしまいだ、とひとりごちた。噂は、俺たちが死ぬまでついて回るんだ。

しかも、心の中ではつねに自問もしていた。この恐ろしい疑念を、エレンに話すべきだろうか、と。自分にとって明々白々となっていることを、いつまでも世間から隠しおおせるとはとても思えなかった。かといって、妻が自分のように聡明だとも思えなかった。しかしバンティングは気づいてすらいなかったが、その妻は、今までと変わりなくスルース氏にきちんと仕えてはいたものの、下宿人のことをまるで口にしなくなっていたのだ。

一方スルース氏は、階上に引きこもっていた。完全に外出をやめてしまったのだ。そして下宿の女主人には、依然としてすこぶる具合が悪いと告げていた。

デイジーも悩みの種だった。なんとか家から遠ざけたい、だがとても目を離せそうもないこの娘が、困ったことに下宿人のことを知りたがりだしたのだ。

「あの人ってば、一日中一人で何してるのかしら?」デイジーが義母に聞いた。

「そうね、今は聖書を読んでいらっしゃるんでしょ」義母は非常に素っ気なく言い放った。

「へえ、信じられない！　紳士に似つかわしくないことしてるのね！」デイジーが遠慮もなく評したが、義母はそれを冷たく鼻であしらった。

三

デイジー十八歳の誕生日の朝は、平穏無事に明けた。父親は、十八歳の誕生日を迎えたらあげると前々から約束していたものを贈った――腕時計だ。銀製の小ぶりで可愛い腕時計は、バンティングがまだ幸せだった最後の日に、中古で買い求めたものだった。今思うと、ずいぶんと遠い昔のことのような気がした。

バンティング夫人は、銀製の時計など贅沢極まりない贈り物だと思ったが、夫とその娘のすることに口出ししないだけの良識はつねに持ち合わせていた。それに、今はほかのことで頭がいっぱいだった。夫が何か疑っているようで気が気ではなくなってきていたし、不安と心痛から四六時中緊張が解けなかった。あのお方が愚かしいことをしでかしたらどうなるのかしら――ひょっとして、わたしたちまで警察沙汰に巻きこまれるとか？　そんなことになったら、間違いなく、夫もわたしも破滅だわ。でも、ほら――今までは誰にもわからなかったじゃない！　ともあれ、夫がその疑念を人に明かす心配は絶対になかった。

デイジーの誕生日は土曜日だった。午前も半ばを過ぎたころ、エレンとデイジーは階下の台所へ行った。バンティングは、スルース氏と自分の間にはほんの一階分の階段しかないと思うと居ても立ってもいられず、黙ってそっと家を出ると、自分が嗜む一オンスの煙草を買いに行った。

この四日間、バンティングは行きつけの場所へ立ち寄らないようにしていた。だが困ったことに今日はどういうわけか、人恋しくてたまらなかった――それも、エレンやデイジー以外の人が。だからつい、エッジウェア通り近くの、賑やかな小路へ足が向いた。普段よりもかなり人が多かったのは、近所のおかみさんたちが、日曜日に備えて買い物に出てきていたからだった。

バンティングは煙草屋の主人に挨拶をし、二人してよもやま話に興じた。だが元執事が驚いたことに、煙草屋の主人はあの話題――この辺り一帯で依然人の口にのぼっているはずの話題については、一切触れなかった。

やがて、カウンターのそばに立ったまま、手にした煙草一箱の代金もまだ払っていなかったバンティングの目に、まったくもって突然、妻の姿が飛びこんできた。開け放った店の入り口から見える妻は、向かいの青果物店の前に立っていた。バンティングは死ぬほど驚き、謝罪の言葉を口にするや煙草屋を飛び出し、通りをわたった。「エレン！」息を切らし、かすれた声で言う。「お前、よもや俺の大事な娘をあの家に一人残して出てきたんじゃないだろうな？」

夫人が一瞬にして顔色を失った。「あなたがいると思ったから」夫人は言った。「あなた、いたでしょ。なんだって出かけてきたりしたのよ？　わたしが家にいるか確かめもしないで！」

バンティングは何も答えなかった。だが、じりじりする沈黙の中で睨み合っているうち、二人は互いに、相手が気づいていたことに気づいた。

二人はさっと向きを変えると、家を目指して慌てて駆け出した。

ところが不意にバンティングが「走るな！」と言った。「早歩きでもすぐに着ける。みんなが見てるぞ、エレン。走るんじゃない」

バンティングは息もたえだえだ。しかし、そんなふうに息をするのも辛かったのは、早足で歩いていたからではなく、不安と胸騒ぎのせいだった。

ようやく自宅の門までたどり着いた。バンティングは、前にいた妻を押しのけた。なんだかんだ言って、デイジーは俺の子なんだ――エレンには、俺の気持ちなんぞわかるものか。そしてほとんど一足飛びに玄関まで行くと、うまく動かない手でしばし格闘し、やっとの思いで掛け金と鍵をはずした。ドアが開く。

「デイジー！」バンティングはけたたましい声で叫んだ。「デイジー、どこだ、どこにいる？」

「ここよ、お父さん。どうしたの？」

「無事だった！」バンティングは土気色の顔を妻に向けた。「あの子は無事だったぞ、エレン！」それから廊下の壁に身を預け、しばしじっとしていた。「死ぬかと思ったよ」とつぶやき、ついで妻をいさめた。「あの子を怖がらせるんじゃないぞ」

デイジーは居間にいた。暖炉の前に立ち、鏡に映った自分の姿をうっとりと眺めていた。そして、「ねえ、お父さん」と振り返らずに話しだした。「わたし、下宿人に会ったの！　本当に素敵な紳士ね――まあ、確かに、変わった人みたいだけど！　エレンに用事があって降りてきたから、少しだけど楽しくおしゃべりしたのよ。誕生日のことを話したら、今日の午後マダム・タッソー館に行こうって誘われたの」デイジーは、ほんの少し照れたように笑った。「見るからに偏屈そうだし、最初はすごく変な話し方だったわ。『誰なんです？』って。なんだか脅されてるみたいだった。それでわたし、『バンテイングの娘でございます』って返事をしたの。そうしたら『とても幸運なお嬢さんですね』――本当にあの人が言ったのよ、エレン――『あんなに素敵な義理の母上がいらして』って。『だからですね、あなたがそんなにも善良で心が清らかに見えるのは』それから、祈祷書か何かを引用したの。『つねに純潔たれ』わたしに向かって頭を振りながら言ったわ。『神よ！』ですって。おばさんのところに戻ったみたいな気がしちゃった」

「下宿人と出かけるなんて許さんぞ――絶対にだ」押し殺したバンティングの声には、苛立ちが滲んでいた。一方の手で額をぬぐい、もう一方の手は無意識に小さな煙草の箱を握りしめる。このときになって初めて、代金を払っていなかったことを思い出した。

デイジーはふくれっ面をした。「お父さんてば！　誕生日なんだから、好きにさせてくれたっていいでしょ！　わたし、あの人に言ったの、マダム・タッソー館に行くなら、土曜日はやめた方がいいと思いますって――少なくとも、わたしはそう聞いたから。そしたら、ほかの人たちがまだ昼食をいただいているうちに早く行きましょうって言われたの。あなたにも来てほしいんですって」デイジーは義母の方を向き、楽しそうにくすくす笑った。「下宿人はあなたのこと、とっても気に入ってるのね、エレン。わたしがお父さんだったら、きっとすごく妬けちゃうわ！」

そこでデイジーの話を遮るように、ドアをノックする大きな音が響いた。夫妻は、怯えたように顔を見合わせた。

だが、ドアの向こうにスルース氏の姿のみを認めると、奇妙なことに、夫妻は心の底からほっとしたのだった。そのスルース氏は、出かける身支度を整えていた。初めてこの家にやって来たときに被っていたシルクハットを手に持ち、重そうな外套を着ている。

「お帰りになるのが見えたものですから」氏がおずおずとした、甲高くてか細い声で夫人に話しかけた。「それで、これからお嬢さんもご一緒に、マダム・タッソー館へ行かないかとお誘いに降りてきたのです。有名な蠟人形館ですし、前々から話には聞いていたのですが、まだ一度も見たことがないのですよ」

バンティングは、勇気を奮い起こして下宿人を見つめ、そのうちにふと思った。そりゃあ確かに、ほんのちょっと前までは俺も信じていたが、やはりどう考えたところで、こんなに品があって、物腰の柔らかい紳士が、残虐で狡猾な怪物のはずがないじゃないか！

そして、例えようもなくほっとした。

「ありがたいことです、旦那様。本当にお優しい」バンティングは妻と目を合わせようとしたが、妻は顔を背け、空を見つめていた。当然のことながら、妻は買い物に出かけたときのまま、今もまだボンネントを被り、ケープを羽織っている。デイジーはもうすでに、帽子を被って、コートを着ていた。

夫人にとって、マダム・タッソー館はこれまで、楽しい思い出の場所だった。執事の夫とつき合っていたころはよく、「午後の外出時間」をここで過ごしたものだった。この蠟人形館の従業員の中に、ホプキンズという名前の男性がいたのだが、執事の知り合いだったので、「執事本人と同伴女性」のために無料券をくれることがあった。だが、この巨大な建物のすぐ近くと言ってもいいような場所に暮らしはじめてからというもの、中に入るのは今日が初めてだった。

ちぐはぐな組み合わせの三人が、見事な階段をのぼって最初の展示室へ入ると、そこでいきなり、スルース氏が足を止めた。奇妙な動かぬ物体、生きながら死んでいるその存在に、驚き、恐れをなしたようだった。

下宿人が二の足を踏み、バツの悪そうな顔をしていると、それを知ったデイジーがすかさず言った。

「ねえ、エレン、最初に恐怖の部屋へ行きましょうよ！あの部屋には入ったことがないんだもの。前に一度だけここに来たときは、おばさんがお父さんに約束させてたのよ、絶対にわたしをあの部屋へは連れていかないって。でももう十八歳なんだもの、好きにしていいでしょ。それに、おばさんにはわかりっこないんだし！」

スルース氏は、デイジーを見下ろした。

「そうですね。恐怖の部屋へ行きましょう。いい考えですよ、お嬢さん」

三人は、ナポレオン時代の遺物が展示されている広い部屋へ向かい、そこから続く、奇怪な地下墓所のようなところへ入っていった。死んだ犯罪者たちの蠟人形が、何体かずつまとまって、木の台の上に立っている。バンティング夫人は途端に、居たたまれなくなってきたが、夫の古い知り合いのホプキンズを見つけてほっとした。恐怖の部屋の手前の回転木戸のところで、部屋へ入る客から追加料金を受けとる仕事をしている。

「おや、ずいぶんとご無沙汰ですね」ホプキンズが嬉しそうに声をかけてきた。「ここでお目にかかるのは、バンティングの奥さん、確かご結婚以来初めてのはずで！」

「ええ、そうですわね。これが夫の娘のデイジーですの。お聞きになっていると思いますけど、ホプキンズさん。それからこちらが」――夫人はしばしためらった

――「我が家に下宿していらっしゃるスルースさんですわ」

だがスルース氏は顔をしかめると、ぎこちない動きでその場を離れ、デイジーも義母を残して、氏のもとへ行ってしまった。

夫人は六ペンス銀貨を三枚置いた。

「少々お待ちください」ホプキンズが言った。「今はまだ恐怖の部屋に入れないんです。まあ、せいぜいあと四、五分ほどですが。いえ、実はですね、中に、我らがロンドンのお偉いさんがいらして、大事なお客さんを案内して回ってるんですよ」それから声を潜めた。「ジョン・バーニー卿ですよ――知ってますよね、ジョン・バーニー卿のことは?」

「いいえ」夫人の返事はそっけなかった。「聞いたこともないわ」少し――本当に少しだけだが――デイジーのことが心配だった。自分の目と耳が届くところに置いておきたかった。なのにスルース氏が、部屋の反対側まで連れていこうとしていた。

「それなら、ずっと関わらない方がいいですよ――特に、個人的に関わっちゃ絶対ダメです」ホプキンズはにやりとした。「警視総監ですからね――ジョン・バーニー卿は。で、その警視総監が案内して回ってる紳士の一人が、パリの警視総監なんです。その人の仕事も、言ってみれば、ジョン卿のとまったく同じですね。そのフランス人が、娘さんを連れてきてるんですよ。ほかにもご婦人方が何人か。ご婦人方は、いつでもおっそろしいものが好きですからね。ここで何度聞いたことか。『ねえ、恐怖の部屋へ連れていって!』――この建物に入ってくるなり、皆さん、そう言うんですよ」

恐怖の部屋から、ひとかたまりの人々が話したり笑ったりしながら回転木戸へ向かってきた。

バンティング夫人は、緊張しつつ見つめた。ホプキンズさんが、絶対個人的に関わらない方がいいと言ったのはどの人なのかしら。それはすぐにわかった。長身で、見るからに逞しく、顔形の整った紳士で、いかにも人の上に立つ感じがした。そして今は、笑いながら年若い令嬢の顔をのぞきこんでいた。「ムッシュ・バーバルーのおっしゃる通りですな」くだんの紳士は言っていた。「英国の法律は犯罪者に、それも特に殺人者に甘過ぎます。フランス式の裁判を行なっていたら、今あとにしてきた部屋は、もっと混んでいたでしょうな。それこそ今日の比ではない!　我々が有罪確実と思った者が、しばしば無罪となり、世間からは、『また未解決の事件が増えた』と揶揄されるのです!」

「それはつまり、ジョン卿、人を殺めた犯人でも無罪放免になることがある、ということですの？　先々月から立て続けに起こっている、あの恐ろしい殺人事件の犯人は、絶対捕まえてくださいましね。もちろん、私、詳しいことは存じませんの、父が、事件に関するものは一切読ませてくれませんので。でも、気になって仕方ないんですの！」まだ幼さの残る令嬢の声が響き、バンティング夫人の耳にはその一言一句がはっきりと聞こえた。

一緒にいた人間が周りに集まってきていた。警視総監が何と応じるのか、皆、耳をそばだてる。

「そうですな」もったいぶった口調。「思うに、我々としては——おおっと、新聞記者にはご内密に願いますぞ、ローズ嬢——問題の殺人者の正体は、完璧に摑んでおるかと——」

周囲に立っていた人たちの中から、驚きと不信の声があがった。

「でしたら、どうして逮捕なさいませんの？」令嬢は声を尖らせた。

「奴の居場所を突き止めた、とは言いませんでしたぞ。正体を摑んだと言っただけです。いや、むしろ、非常に怪しいと睨んでおる輩がいる、と言うべきかもしれませんな」

すると、ジョン卿のフランス人同業者がさっと顔をあげた。「ハンブルクとリバプールの男か？」訝しげに聞いた。

ジョン卿が頷いた。「さよう。あなたなら、あの事件のことはご存知では？」

そして、自分の心からも聞き手たちの心からももうこの話題を追い出したいと言わんばかりに、続きをまくし立てた。

「八年前、二件の殺人事件がありました——一件はハンブルクで、もう一件はその直後にリバプールで。そして、この二件が明らかに同一犯の手によるものであることを示す、ある特徴が認められたのです。幸いにも、犯人は現行犯逮捕されました。リバプールの犯行は室内で行われたのですが、犯人はちょうど被害者宅から出てきたところだったのです。私はこの目で、その不幸な男を見ました——不幸というのは、その男が明らかに狂っていたからです」——ジョン卿はそこで躊躇し、声を潜めて言葉を継いだ——「ひどい宗教狂いでしてな。私自身、かなりじっくりとこの男を観察しました。ところがです、ここへきて、実に興味深いことが起こったのですよ。この狂人犯が、いや、もちろん我々には、奴を監視する責任があるわけですが、収容されていた精神病院から脱走したのです。奴は、並外れた抜け目のなさと賢さで、すべての手はずを整えました。本来なら、もうとっくに捕まえていたはずなのですが、なんと脱走する際、かなりの額にのぼる金貨を盗んでいきましてな。病院の職員に払う予定の賃金でした」

再びフランス人が口を開いた。「なぜ人相書きを配らなかったんだね?」

「配ったのだよ、一度は」――ジョン・バーニー卿はいささか暗い笑みを浮かべた――「警察内部にだけな。市民にはとても配れんよ。まあ、結局のところ、間違っているのかもしれんがね」

「そんなことはまずないだろう!」フランス人の顔から、かすかに皮肉な笑みがこぼれた。

しばらくすると一行は、一列に並んで回転木戸を通り抜けてきた。先頭はジョン・バーニー卿だ。

バンティング夫人は、まっすぐ前を見つめていた。どんなにそうしたいと思ったところで、下宿人に危険が迫っていることを知らせる時間も術もなかった。

しかもいまや当人が、デイジーを連れてこちらへ向かってきている。警視総監めがけてまっすぐに。このままではすぐに、スルース氏とジョン・バーニー卿は鉢合わせしてしまう。

と、不意にスルース氏が逸れた。その青白い細面は、ひどい形相に変わっていた。周章狼狽、憤怒と恐怖で鉛色になっている。

だがバンティング夫人が胸をなでおろしたことに――本当に、言葉にできないほど安堵した――ジョン・バーニー卿は友人たちとともに、そのまますっと通り過ぎていった。一行は、スルース氏など歯牙にもかけず、まったく気づかないままに行ってしまった。というか夫人の目には一行の態度が、自分たち以外その部屋には誰もいないかのごときものに映ったのだった。

「さあ、早く行きな、バンティングの奥さん」回転木戸番が言った。「あんた方三人の貸切だよ」先刻までの、いかにも木戸番といった口調から、昔馴染みのそれに変わっていた。そして、愛らしいデイジーに向かって優しく話しかけたときには、ホプキンズの中の男性が顔を出していた。「どういう風の吹き回しかな、あんたのような若いご婦人が、あんな身の毛もよだつ恐ろしいものを見に行きたがるのは」と、からかうように言ったのだった。

「バンティング夫人、しばしこちらに来ていただけますか?」言葉は、スルース氏が喋ったというより、その口から噛みつくように飛び出してきた。

下宿の女主人は、たじろぎつつ歩を進めた。

「あなたと話すのはこれが最後です」下宿人の顔は、恐怖と激情にゆがんだままだった。「あなたはおぞましい裏切りを働いた。その結果から逃れられるなどとは思わないことです。信じていたのですよ。なのにあなたは、私を謀った！　だが、私にはまだやるべきことがある。だから大いなる力に守られているのです。ついには、あなたはにがよもぎのように苦く、もろ刃のつるぎのように鋭くなる。その足は死に下り、その歩みは陰府の道におもむく」こんなわけのわからない恐ろしい言葉を口にしながらも、スルース氏は周囲に注意を払い、あちらこちらへ視線を向けては、逃げ道を探していた。

そしてようやくその目は、カーテンの上に設置された小さな掲示板を認めた。そこには「非常口」と書かれていた。氏は、下宿の女主人の傍を離れると、回転木戸の方へ歩いていった。ひとしきりポケットを探り、木戸番の腕に触れる。「気分が悪いのです」恐ろしく口早に告げた。「どうしようもなく悪いのです！　この部屋の空気のせいです。なんとかして早急に出していただきたいのですが。こんなところで気を失うなど、嘆かわしいですから——特に、ご婦人方がいらっしゃるところでは」氏はさっと左手をポケットに入れると、先刻探ったものを相手のむき出しの手のひらに置いた。「あそこに非常口があります。あちらから出てもよろしいですか？」

「ええ、まあ、旦那。大丈夫だと思いますがね」だがホプキンズは、すぐには決心がつかなかった。わずかに、ほんのわずかにだが、不安を覚えたからだった。デイジーを見ると、バラ色に輝く顔で微笑んでいる。屈託もなく、幸せそうだ。ついで、バンティング夫人を見た。真っ青だった。だが、自分のところの下宿人が急に具合が悪くなったのだ、心配するのは当然だろう。ホプキンズは、手のひらにある半ポンド金貨の感触を味わい、心が弾んだ。あの警視総監は、半クラウンしかくれなかったぞ——ごうつくばりのけちな外国人め！

「いいでしょう、かまいませんよ」ついに言った。「鉄でできたバルコニーがあるから、そこに立って、しばらく外の風に当たってりゃあ、じきに気分もよくなるでしょう。ただ、もう一度中に入りたいときは、正面へ回ってもらわなきゃならないんで。非常口のドアはどれも、外からは開かないようになってるんでね」

「ええ、ええ」スルース氏はせわしなく答えた。「承知してますとも！　気分がよくなったら、正面の入口から入りますし、また一シリング払います——それが公平というものです」

「お代は結構ですよ、事情を話していただけりゃあ大丈夫です」

スルース氏は非常口へ行き、カーテンを開けると、肩でドアを押した。勢いよく開くドア。外の明るさに一瞬目がくらんだ氏が、手をかざした。

「ありがとうございます」氏は言った。「ありがとう。これでもう大丈夫です」

五日後、バンティングはリージェンツ運河からあがった男性の溺死体の身元を確認した。あの下宿人の遺体だった。そして翌朝、リージェンツ・パークで働く庭師が、何かを包んだ新聞紙を見つけた。中から出てきたのは、ゴム底のかなりすり減った靴が一足と、メスが二本。この事実は、どの新聞でも報じられなかったが、ほぼ同じころに、別のちょっとした記事が掲載された。なんとも変わった話で、孤児養育院の院長宛てに匿名で、ソブリン金貨の詰まった小さな箱が送られた、という内容だった。

バンティング夫妻は現在、ある老婦人に仕えている。老婦人は夫妻に対して畏敬の念を抱き、夫妻のおかげで日々をつつがなく過ごしている。

映画「下宿人」(1927)より

ショートショート

アイリーンの肖像

高野史緒

どなたかこれをお読みの諸賢のうち、良い画家をご存じの方はいらっしゃらないだろうか。
私は肖像画家を探している。我が妻アイリーンの至高の姿をこの世に留め得る画家、彼女の美に相応しい才を持った画家を。かの麗しい姿がこの世から失われてしまう前に、画布にその名残を記す者を。

我が妻アイリーン、その名を口にするたび、私は初めて彼女に出逢った時と同じ心の震えを覚え、喜悦する。その姿を目にするたび、天使イズラフェルの竪琴も顔色ながらしめるその声を聴くたび、私は幾度でも恋に落ちるのだ……。アイリーン。この世の全ての佳きもの合わせても、彼女の爪先にも及ぶまい。天はいかなる気紛れによってかの女神を作り給うたのか。それはこの世の神秘にして決して解き明かされることのない謎なのだ。

失礼した。私がアイリーンのことを語り始めると、留まるところを知らない。そう、私はアイリーンの肖像を正しく描ける画家を探しているのだ。彼女が死の病に斃《たお》れてから、もう一年になろうとしている。力弱き医師たちはいずれも、その命は今年の降誕祭まで保たないであろうと死神の言葉を口にするばかりだ。事実、アイリーンは日々弱ってゆく。その翠玉石《エメラルド》の瞳には翳が射し、清浄な朝焼けのごとき頬は蒼褪めた。

ああ、我がアイリーン……。彼女がこの世に留まることが何よりの解決だが、それが叶わぬのであれば、せめてその姿を留めたいと願うのは間違いなのだろうか。せめて、せめて肖像画の一枚も遺して欲しいと願うのは思い上がりなのだろうか。ああ、主よ、その御心の行われんことを！

なにがしかの画家を推薦してくれた方々には感謝しよう。だが残念なことに、そのうちの誰一人として、私の希望を充たす者はいなかった。私も幾多の画廊を巡り、個人の蒐集室を訪ね、果ては絵入りペニー新聞の挿絵に至るまで、ありとあらゆる絵を検討し、画家を探したのだ。ジョージ・フレデリック・ウォッツ、ジョーゼフ・クラーク、ウィリアム・クウィラー・オーチャードスン、アーサー・ヒューズ、ジョシュア・レノルズ、ジョン・エヴァレット・ミレイ、ジェームズ・ティソ、ウィリアム・フレデリック・イームズ、ジョン・ウィリアム・ウォーターハウス、ジョン・シンガー・サージェント、ウィリアム・ホールマン・ハント、フィリップ・ハーモジェニズ・カルデロン、バーン・ジョーンズ……。なるほど、みな確かに優れた画家だろう。しかし、アイリーンの肖像に相応しい画家はいなかった。ダンテ・ゲイブリエル・ロセッティやフレデリック・レイトンはいかがかと幾度も言われはしたが、しかし彼らとて、アイリーンの描き手としては役者不足の誹《そし》りをまぬがれないのだ。大陸の画家はなおさら取るに足りなかった。仏蘭西《フランス》人の描く女など、みな淫売ではないか。

私は思い出す。かつて、ロンドンの屋敷に住まわせていた無名の画家を。不品行の末その徒食者は放逐してしまったが、あの男が大成していれば、いずれは私の求めに応じる実力を携えていただろう。

今よりいくばくかは若かったおのれの判断力を悔やむばかりだ。しかし、あの画家が大成しているという保証もまた無いのである。空想に逃避している時間は無い。

写真という手段。そう、写真、写真だ。私もそれは考えた。もちろん考えたのだ。写真ならば短時間で済む。モデルとなるアイリーンにも負担にはなるまい。私は乾板写真の名手たちをマナー・ハウスに招き入れ、彼らに何枚もの写真を撮らせた。その中には女王陛下の御真影を手掛けた者もいた。だが出来上がった写真を見た時、私は絶望のあまりその場に倒れ伏した……。何という事だろう、そこには色のない褥に横たわった死人の様な女人があるばかりだったのだ。私は彼らの最後の一人を屋敷から送り出した後、暖炉でその写真を全て焼いてしまった。

写真が「光が《フォト》」「描くもの《グラフ》」というのは嘘だ。写真が映し出すのは影だ。影そのものだ。ただ魂の入れ物たる肉の身体の虚像を紙の上に焼き付けるだけのものだ……

肖像画とは何であろうか。それはただ姿形を映すにのみならず、そのモデルの内面をも表わさねばならない。そうして初めて、ただの絵は肖像画と呼ばれ得るのではないだろうか。ああ、我がアイリーンの慎ましやかにして情熱を秘めた瞳、魂の高潔さ、高貴さ、思慮深さ、アテナイの丘のごとき乳房、星を宿すかのごとき睫毛よ。髪色は夜には夜空の如く漆黒に深まり、昼には金の香気を帯びた虎眼石《タイガーズアイ》のように輝く。彼女の肖像画は、その全てを正しく映し出していけなければならないのだ……

主よ褒むべかな！　私は全身を主の御前に投げ出し、伏して永遠の感謝を捧げる！　主は私の二番目の願いを聞き入れ給うたのだ。すなわち、例の画家が見つかったのだ。バジル・ホールウォードは以前と変わらず無名のまま、しかしどうにか肖像画家としての生計を立てつつ、ロンドン近郊の街に工房を構えていたのだった。ヘンリー・ウォットン卿の仲介により、私はついに彼を我がマナー・ハウスへと招くことができた。無名とはいえ、やはりホールウォードは優れた肖像画家だった。ヘンリー卿のカントリー・ハウスに飾られた作品は美しくも実に真実味を帯び、ヘンリー卿の皮肉と逆説的見識に満ち、快楽主者の顔をも持つ複雑な内面を写し取っていたのである。

私はささやかな準貴族に過ぎない我が身に可能な限り

の報酬を彼に約束し、ホールウォードはかつての不品行を私に詫び、我々は手を取り合って最善を尽くす誓いを立てたのである。

翌日さっそくに、私はアイリーンの病室にホールウォードの画架を運ばせた。アイリーンもホールウォードの腕を信じて、褥の上から弱々しい微笑みを送ったのである。


如何なる奇跡が行われたのだろうか？　画布にアイリーンの輪郭が宿り、髪が靡《なび》き、その表情が少しずつ現れて行くにつれ、彼女の両頬に僅かながら赤みが戻ったのだ。ホールウォードは病床に伏したままのアイリーンをその惨めな姿のまま描かず、生き生きとした立ち姿で描いていた。彼は片方《かたえ》に婚礼の日の衣装を広げさせ、瑞々しい花嫁の姿で我が妻を描き、それをアイリーンの衣とし、二人で永遠の愛を誓ったあの日。ああ、あの日、まさかこれほど早く死が二人を分かつ時が来ようとは夢にも思わなかった。しかし、いつかまた死が二人を結び合わせる日がやって来るのだ。花嫁としての彼女は、その未来の約束――私の死――のためのものだった。


肖像画が少しずつ完成に近づくと、ホールウォードはまた少し、頬に紅を差し、瞳に光を描き加えた。するとどうだろう、アイリーンの顔色は、それに釣られるように、また少し生き生きとし始めたのだ。私は目を疑った。気のせいではなかった。アイリーンの顔色は本当に、肖像画そっくりに明るんだのだ。それは奇跡の前兆なのだろうか。それとも、夜を疾《と》く往《ゆ》く流星然《さ》ながらに、白鳥の歌の輝きなのだろうか。

しかし、ある朝彼女が褥の上に半身を起こした時、私は奇跡を確信したのだった。


「旦那さま」

ある日ホールウォードは、絵の具にまみれた画着《スモック》を脱いで片腕にかけ、決然とした口調で言った。

「作品はもはや私の手を離れました。これ以上一筆たりとも加えることも削ることもなりません。私は今まで自分の最高傑作は友人のD＊＊を描いたものだと思っていましたが、この作品はそれを超えました。奥様の全て、その高貴な内面から産毛の一本一本に至るまで、全ての真実を写し取った肖像画です。どうかお納め下さい」

彼の言う通りだった。画布の上には、紛うことなきアイリーンの姿があった。私は彼に心の底からの礼を述べ、約束の報酬に加え、金のブローチと指輪を与えた。

多くを語るのはよそう。私にはもう言葉もない。いや、私に無いのはもはや言葉だけではない。私は全てを失ったのだ。

アイリーンは身罷《みまか》った。そう、死は彼女を私から奪って行ったのだった。

葬儀が行われ、私は泣いた。

私の詩想はアイリーンと共に死んだ。

彼女は今、我が父祖らと共に、雪の降り積む奥津城に眠っている。

私の手元には一枚の肖像画だけが残された。まだ絵の具が乾いたばかりの、額装もしていない、画架に架けられたままの、一枚の絵。アイリーンに生き写しの絵。私はただ、その前で過ごしている。使用人たちも、私の邪魔をしないように息を殺している。

アイリーン。我が妻アイリーン。至上の存在。肖像画がもたらしたかに思えた奇跡は、一時のものに過ぎなかった。あの時紅を差した絵も、今では蒼褪めて見える。

いや、色を失って見えるのは絵ばかりではない。全てが灰色だ。かつて、二人で見る雪景色は輝きを帯び、私は無限の修辞を以てそれを賛美した。しかし今は、何もかもがただ灰色に埋め尽くされて見える。庭園も、森も、野も、私自身も、全てが灰色だ。冷たく、力を失い、死体のようだ。

私は暗い世界の中で、少しでも明かりを求めようとするかのように、ただアイリーンの肖像を見つめた。せめてあの頬が薔薇色に見えたなら……

私の涙は枯れ果て、世界は色を失ったままだ。

私はただ、アイリーンの肖像を見つめて暮らす。この上なく正しくあの美を写し取った肖像を。

その相貌は世界と一緒に蒼褪めている。せめてこの絵が、かつてのように、生き生きとした顔色に見えればよいのだが。何故こんなにも悲し気なのだろうか。私の絶望が世界を覆いつくしているせいだろうか。今はただ、呆然とその前に立ち尽くす。

私の絶望はあまりにも大きい。アイリーンの肖像は、気のせいか、幾分かやつれたように見える。

私は愕然とした。アイリーンの肖像の眼窩が落ち窪んでいるのだ。頬はこけ、幾分か口が開いて見える。気のせいではなかった。私の絶望のせいでもない。ああ、そうだ、見間違いではない。これはいったいどうしたことだろうか。

私は今朝、すっかり変わり果てた絵を見て、ついに事実を悟った
アイリーンの肖像の頬に、蛆虫の群れが広がりつつあった。
アイリーンの肖像。それは正確に彼女の姿を写していたのだ。あまりにも正確でありすぎたのだ。正確でありすぎるが故、今それは、棺の中のアイリーンの姿をそのまま写しているのだ……

皮が垂れ下がり、骨ばった手の上を死出虫が這い、蛆の群れはやがて口や瞼からも溢れ始めた。

世紀末ロンドン幻視行

ジキル博士とハイド氏、その後

Further Developments in the Strange Case of Dr.Jekyll and Mr.Hyde

キム・ニューマン　Kim Newman

植草昌実 訳

『ドラキュラ紀元一八八八』や『モリアーティ秘録』を例に挙げるまでもなく、キム・ニューマンのヴィクトリア朝への造詣の深さには、脱帽せずにはいられない。本作は題名どおりスティーヴンスンの『ジキル博士とハイド氏』の後日譚だが、ニューマンのこと、もちろん一筋縄ではいかない。読者諸賢よ、その歩むところに心せよ。初出はエリス・ピーターズの歴史ミステリへのトリビュート競作集*Chronicles of Crime*（マクシム・ジャクボウスキ編、一九九九年）。なお、ニューマンの作には、ジキル博士の秘薬を量産して荒稼ぎを企む小悪党たちの物語「秘薬狂騒曲」もある。

1　写真の話

アタスン弁護士が公開した手記により、ジキル博士とハイド氏をめぐる奇怪な事件は、広く世界に知られることとなった。国会議員サー・ダンヴァース・カルーはエドワード・ハイドに路上で惨殺され、当のハイドはジキル邸内の研究室で服毒自殺しているのを、アタスンが発見した。ハイドの死後に『ラニヨン博士の手記』と『ヘンリー・ジキルによる事件の全容』が公開されたことで、行方不明になったジキルの捜索は打ち切られ、〈ザ・タイムズ〉紙に死亡記事が載った。疑惑は消えたが、恐怖が広まった。ロンドンが、かの悪名高い殺人犯が闊歩していた頃と同じ霧に今も覆われているごとく、事件の全容はまだ明らかでないが、一つだけ確かなことがある。ジキルはハイドだった。そして、ハイドはジキルだった。

ジキルからハイドへの変身こそ、奇中の奇にして怪中の怪、なんと素晴らしくも怖ろしいことではないか。騒ぎを起こすのは自家製薬籠中の赤新聞が、資金を提供する、実験を引き継ぐ者はいないか、と煽り立てた。人望篤い中年の科学者ジキルを若いならず者ハイドに変えた秘薬を、再び調合するのは可能であろう、と。だが、ジキルが一度は成功したある種の塩《えん》の調合物は、本人の悲惨な最期から、再現はまったく不可能であることが証明されている。「ジキル―ハイド的人格」という言葉は、誰もがもっている人格の二重性を示す用語として一般的に使われるようになった。ジキル博士の悲しむべき症例は、あらゆる人が心の中に持つ、動物的本能とより上位の本能との闘争の典型であり、大主教の冷酷さや盗賊の親切さを喩《たと》えるのに使われた。

ヘイスティ・ラニヨンとヘンリー・ジキルの手記をともにアタスンが発表したのは、ハイドの死とジキルの失踪に関し嵐と寄せられる憶測を止めよう、という意図あってのことだった。真相を知ってしまえば、大衆は謎への興味をなくすだろう。そして彼自身も、新聞記者やスコットランド・ヤードの捜査官から解放されるだろう、と。だが、その予想が現実的にそぐわないと気づくまでに時間はかからなかった。この事件の解決は謎よりもさらに強く興味を惹きつけ、関心は十倍に増した。

もとより社交好きなほうではなかったが、行く先々で尋ねられる見当外れな質問を避けるため、アタスンは所属していた二、三のクラブからも退会した。辞めるには好機であったが、それによって、慰留を試みた十人のうち九人までが好奇心を満足させたいだけの噂好きなのが明らかになった。劇作家たちはこの事件に活劇をふんだんに加え、プディングのスパイスよろしく女を一人二人登場させて、舞台で再現しようとした。聖職者は二つに分かれた魂のそれぞれを救うのに熱心なあまり、ある種の背教をも認めようとした。そして精神科医たちは、ジキルの症例を発見したのは自分だと口々に主張し、その狂気を命名しようとしていた。

アタスンは面倒なことにジキルの遺産の管理を背負うことになったので、他の案件はあきらめざるをえなかった。面倒なのは、遺言状の書面は信用しきれないとはいえ、ジキルは「私が死亡もしくは失踪した場合」に、相当な遺産のほとんどをハイドまたはアタスン本人に遺す、と書いていることだった。博士の縁者たちは、エドワード・ハイドが倒産させた会社の負債を取り立てる債権者の群のように、不動産をめぐる請求を起こした。アタスンが初めてハイドのことを知ったのは、従兄弟《いとこ》のリチャード・エンフィールドから聞いた話で、彼によるとハイドは幼い女の子を踏みつけにし、かなりの額を支払うことで手を打ったが、そのとき出したのはクーツ銀行の小切手で、口座の名義はジキルだったという。今はロンドンじゅうの子供たちがハイドのブーツに踏みつけられ、親たちが揃ってジキルに法外な金を要求しているかのようだ。

自分の家さえもはや牢獄同然だ、とアタスンは嘆いた。主《あるじ》を失い閉ざされたジキルの屋敷は迷信深くも避けられたが、町なかでもさして目立たない弁護士の家は取り囲まれた。日曜の夜でさえ落ち着けず、聖書か酒かどちらかを頼りにせざるを得なかったが、最近ようやく心静かなゆうべを迎えられるようになった。八カ月ものあいだ頭を占めていたジキルとハイドのことでなく、英国人のほとんどが気にしている天気に、注意を向けられたのだ。その夜は霧がことに深く、ロンドンは澱んだ海に沈んだようにさえ見えた。霧は暢気に街を行き交う人々にまつわりついて帽子の上に這い上がり、客を待つ辻馬車の馭者たちの膝を凍えさせ、裏町の家々を沈めて暗礁にし、表通りの屋敷を群島に変えた。霧は呪いのようにわずかな隙間からも入り込み、ガス灯を点し石炭ストーブを焚いている屋内でさえ手がかじかむほどだったが、毛布となって心を静め、苦しみをやわらげる慈悲のようでもあった。聖書は閉ざされたまま、ジンの壜は蓋をされたままだった。アタスンは書斎で、時を刻む大時計の音と、胸の内に響く自分の鼓動に耳を澄ましていた。霧は夜に静穏をもたらした。

そこに、せわしなく扉を叩く音が響いた。アタスンは冷たい手で心臓を摑まれたような気がした。ジキルとハイドの事件が繰り返されるのか。新しい揉め事でも持ち込まれるのか。頭のおかしな男が玄関前にやってきて、ジキルの薬の調合に成功したと言うや、ガラス瓶の中に泡立つ液体を飲んだことがあった。男は痙攣しだしたが、外見に変化は現れず、胃腸にひどい不調を来《きた》しただけだった。

アタスンは思わず「失せろ!」と叫んだ。辺りは静まり返り、ノックが繰り返されることはなかった。彼が叫ぶこともなかった。時ならぬ訪問者など霧に紛れさせておけ、今は邪魔さえされなければいい。彼はめったに浮かべない笑顔で神に感謝したが、祈りが届いたときには用心するものだとも、経験から知っていた。

安楽椅子から身を起こすと、気を奮い起こして玄関に出た。玄関前の敷物の上に包みが一つ置いてある。時ならぬ訪問者は配達に来たようだ。珍しいことではない。わざわざ押しかけてくるような輩《やから》はだいたいなにがしか持ってくるし、中には正気のかけらもない提案や、常軌を逸した理論を書いてよこす奴もいる。

包みを拾おうと屈んだとき、アタスンは背中と足腰に自分の年齢を実感した。霧が運んできた冷気のせいで痛みさえ覚えた。ひどく読みづらい、宛名の綴りさえ間違えている表書きの包みを書斎に持ち込むと、ペンナイフでピンクの紐を切り、封蠟を破った。茶色い紙の中から出てきたのは、雑な楕円形に切り出した木の板で、表にはセピア色になった写真が貼りつけられていた。板は額かなにかのつもりなのだろう。子供が絵入り新聞の切り抜きを飾るのに作りそうな代物だ。が、張りつけてあるのは、写真館で撮影された家族写真だった。

一見したところ、何の変哲もない家族写真だ。下士官の軍服を着た男が、籐椅子に座った女の脇に立っている。女は水兵服の幼い男の子を抱き、足元にはその子の姉らしい少女が膝をついている。写真機にまっすぐ目を向けている父親の髭は、ワックスで固めて先がぴんとしている。男の子はじっとしていられなかったようで、手元がぼやけていた。母親と娘はそっくり同じ、悲しげな表情を浮かべている。

婦人のドレスの形と、昔風のかたがたしい姿勢から、アタスンはこの写真が十五年から二十年前に撮影されたものと読んだ。裏を見てみたが、目につくものは何もなかった。写真の主を示す書き付けも、撮影した写真館の名前さえも。いったい誰が何を思ってこんなものをよこしたのか、彼は困惑するばかりだった。

あらためて写真を見て、何を伝えようとしているのか訝しむ。この家族を知らない。

だが、霧が晴れるようにひらめきが訪れ、彼は恐怖にとらわれた。一人の顔に見覚えがある。

八つか九つの男の子は、どこか猿に似た顔つきで、頭の帽子はずれていた。一見したところ異状はないのに、どこか歪《ひず》んだものを感じる。幼い顔にはすでに、内心の邪悪さが現れていた。

この写真の子供はエドワード・ハイドだ。ハイド氏の少年時代。だが、ハイドはジキルだったはずだ。子供の頃などあるはずもない。だいいち、ハイドは存在してさえいないのだから。

2　E・H・

写真が届けられてから二日後、アタスンは包みを持ってきた差出人の手紙を受け取った。同じ筆跡で、同じように名前の綴りが間違っていた。Ｅ・Ｈ・という署名の差出人は、その日の午後に彼に電話をよこした。

尋ねてきた当の本人は、三十五歳くらいの小柄な婦人だった。しぶしぶではあったが、アタスンは婦人を書斎に通し、あらためて顔を合わせた。上流階級でないのは明らかだが、見た目にも物腰にも卑賤なところはない。身なりは着古してはいても小ぎれいだ。

「エレン・ハイドと申します」婦人は名乗った。

アタスンはその顔に見覚えがあるのに気づいた。かつてエドワード・ハイドと対峙し、友人ジキルに関わるなと警告したことがある。エレン・ハイドの目と、どことは言えないがその姿に見える特徴には、彼と似たものがあった。人目を惹くところはないが、その顔や姿勢には、隠微な敵意や反発が感じられる。だが、アタスンがそれよりも強く感じたのは、彼女への同情だった。

「あの写真の娘がわたしです」エレン・ハイドは言った。「すると、あの男の子は……」

「弟のネッドです」

予想できた返答だったが、ふと膝から力が抜けた。アタスンは腰をおろした。

「弟は、エドワード・ハイドです」エレンは付け加えた。

座っているアタスンから見ると、婦人は立ちはだかっているようだった。五フィートそこそこの身の丈から、芯の強さがほの見える。両手は普段から堅く握っているのだろう。

説明しなくてはならないようだ。

「エドワード・ハイドの過去を調べるのに、私たちは多大な努力を払ってきました」アタスンはきっぱりと言った。「警視庁のニューコメン警部と私とで、ですがね。親族を探して手を尽くしてきましたよ」

「わたしが親族の最後の一人です。ミスター・アタスン、わたしはこれまで、見つからないように懸命の努力をしてきました。ハイドという名を聞いた人たちが何を連想するかはおわかりでしょう。想像してみてください。その名に生まれついたのは、弟だけではありません。わたしもなのに、悪魔に名前を奪い取られたようなものです。名前だけでなく、夫までも。あの子はまるで子供のようです。人が持っているおもちゃを取り上げて壊し、飼っている生き物を連れ去っていじめるのです。

わたしの夫、ミスター・ハイドは死にました。ネッドと同じように」

アタスンは写真の少年が人形を壊したり猫の首を絞めたり、砂で城を造ったり独楽《こま》を回したりするさまを想像しようとした。ジキルの告白を読む前でさえ、エドワード・ハイドには子供の頃があったようには考えられなかった。信じがたい告白を読み終え、ハイドという生き物には子供時代はなかったのだと納得していた。ジキルの研究室で、独特の邪悪な知性をもって生まれたハイドには、通常の人間のように成長し発達することがなかったのだ、と。

「ご両親は？」アタスンは尋ねた。

写真を手渡すと、エレンはしばらく見入ってから、ポケットに入れた。

「父はこの写真を撮影した二、三カ月後に亡くなりました」と彼女は言った。「インドで、病死でした。土地の女からうつされた不名誉な病気だったのでしょう。母はそれを信じようとはしませんでした。父には勲章が授与され、私たちには遺族年金が下りました。それは本当は年金でなく、父の遺産の一部だったのかもしれません。その後、母が遺産をどうしたか、置き去りにされたわたしとネッドがどんな思いをしたかまで、お話しする必要はないでしょう。どん底に落ちたと嘆くより、そこに生まれついたと思っていたほうが楽でしょう。わたしたち姉弟は、何がどうなっていったのか忘れないようにし、自分たちから奪われたより良い生活のことを思い続けていました。

「心より同情します、ハイドさん」

アタスンの言葉に女は顔をゆがめたが、それは彼女なりに笑ったのかもしれない。

「恨みごとを言うつもりはありません、アタスンさん。誰しも自分の道を自分で拓くものですから。父親に励まされ、母親から愛されていても、ネッドと同じ道をたどった人はおおぜいいます。それが本性にせよ、何かに導かれた結果にせよ、たいした違いはありません。自分の咎《とが》で縛り首になるか、運の悪い誰かが肩代わりするかは、弟にはいつもついてまわることでした」

アタスンの当惑は上限を超えた。足腰だけでなく、頭も痛くなってきた。

「ハイドさん、私はどうもお話についていけそうにありません。親友だったヘンリー・ジキルが奇怪な事件に関与し、ハイドなる人物に変身していた事実と整合させるのが難しいものですからな。ジキル博士とは別にハイド氏がいた、という前提で、あなたはお話をしておられる。ジキルはあなたの弟さんを手本にしたとでもお考えですか。それとも、ジキルのハイドは弟子入りをするふりをしてネッドに近づき、彼を殺して入れ替わったとでも?」

「ラニヨンという人が書いたものと、ジキル博士の遺書はわたしも読みました。どちらの方の(という前に彼女は口ごもった)お書きになったことも、わたしにはわかりませんでした。本当のネッドを知っているのはわたしだけだし、世間があの子を受け入れはしないとわかりました。名前だけでも、人の心の中にいる獣の代名詞のようにされてしまいましたからね。新聞の挿絵ではネッドはいつも、仕立ては良いのに体に合わない服を着た類人猿擬《もど》きの怪物に描かれ、牙を剥き出しているのですから。安い読み物雑誌にも載らないような怪物です。世間はまったくの善人か、まるっきりの悪人に分けたがります。なぜそうしたがるのか考えてみようともせずに。ジキルとハイドは、善人と悪人を混ぜ合わせて、区別できなくしてしまいました。たしかにネッドは、まるっきりの悪人でしょう。でも、あの子は辛い思いをし続けて、いつも怯えていました。霧に潜む魔人などではなく、臆病なちびでしかなかったのです。人に危害を与えるのは、それまでに自分がされてきたからです。弱かったから、自分より弱い者を雇い主に選ぼうとしました。あの子が道を踏み外さなければ、あなたも怖れでなく憐れみを覚えたことでしょう」

幼い子供を踏みつけにし、怒った人々に取り押さえられた小男ハイドについて、エンフィールドがこう言ったのを、アタスンは思い出した。「自分を捕まえた人たちを見下すかのような、邪悪な落ち着きを見せて——とはいえ、内心は怖れてもいるのは見てとれたが——その冷静さは悪魔じみてさえいた」アタスンが見たハイドは、極端に小柄で血色が悪く、どこがどうとは言えないが、ひどく歪《いびつ》な姿をしているように見えた。笑い顔もふるまいも、小心さと大胆さが邪悪に入り交じっていて、見る者を不快にさせるところがあった。覚えているかぎりでは、もっとも不快に感じられたのは、彼の卑賤さだった。乱暴なまねをしたあとすぐに泣いてごまかす子供のように、悪いことをするだけの意思さえないように見えた。実際、国会議員を撲殺するまで、彼は世間から目を向けられもしなかった。

「だからといって、わたしはあの子に同情はしません。もちろん、自分を責めもしません」

彼女がそう断言するのを見て、アタスンはハイドの性格に共通するものを感じた。エレン・ハイドがこれまで何を考えどう生きてきたのか、ソーホーでも最低級の安淫売かも、天使のようだと噂される慈善病院の看護師かもしれない。だが、その目や肩や、意識していない舌の動きや、大きな手には、弟を思い出させるものがあった。あの写真に映っていた、子供たちだけでなく親たちの方にも顕れていたものだ。

「あなたを疑っていたことをお許しください。濁り水が澄むまで時間がかかるようなものです。私を訪ねてきたのはあのハイドでなく、あなたなのですし。ハイドさん、何かお役に立てますか」

彼女が笑みを浮かべると、その目にほんの一瞬、エドワード・ハイドの邪悪な光が宿った。いや、それは邪悪ではない。少しばかりずるそうではあったが。

「おじゃましたのは、あなたがジキル博士の遺産管理人だからです。それを知るまでに、けっこう骨を折りました」

「いかにも、私が遺産管理人です。片付かないことをたくさん抱えていますよ」

「博士は遺産をすべて弟に遺したと聞いています。死亡の節は……」

「『死亡、失踪もしくは理由不明の不在の節は』ですな。あまり目にしない条項です」

エレン・ハイドは指摘するように、骨張った指を立てた。

「ジキル博士の失踪後に、弟は博士の研究室で死んでいるのが見つかりました。弟の親族で生きているのは、今はわたし一人です。弟が死んだので、ジキル博士の遺産はわたしが相続したことになります。だから、博士のお金はわたしのものです」

エレン・ハイドが突然キスしてきても、アタスンはこんなに驚きはしなかったことだろう。だが、なぜすぐにこの話にならなかったのか、と思った。この案件にはおかしなことが多すぎたので、いちばん肝心なのは金だということをすっかり忘れていたのだ。

彼は急に、大声で笑いだした。

エレン・ハイドはまじまじと彼を見つめた。

「アタスンさん、何がそんなに可笑しいのですか」

「私も引退する潮時かな」蛇口を締めるように笑い止むと、彼は言った。「真面目な話、そう思いますよ。ジキルとハイドの案件は、説明をするのに精一杯です。説明しなければ片付けようがない。あなたが真実の扉を開き、すべての疑問にことごとく答えたとしても、それを受け入れるのは困難です。どうやら、あなたは強気に出すぎたようだ。ハイドさん、遺産の権利を主張する人たちの中でも、あなたは飛び抜けて興味深い。ところで、ハイドというのはご本名ですかな。おそらくはそうでしょう。この年寄りの凝り固まった心を刺激して、たいへん上手に動揺させてくれたものですが、せっかくの流れも詰めに失敗しましたな。目的は金銭だ、ということで」

「でも、法的にはわたしのものです」

「必ずしもそうとは言えません。あなたが、ご自分でおっしゃるとおりエドワード・ハイドの親族であっても、ジキルの遺産を得る権利はあなたにはありません。議論の余地ある遺言よりも前に、私が遺産相続人であることは決められていましたし、ハイド氏が相続するのはジキル博士の失踪後三カ月を経たときのみでしたからな。博士はハイド氏の死亡が確認されるほんの数日前に姿を見せていましたし、ハイド氏は遺産相続の権利を得る前に亡くなり、あなたが主張しうる権利も同時に消滅しました」

「他の弁護士はそうは考えないでしょう」

「その可能性は否めません。が、裁判官は私に同意するでしょう」

エレン・ハイドはアタスンの家を辞去した。アタスンはジンを一杯飲んだ。ジキルもハイドも、どちらの名ももう聞きたくはない、と思いはしたが、そういうわけにもいくまい。あの女が何を思って来たかなどどうでもいいが、あの事件を再び調べなければならなくなったのはまちがいない。ひどく気がすすまないことだが、もう一度、新しい目で見なくては。

3 壊れた鍵

ジキルとハイドの事件がアタスンの日常にもたらした悲しみの一つとして、毎週楽しみにしていたロンドン通のいとこ、エンフィールドとの散策が減ったことがある。どちらからも言いだしてはいないのだが、もはや知れ渡った事件の話ゆえに、自《おの》ずから互いを遠ざけたのはあるだろう。エンフィールドは、記録されたハイドの犯罪としては最初の、少女を踏みつけた現場の目撃者だったばかりに。それが彼の自由を奪うことになり、アタスンは内心、立腹していた。善良な医師と恥ずべき無頼漢との関連を示すエンフィールドの証言は、その両者が実は同一人物であるという事実を暴く糸口となった。

事実が公表され、エンフィールドは海外に旅立った。アタスンは彼が最近になって南洋から帰国したと聞き、ロンドンの家を訪ねた。ジキルとハイドの厄介事から解放されたら旧交をあたためようと、以前から思っていたのだ。だが、エレン・ハイドの訪問を伝えないわけにはいかず、とうとう玄関先まで来てしまった。使用人が扉を開き、暖かく明るい廊下にアタスンを通した。

「やあ、ゲイブリエル・アタスンじゃないか」階段を下りてくるエンフィールドの声が響いた。「来るなら知らせてくれてもいいじゃないか。まずは再会を祝おう」

心のこもった歓迎に、アタスンはエンフィールドがいなかったあいだの淋しさをあらためて感じた。いとこは親しみを込めて彼の肩を叩き、居心地の良い居間に案内した。壁には航海中に集めた異国の珍奇なものが、とりどりに飾られていた。

二人はワインで乾杯した。

「心配事がありそうだな、アタスン」エンフィールドが言った。「またジキルとハイドの件だろう。まったく、やつら、いや、やつのこととときたら、思い出すのも忌々しいが」

「きみには隠し事はできないな、エンフィールド」

アタスンはいとこに、エレン・ハイドの訪問と、彼女が主張したエドワード・ハイドとの縁戚について話した。

「写真があったんだね。もっとも、写真なんてものはいかようにも細工ができるものだが」

あの家族写真が作ったものだとは思ってもみなかったが、その可能性があるとエンフィールドから聞いて、アタスンは心強く感じた。

「わからないのは、きみを訪ねてきたその女が、ハイドの姉だと名乗ったことだ。妻と言っておけば、ジキルの二重生活についてぼくたちが知っている事柄に抵触することなく、自分の主張ができたろうに。もっとも、ハイドと結婚する女なんていそうにないが。一緒にいたって何一ついいことのない男だろう。まあ、そんな男は珍しくもないが。このグレート・ブリテン島には、はみだし者のろくでなしが多すぎる。良識ある若い島民に悪い影響を及ぼしているよ」

エンフィールドが思いつくまま語りだすと、本題に入れない。だが、アタスンはそれを聞いても迷惑には思えず、むしろ気晴らしになった。

「何をどう考えればよいのやら」アタスンは切り出した。「ラニヨンとジキルが書いたものを読んだときは、信じる気にはならなかった。信じたくても無理な話だろう？　私は科学者じゃないが、薬品がある者を別人に変え、その善良な心を邪悪にねじ曲げるなんて、どだい無理な話だろう。だが、目の前に証拠を出されては、信じないわけにはいかなかった。そうすれば、すべての疑問が、あらゆる角度から見た謎が解けたからね。ジキルとハイドが同一人物であれば、説明がつく。だが、もしジキルとハイドがそれぞれ存在する個人だったら、浜辺にまた潮が満ちてくるように、解けたはずの謎が戻ってきてしまうじゃないか」

エンフィールドはアタスンのグラスに酒を注ぎ足し、暖炉の火を長いパイプにつけた。

「きみは有能な弁護士だ、アタスン。証拠を検分し、事件を検討するんだ。細部に至るまでね。手掛かりを見直そう。ジキルの告白を裏付けるだけの証拠はあるだろうか?」

「状況証拠はいくつかあるが、決定的なものは一つだ。それは、ヘンリー・ジキルとエドワード・ハイドを同時に目撃した者が誰一人としていないことだ。ハイドの存在を示す第一の証拠は、ジキルが私に見せた彼からの手紙だ。だが、執事のプールに尋ねると、ジキルの話とは違って、何者かが届けにきた様子はなかった。さらに、筆跡鑑定に長けた助手のゲスト君は、その手紙がジキル本人が癖を隠そうとしながら書いたものと断言した」

「ゆえに、ジキルはハイドを装ってその手紙を書いたと思われる」エンフィールドはパイプを燻《くゆ》らした。「そして、きみの推理では、ジキルは殺人を犯したハイドを庇うために、彼が国外に逃亡したように偽装し、警察の目を逸らそうとした。もっとも、驚くべき薬液だの信じられないような変身だのがなくても、ぼくが最初に考えた脅迫みたいに、この二人を結ぶものはあったのかもしれないが」

「たしかにそうだが」アタスンは応えた。「状況証拠からも同様の説明ができる。ジキルが変身したことは、彼自身が手記に遺しているし、日記帳からも部分的だが裏付けが取れる。日記には、ジキル自身が考案した薬を用いた一連の実験が記録され、最初に調合したさいの不純物を再現する必死の試みまで書かれている。さらに、もっとも信頼のおける裏付けとして、ラニヨン博士の手記がある」

「ああ、そうだったね。彼はハイドがジキルの姿に戻るのを目撃していた」

「まさに。ラニヨンはジキルの旧友で、意見を異にして論争することもあったが、彼の言葉を借りれば『無二の親友』だった。殺人容疑で追われているハイドは、ジキルのメモを手にラニヨンの家に押しかけると、ジキルの実験室から薬液の材料を取ってくるよう頼んだ。そして、彼の目の前で調合し、飲んだ。ラニヨンによると、ハイドは目の前でジキルに変わり、この件については口外無用と要求した。なので、誰にも話しはしなかったが、手記に遺した。そして、三週間後に急死した」

「ジキルにせよハイドにせよ、ラニヨンの口を封じることはできなかったろうな」

アタスンはエンフィールドの言葉を継いだ。「その手記を目にすることができるのは私だけだった。ジキル博士の死もしくは失踪後にのみ開封されるものとして封印された書類とともに、ラニヨンの死後に他の文書とともに遺品として、私に渡されたのだから。ハイドの筆跡をジキルのものと見抜いたゲスト君は、手記に目を通し、書き手がヘイスティ・ラニヨンであることはまちがいない、と断言した。手記とともに、ジキルの記録も私に託された。ハイドが訪問したときのことだけでなく、ジキルが薬液を調合し、その効果に依存するまでになった実験の過程を余すことなく書き留めて、ラニヨンの手記を裏付けるその記録が、もちろん未開封でね」

エンフィールドはしばし考えた。「つまり」彼は切り出した。「きみの拠るところは二人の故人の証言、ということになる。法廷に呼んで反対尋問をするわけにはいかない。ラニヨンとジキルには、二人で口裏を合わせることが可能だったか?」

「二人が疎遠だった、というのは私の推測だ。きみにもわかるだろうが、激しく口論しているあの二人のそばにいるのは、私人としてはもちろん、弁護士の職務だと思っても、厄介だったよ。二人とも、私が知ることもできない土地を探検してきたかのようでね。寄り道あり省略ありの議論で、専門外の人間にはついていけなかった。父と息子か、長く連れ添ってきた老夫婦のように、互いにだけわかる言葉を交わしているようだった。だから、ジキルの実験について知ったとき、謎が解けたと思ったね。私がそばにいるあいだにはあからさまにはできなかった議論について、二人が密かに熱意を交わしていたのがわかった気がした。論争の根底には、科学が導き出す実証可能な真実に、無謀なまでに心血を注ぎ込むジキルの大胆さと、それを受け入れられないラニヨンの頑なさがあった。だから、どのような理由があったとしても、ごまかしのためにジキルと作り事を共謀するのは、ラニヨンの性格とは正反対のことだね」

「おいおい、アタスン。ご高説は、きみがジキルの書いたものを読んで信じたことを、レイトンも信じていた、と証明したにすぎない。信じ込むのはいいようじゃないか。証拠がいるんだ。ジキルはハイドであった、ときみが確信した、その証拠がね」

居間の心地よい暖かさは、記憶が深い霧のように戻ってくるにつれて薄れてゆき、薄暗いガス灯は偶像の顔に陰を落として、唸り声をあげたエドワード・ハイドの顔のように見せた。剥製にされた鮫の目が、エレン・ハイドの目のような光を帯びた。アタスンの記憶は事件の終わりを目撃したときに戻り、ハイドがジキルを人質に取って実験室に立てこもっているようだったのを思い出した。執事のプールと馬丁のブラッドショーの手を借りて扉を破ると、ジキルの服を着たハイドは、ジキルの手記が遺し、たった今毒を呷ったか、断末魔の痙攣に震えていた。

「ジキルの遺書を読むまでは、ハイドがジキルを殺して自殺したのではないかと懸念していた」アタスンは言った。「ジキルの遺体を懸命に捜したが、見つからなかった。だから、ジキルは厄介者から逃れてどこかで生きながらえていると考え、別の出口を探した。空振りに終わったのはきみも知ってのとおりだ。研究室のもう一つの扉は錠が下りていたばかりか、蜘蛛の巣がカーテンのように張っていたのだからな。あちこちに埃が積もっていて、隠れ場所があったとすれば、出入りした跡が残ったはずだ。だから、遺書を読んで納得したわけさ」

「ハイドがジキルを殺し、死体をどこかに隠したか、研究室の外に投げ出した可能性はないか?」

アタスンはかぶりを振った。「動かぬ証拠は壊れた鍵だ。ジキル自身の言葉によれば、彼はハイドを身辺から追いやろうとしていた。だから、ハイドがいつも出入りしていた裏口の鍵を壊して、もう一人の自分を閉め出そうとした。この象徴的な拒絶もハイドを長くは遠ざけられなかったが、最後には彼を研究室に閉じ込めたわけだ。遺書の最後に、ジキルは問いかけている。『ハイドは絞首台で死ぬだろうか、あるいは、最後のときに自分を解き放つ勇気を見いだすのだろうか』と。彼は自殺の決意を変身の後も失わなかったのだ、と私は確信している。ハイドはジキルの意志に従い、自ら服毒したのだ」

「博士はもう一人の自分が自殺するよう、毒を用意しておいたというのか? 飼い猫の皿にミルクを注いでおくように」

アタスンも、最後の変身のときのことは考えていた。閉じ込められ、庇護者に去られたハイドは自暴自棄になったのだろう、と。だが、服毒したのは勇気ゆえか、それとも怯懦《きょうだ》のせいか。

「ジキルが研究室に入ったことも、そこでハイドが死んでいたことも確かだ」さむけを堪えながらアタスンは言った。「ジキルがハイドでなかったとしたら、疑問が残る。ジキルはどこへ行ったのか。そして、彼の生死は。この、いわば『密室殺人』の唯一の解は、ジキルとハイドが同一人物だったということだ。ジキルの遺書はそれを裏付けている」

「その謎解きで、きみ自身は納得できているのかい？」エンフィールドが尋ねた。

「しているとも」アタスンは答えた。「だが、この事件はずいぶん心に堪えるものだった。太陽の光の下では、ジキルがハイドであったことを確信している。だが、霧深い夜に、ふと疑問が影をさしてくるんだ」

「それだけ話してくれれば充分だよ、アタスン。次は行動に移ろう。事件の現場をもう一度細見しようじゃないか。ジキルの家の鍵はまだ持っているんだろう？」

予想していた返事だったが、そう言われるのを怖れてもいた。だが、いとこは正しい。ジキルが住んでいた、そしてハイドが死んだ場所を、再訪しなくてはならない。

4　ジキル博士の家

アタスンとエンフィールドは、あのときと同じように連れだって歩いていたが、今はそぞろ歩きではなく、目的があった。まずはエンフィールドがエドワード・ハイドと出会った裏通りを抜ける。あの裏口は釘付けにされていた。野次馬や物盗りの侵入を防ぐためにアタスンが指図したことだ。扉にはチョークで猥褻な落書きがされ、石段には墓石のように赤い薔薇が一輪置いてあった。それぞれが、憎むべきハイド氏と、聖者の如きジキル博士に手向けられたものなのだろう。エレン・ハイドが来て、人でなしの弟に薔薇を手向け、善良な博士を貶《おとし》めるために落書きをした、などということはありうるだろうか。

「前にここに来たときのことを思い出したかい？」アタスンが水を向けた。「子供の受難の話をしたときではなくて、その後に」

エンフィールドはうなずいた。懐中壜のウィスキーを一口呷ると、断られるとは承知のうえで、アタスンに差し出した。

「ジキルが窓からこちらを見ていた」エンフィールドが言った。「ぼくたちと言葉を交わしたが、すぐにひどく驚いた様子になって、急に窓を閉ざしたんだった」

アタスンは、普段はしないことだが、エンフィールドの手から懐中壜を取ると、驚く彼の目前でぐっと飲んだ。ウィスキーは喉の奥をかっと熱くしたが、霧深い夜の冷気を追いやるほどではなかった。

「あのとき目にしたことは忘れられない。ヘンリー・ジキルの姿を見たのは、あれが最後だったな。今にも変身しそうなところでぼくたちに声をかけられ、かろうじて身を隠したようだった。体が変形していく怖ろしいさまを、人に見せてはならなかったのだろう」

エンフィールドは懐中𠑊を取り戻した。二人は路地を抜け、ジキル博士の豪壮な屋敷の玄関前に立った。玄関扉の脇には、真鍮の表札がいまだぴかぴかとして、主《あるじ》を誇らしく『ヘンリー・ジキル博士　医学博士、法学博士、王立協会会員』と紹介している。上階の窓ガラスは割れていた。使用人が辞職してから、この屋敷はずっと空き家になっている。雇われていた者はみな、博士が遺したわずかな遺産を分け与えられ、新たな身の置き所を求めて出ていった。

アタスンは鍵束を取り出した。遺言執行者には、遺産の精算が済むまでは屋敷を管理する義務がある。修理したばかりだというのにまたガラスを破られて、彼は立腹していた。この地域の幽霊屋敷、怪物の巣だとでも思われているのだろう。子供たちや、同様に敏感な数少ない人々は、ここに怖れ交じりの魅力を感じているようだ。

「入るんだな」エンフィールドが言ったが、あえて勇を鼓しているような口調ではなかった。

アタスンは玄関の長い鍵を選び、錠に差し込んで回した。ガスが止められているので、入ったら蠟燭の明かりがたよりだった。晩い時刻にガラス屋を呼んだときに使った燭台が置いたままになっていたはずだ。置いておいたはずの場所にはなかったが、エンフィールドがすぐに見つけて、蠟燭の芯に火を点した。

「変だな」玄関の敷物を見下ろして、エンフィールドが言った。

「どうした？」

「旅から帰ってきて自分の家の扉を開けると、玄関には手紙やちらしが山をなしていたものだが」

アタスンは足元を見下ろした。たしかに、何かあってもよさそうなものだが。

二人は屋敷の中に踏み込み、扉をいくつも開き、暗い中庭を横切って、屋敷の裏手にあるジキルの研究室、ハイドにとっては最後の避難場所だった建物に向かった。扉はハイドが死んだ夜に打ち破ったまま、開きかけていた。アタスンは扉を押し開け、二人は研究室に踏み込んだ。

エンフィールドが口笛を吹いた。いとこがここに来るのは初めてだと、アタスンは思い出した。

無数のガラスの表面が蠟燭の火を反射した。壁沿いに器具を収めた戸棚が並び、蒸留器とガラス管が複雑に組み立てられており、広い部屋の中央には、丈の高い姿見が立っていた。アタスンが踏み込んだとき、ジキルはその鏡の前でこと切れたようだった。汚れた敷物に、彼の死の苦しみを示す跡が残っていた。この研究室が彼の生まれた場所だったのだ、怪物はここで創られたのだ、とアタスンは思った。

エンフィールドは身だしなみを整えるかのように、姿見の前に立った。燭台をかざして自分を見る。蠟燭の火が揺れて影が動き、彼の顔に奇妙な表情を添えた。

「この前で自分が変身していくのを見たのだろうか」エンフィールドが言った。

「そうだと思う」アタスンが答えた。「プールはここで、博士の奇妙なさまを見たというしな」

「ジキルは自分の姿を見ていたのだろう。彼とて虚栄心はあったことだろうからな。表札には肩書きがずらりと並べてあるくらいだし。名刺も同じようだったろう。肩書きの最後に『他』とつけていたくらいだった。ハイドもまた自分のことばかり考えていた。化粧に余念のない女のようにね」

二人はジキルの机に歩み寄った。アタスンに宛てたハイドの遺言状が置いてあったところだ。遺言状では、遺産はアタスンに相続させるとし、相続人からエドワード・ハイドを外していた。それが有効か否かは確定していないし、それについてはアタスンも語ることはできない。遺産が欲しいとも思わないし、一時的な屋敷の管理も、実際の地主のことを考えると重荷でしかない。

「ここで見つけたんだったな。ジキルの書き置きを」

「まさにね」

エンフィールドは机の上を照らした。きちんと片付いている。それればかりか、塵一つない。アタスンは屋敷を掃除する手配はしていたが、研究室までは気がまわらなかった。マダム・タッソーが調度一式を買い取ると言ってきたが、相手にはしないでおいた。

アタスンは寒気を感じた。誰かがここに入っていたのだ。

「もし、夜にきみを訪ねてきた御婦人が」エンフィールドがエレン・ハイドのことをそう呼ぶのを聞き、アタスンは赤面した。「本当のことを言っているとすれば、あのときの調査では何かを見落としていたことになる。ジキルはここにいたか、脱出する手立てがあったか。死んでいたか、逃亡したか」

「調査は徹底していた。外れた敷石を探すように、一インチ刻みでね」

「ハイドがジキルを殺して、その死体を完全に消し去った、ということはありえないか？　たとえば、酸で死体を溶解したとか」

「ここに酸はなかった。そんな残虐行為の痕跡もなかったしね」

「だが、見ていたのは室内だけだろう。天井は調べたかい？」

「研究室には屋根裏部屋があるが、窓がない。外に出る手立てはないね」

「屋根裏じゃない、天井だ。虎を狩るのに古くからある技だ。完璧な隠れ場所があったとすれば、密室の謎を解こうと脱出経路を探すこともない。ジキルがすでに死んでいたなら、まだ死体はそこにあるかもしれない。脱出したのであれば、きみが立ち去るまでそこに隠れていたのだろう」

エンフィールドは燭台を掲げた。研究室が天井が高い。ガス灯用の配管が灯火に浮かんだ。配管は縦横に走り、天井に格子のような影を映している。使用人が目撃したときのように、そこからハイドが猿のようにぶら下がっているのを想像するのは難しくはなかった。

「ちょっと持っていてくれ」エンフィールドが燭台を差し出した。

アタスンは浮け取った。

「一度外に出てから、戻ってこよう」

いつものことだが、いとこが子供のように思いついたことをすぐせずにはいられないのに苛立ちを覚えながらも、アタスンはエンフィールドの好きなようにさせた。

中庭には腰のあたりまで霧が濃く立ちこめ、エンフィールドはまとわりつく霧を巻き上げながら外に出ると、後ろ手に扉を閉めた。

彼はしばらく中庭を見ていたが、そのまま霧の中に踏み出していった。

エンフィールドはどこに行くのか。だがアタスンには焦りも怖れもなかった。トリックを思いついて、それを再現しようとしているのだろう。通りに抜け出し、すぐまたここに戻ってくるはずだ。家のまわりを一周して玄関から戻ってくるに違いない、とアタスンは考えた。

天井を見上げる。エンフィールドは何か見つけ、閃いたのだ。

一分が過ぎた。エンフィールドはまだ戻らない。アタスンはじりじりしだした。見栄っ張りのいとこは、見せ場をつくるのに時間を稼いでいるのか。

アタスンは配管の走る天井をまた透かし見た。天井の影はさきほどと変わっていて、ぴしぴしという音がする。

天井の一角が破れ、何か大きなものが落ちてきた。その勢いで蠟燭の火が消え、室内は真っ暗になった。

アタスンは人間の下敷きになっていた。

慌ただしい足音のあと、靴が彼の手を踏みつけていった。扉が開く音がした。霧とともにぼんやりした光が漏れ入る。

温かみのある重い体を押しのけ、マッチを取り出す。火を点すと、赤く腫れ上がったリチャード・エンフィールドの顔が見えた。

首に手を触れ脈拍を計る。首を絞められ気絶したのだろうが、命に別状はなさそうだ。

ハイドが帰ってきた。ヘンリー・ジキルの思い出をまたも踏みにじるために。

アタスンは燭台を見つけ、蠟燭に火を点け直そうとした。肩の震えを抑え、なんとか手を動かす。この研究室には何者かが潜んでいたが、隠れ場所をエンフィールドに見つけられた。エンフィールドは屋根に昇り、今は開いて天井から下がっている隠し扉を見つけた。侵入者は彼を暴力で押さえつけた。しかし、二人分の体重を支えきれず、隠れ場所は崩れたのだった。

足音と共に、アタスンは衣ずれを耳にしたが、それはスカート特有のものだった。闇にまぎれて潜み、彼の手を踏みつけていったのが誰か、彼は気づいた。

ハイドだ。もっとも、姉のほうだが。

我に返ったか、エンフィールドが咳き込んだ。そのまま身を起こそうとする。

「身を隠して待ち伏せていた奴がいた」彼は言った。「ずいぶん長い指をしていた」

「助かって何よりだ」アタスンは言った。「サー・ダンヴァース・カルーの二の舞を踏むかと思ったよ」

ジキルの机に燭台を置いたとき、冷たいものが背筋を走った。ジキル博士の手記を入れた封筒があった位置に、そっくり同じ封筒が置かれていたのだ。そして、表には見覚えのある筆跡で、アタスンの名が書かれていた。

以前の封筒には謎解きが入っていた。が、これには何が入っているのか。アタスンは封筒を手に取った。このまま蠟燭の火にかざし、読まずに焼いてしまったほうがいいのだろうか。だが、それはできない。

何が入っているにせよ、確かめなければ。

5　事件についてのジキル博士の告白、再び

以前の手記の書き出しをもう一度考えていただきたい。

「私は一八――年に裕福な家庭に生まれ、才にも恵まれたうえ生来の勤勉さもあって学問の道へと進んだ。学業成績のみならず人柄でも友人たちから一目置かれたの

で、名誉ある将来が保証されていると信じても無理からぬことだろう。しかしながら、私には大きな欠点があった。それは我慢しようのない享楽への志向で、世俗には珍しくもないのだが、常に毅然としていたい、人からは威厳ある者として見られたいという傲慢な欲求とは相容れないものだった。ゆえに、私は自分の愉楽を抑え込むようになり、分別ある歳にいたってようやく周囲を見回し、我が身の栄達と築いた地位を顧みたときには、裏表ある人生をどうにもできなくなっていた。私が罪悪感を覚える二面性は、人によっては気にもせず、話の種にさえするほどのものなのだろうが、私は自ら決めた高い意識から、それを病的なまでに恥じ、隠してきた。かくて、私が今このようにあるのは、過ちを重ねた結果の堕落ではなく、常に向上を目指す性格ゆえのことで、それが人間の二面性を形作る善と悪の領域に、ほとんどの世人より深い溝を作って二分したのだ」

ここで「我慢しようのない享楽への志向」と書いていることに気づいていただきたい。私のような者はつねに右顧左眄しながら思いつきを弄びはするが、道を踏み外す前に我に返るものだ。これは無害な、むしろ愛すべきことであろう。いや、寄り道はこのくらいにしておいて、以下に書き足すことで事件の記録を明確なものにしよう。私自身の人生について書いても公表されはしないだろう——これから急いでしたためる事実は、奇想天外を極める物語よりもさらに奇抜ではあるのだが。私が人生のあいだにとってきた偽善的な行いを、多くの人々が非難することだろう。だが、ここで自問してほしい。秘薬の作用によりまったくの別人に変わる可能性は認めても、目の前にいる男が一人の男を愛することについては心を閉ざす、そんな社会とはいったいどういうものなのだろうか、と。

私はエドワード・ハイドを愛していた。いや、今も愛している。

私は女性に関心をもったことがない。長年のあいだ、私はもう一つの二重性をも抱えていた。ヘイスティ・ラニヨンとは数十年にわたって友情をつないできたが、私を満足されられるような肉体的な親密さにまでは至らなかった。ラニヨンは私の生来の性癖を解明することで、ウラヌス（男性同性愛の比喩）の快楽への扉を開いたが、彼は自分も同じであることに臆していた。かくて、それを知ったときから間を置かずして、世界中どこの都市でも購える愛を求めて探索を続けた。ロンドンには、私のような男の求めに応えてくれる店がいくつもあった。

自分を正当化しようとは思わないが、この性癖を持つ者は他にも多くいることを、私は経験のうちに知った。同国会議員や聖職者、工業界の大立者、軍人にもいた。同志たちの秘められた物語は、偉人や聖人君子によって記されていたのだ。王族の中にも、私の心に火を点けた男がいたほどだ——いや、思い出せばその火は今も消えてはいない。

初めて出会ったときのハイドは、ピカデリーの街角に立っている男娼の一人で、すでに若くはない私は、いくばくかの小銭を渡して彼を連れ帰った。さまざまな愛を交わすうちに私も年老いて、人生の終わりを思うようになったが、肉体はともかく心の満足はまだ得られてはいなかった。ラニヨンを愛したい、と思ったことはある。だが、彼は気難しく、それでいて未練がましくもあり、私は夫に愛想を尽かした妻のような気持ちになっていた。

ハイドは仲間の元には戻らなかった。私は小銭で彼を買い、そのまま手元に置いた。自分の家に男を入れたのは彼が初めてで、私は研究室の屋根裏に彼の隠し部屋を作り、使用人に気づかれないようにした。しばらくのちに、執事のプールに伝え、ハイドが私の恩義ある友人なので、主人である私と同じように処遇するように命じた。私の使用人を使うことができてハイドは有頂天だった。だが、使用人たちが身分の低い者に使われるのを苦々しく思い、人間ではなくまるで獣か何かのように彼の陰口を言うのに気づいた。なので、一緒にいるところが人目につかないようにした。ハイドには私の屋敷から離れ、ソーホーに新居を構えさせた。私たち二人の世界には、誰も踏み込んでこないようにと。

私はハイドを愛することができたのだろうか。彼の性格を調べ、温厚などという言葉とは無縁な生き物であることがわかった。エドワード・ハイドについて世間で知られていることに間違いはない。生来ひねくれて残酷、気まぐれで小心で、不正直だった。もっと見た目のよい男娼はいくらでもいたが、私はぎらつくような彼の目に惹かれた。林檎の実に虫がつくように、彼は私の心の奥に棲みついた。優しさでは彼をつなぎ止めることはできなかったが、私たちの愛は優しいものではなかった。嵐のように荒々しい欲求であり、どんなに満たそうとしても満たしきれない飢えだった。

ハイドは彼なりの愛をもって、私に応えた。路上から連れ出され、部屋を与えられ、人形のように服を着せ替えられて、偉大なるジキル博士の人生の伴にならないわけにもいくまい。彼は体に合っていなくても気にすることなく私の服を着たがったし、使用人を怒鳴りつけるのも、賭け事や酒に私の金を浪費するのも好きだった。

ラニヨンとはもちろん、ハイドをめぐって口論になり、私は長年の親友と袂《たもと》を別たざるを得なかった。いずれ私がハイドに袖にされ、自分の元に帰るだろう、と彼はわめいた。この話をハイドにしたときは、二人してラニヨンの愚かさを笑ったものだった。誰にも理解できないことだろうがね。

愛し合っている二人には、どちらが主人でどちらが奴隷かなどということはない。この関係が露見すれば私は多くを失う。これまでに築いてきた地位と名誉は私にとって何にも代えがたい。そして、ハイドの立場も同じようなものだった。幼い頃の落魄に苦しんだ彼は、私とともにいることで、金を得る以上に身の安全を得たので、それを失うことを怖れていた。

私たちは互いに対して残酷だった。ハイドは別れると言い、私は追い出すと言って、互いを脅してばかりいた。口論はしばしば殴り合いになり、そのあとは決まって愛を交わし、そのたびに互いの肉体を探究して心を結び直した。

後悔に暮れることもあった。私はしばしば信仰や善行についての本を読んだが、それは私の性癖や愛のありかたに罪悪感を覚えたからではなく、ラニヨンから聞いていた罪悪感を覚えることがないため、その空虚を埋めるためだった。逆説的だが、私は恥を覚えない自分を恥じていた。私がそのような心境にあるとき、ハイドはソーホーの部屋に移り、私と会えば他の男の話をして、嫉妬で刺激しようとしてきた。

ハイドは暴力を受けることに慣れていた。体じゅうに鞭で打たれた傷痕が残っていた。目撃証言に出てくる彼の特徴的な歩き方は、酔った船乗りたちに拉致され、三日も監禁されて荒っぽい快楽の相手を強いられたときに骨折して以来のものだった。手首に残る火傷のような縄の痕もそのときに着いたもので、思い出させると彼は興奮したものだった。

私がハイドにする最低の行いは、彼を笑いものにすることだった。付き合いだしてからすぐに気づいた私は、彼にこの苦痛の悦びを与えずにはいられなくなった。彼自身、馬鹿馬鹿しくはなかったのだろうか。上着の袖は手首のはるか先ではためき、ズボンの裾は靴の上で襞《ひび》になって、町角の手回しオルガン弾きが連れている、服を着た猿のように見えた。また、彼の無知は教養ある私には面白いものだった。物知らずや思い込みはいちいち笑わせてくれた。たとえば、アジアはエジプトのどこかにあり、スコットランドは海に隔たれたところで、バンブルビー《まるはなばち》は小さな鳥の名前だと。嘲笑は残酷な快楽への前振りだった。私に笑われると、彼は不機嫌な顔になり、次第に怒りを露にしてくるので、我慢が続かなくなる直前を見計らって、私は熱烈な接吻で彼を宥《なだ》めるのだった。

研究室の壁は私たちを世間から守ってくれた。いつでも来られるようにと、ハイドに裏口の鍵を渡したのは適切だった。あの夜、彼は怯えた様子で研究室に入ってくると、裏通りで起こしてしまった揉め事を収めるのに金がいる、と言った。小さな女の子が、一ペニーくれたらスカートの中を見せる、と言ってきたので、嫌悪のあまり踏みつけた、と彼は言った。彼の言うことを信じたわけではなかったが、もし本当だったのなら、そんなことをさせられる子供を憐れむほかない。思うに、このときのハイドは子供に幼い頃の自分と同じようなものを見て、そんな悲惨な生活に簡単に戻ってしまいそうな気がして、暴力に及んだのだろう。

心の安まるときはなかった。私たちの愛はオアシスではなく、ジャングルのようだった。ともに探検し、ときにはわざと危険な獣の巣に踏み込んだ。中年期になり訪れた緩慢さは消え、若い冒険家には彼に劣らぬ熱意で応えた。小柄な彼とベッドで組み合うのに時を選ぶことはなかった。私は彼を支配し、愛し、苦しめ、枕に顔を埋めてカバーを咬み裂くほど苦痛と歓喜に涕り泣く彼を心から愛しく思った。

それでも老いは容赦なくのしかかってきた。歓びを共にしたあと、顔を上気させたハイドは一緒に出かけようとせがんだが、私は疲れ果て、金床を叩く金槌のような動悸を覚えていた。愛を交わそうにも体がついていけないことも一、二度あり、そんなときハイドは狒々のように笑い、私の不能をからかいながら、堅くなろうともしない私の分身を弄んだ。

ラニヨンのような男だったら諦めたかもしれない。だが、私は医師であるだけでなく、科学者でも研究者でもあった。私を、いや私たちを助ける薬はあるだろう。仕事柄、私はライムハウスの阿片窟でも出合うことのない未知の薬物を入手できた。さまざまな素材の化合物を作り、二人の身をもって試してみた。中毒死しかけたことは一度や二度ではない。だが、続けているうちに、成功を喜びあえるようになっていった。

そして、ついに求めていた秘薬の調合に成功したのだ。

私たちは秘薬を共に用いた。まず私が口に含み、少量を嚥下したあと、ハイドに口移しで与えた。効果が続くあいだ、二人とも心身ともにあらゆる軛《くびき》から解放され、疲れを知ることもなかった。ことに精神的な効果は絶大で、効きはじめは幻覚を見るものの、感覚は鋭敏になり、活力が湧き起こって、衝動に身を委ねるばかりになった。研究室には大きな姿見を設置していたので、私たちは一つにつながり双頭の獣になったかのような姿を目《ま》のあたりにすることができた。愛の行為のあいだじゅう、私たちは一つの巨大な心臓となって鼓動を刻んでいるようにさえ感じられた。

　私たちの試みは常軌を逸し、眠っている使用人たちを起こすほど騒がしくなることがあった。秘薬の効果のさなかに、プールが戸口まで来てノックした夜もあった。二人して熱狂の歓声を上げ、窓ガラスを叩き割ったのだからやむを得まい。彼が扉を開けたので、私たちは裸のまま天井のガス管に飛び上がり、交尾中の猿のようにぶら下がった。あの馬鹿めをどう追い払ったのかは覚えていないが、すぐにそんな中断は忘れてしまった。

　そう、二人ともこの秘薬の奴隷になってしまった。さらに強い効果を求めるようになっていったのだから。効果の現れるのも、切れるのもそれぞれ異なっていた。自分に効果が現れているのにハイドにはまだないときは、楽園を追放されたかのような失望におちいり、効果が早く切れるよう願うばかりだった。だが、効果は薬剤の調合と加熱の加減で容易に調整できることがわかった。ハイドが秘薬をたくさん調合よう私に懇願するのも、自分ではできないので無理からぬことではあったが、私は求められるままにはせず、彼の様子を見て追加した。自分の効果が切れかけるたび、ハイドが中毒死してはいないか心配になるからだが、不満な彼はわがままな小娘のようになじるので、そのたびに消耗したものだった。二人ともに効果が切れているときはあまりなかったが、そんなときハイドが秘薬を調合してみせるよう求め、私は作り方を説明した。ほんのいっときとはいえ、これまでの人生で鈍麻されていた彼の生来の知性がほの見え、それが憐れみと感傷を含めた新たな愛を呼び起こして私の脳を酔わせ、さらに彼にのめり込ませた。

　彼と私のあいだにつりあいが取れていたこの頃、遺言状にハイドの名前を加えた。彼は私の従僕のようにふるまった。知己のエンフィールドとアタスンはハイドに出会い、特にアタスンは私に警告した。どれほど可愛い怪物に溺れていても、天使の仲間と信じるまでにはなっていないので、私は彼の言葉に理性的に耳を傾けたが、それでもハイドと別れる気はなかった。ハイドは離れようとはせず、私に従ったが、厄介さも増していった。秘薬の使用を制限しようとしたが、互いに満足できず、禁欲の誓いは長続きしなかった。

ハイドが一人で調合を試みたこともあった。結果として死にかけることになったが、それも彼には教訓にはならなかった。

私たちを守ってきた研究室は、牢獄に変わってしまった。秘薬の陶酔と幻惑の中では、私たちには互いしかいなかった。十月のある夜、どちらから言いだすでもなく、外に出てこのロンドンの街を新たな目で見よう、という話になった。霧に覆われた街は美しく、そこにはあらゆるものがあるように思われた。

あの不幸な出来事を窓から目撃したのは、一人のメイドだった。彼女が私に気づかなかったのは、私が窓の真下の壁に寄りかかっていたからで、観客と監督が同じ舞台を見ていたような位置になっていたからだ。

その場所はハイドが以前から知っていたのだが、そこに彼のことを良く知る男、国会議員のサー・ダンヴァース・カルーが現れた。メイドの証言によると、サー・カルーは見とれるような顔立ちの老紳士ということだが、その顔立ちの美しさは自然の賜物などではなく、女性がしているのと同じ技術によるものだった。

二人とも秘薬の酔いが残っていたことは言い訳にはできないだろう。前に書いた手記のとおり、その効果は日頃は内に秘めているものを解放し、ありのままの自分を自由にするものだった。カルーは私たちに近づき、声をかけた。メイドには「とても丁寧な物腰で話しかけたが、とくに大事な用がある様子でもなさそう」に見えたようだが、そのあいだに彼の風貌についても証言しているのは、なんとも興味深いことだ。カルーは私たちが二人でいるところに割り込んできたばかりか、かけてきたのは吐き気をもよおすような提案だった。急に私は、私へのハイドの思いを、これが最終試験だ、とばかりに試してみたくなった。

カルーを殺せ、と私はハイドに命じた。メイドが証言したように、「老紳士は驚きうろたえたように退き、ハイド氏は抑制を失ったかのように彼をステッキで打ち据え、路上に倒した。そしてすぐに、類人猿を思わせるような憤怒の形相で老紳士を踏みつけたうえステッキでさらに打擲し、骨の折れる音が聞こえ、その体は通りの中ほどまで転がった」。そして、私たちからは見えなかったが、メイドは——観客は失神した。だから、私の命令に従ったハイドがステッキを渡すのは見られなかった。その先端で年老いた男色家の頭蓋骨に穴を開けたのは私だ。冒険を共有した私たちは有頂天で研究室に帰り、先のことなど考えようともせず、あらためて愛を交わした。カルーの血に汚れたままの手で、意識を失うまで。

眠っているあいだにカルーの死体が見つかり、殺人犯が何者かも知れ渡った。メイドはハイドのことを、雇い主の家を訪ねてきたことがあるので、覚えていた。このことで、その雇い主がどういう者かは訝《いぶか》しまれるだろうし、彼女の証言も新聞では婉曲に変えられたことだろう。ただ、この冒険の目撃者がいたとは、私たちは思いもしなかったし、一緒にした犯罪をハイド一人に背負わせることなど、考えられなかった。状況を知った私はハイドに伝えた。私がとうに忘れているたぐいの後悔の苦しみに、彼は震えているようだったが、話を聞くや一人で絞首刑に上がる気はない、捕まったら私も共に死刑になるよう最善を尽くす、と言った。

「お前が言うことなど誰が信じるか」私は言った。

怯えたのか、ハイドは黙り込んだ。秘薬の副作用のせいかもしれないが、私に従って実行した犯罪の重みに打ちひしがれているようにも見えた。私がステッキでカルーの頭を一撃したのをあのメイドが見たとしても、彼女は自分の目を信じなかったことだろう。誰もがジキルを聖人のように、ハイドを怪物のように思いたがっていたのだから、それに反する証拠は信じるに値しなかった。

ハイドは恐慌のあまり意識を失ったのだ。

アタスンが来たとき、私は〝友人にして恩人〟ハイドからの手紙を偽造して、彼が国外に逃亡したと思い込ませた。ハイドの代筆をしたのはそれが最初ではなかった。彼には驚くほどの画才があったが、読み書きはできなかった。ふざけ半分に教えてみたことがあったが、彼に書けた単語は副作用に苦しむ間に私の神学の本に書き殴った卑語くらいなものだった。

ハイドは私の虜囚となった。裏口の鍵を壊したので、研究室の屋根裏に隠れさせておくほかなかった。捜索が入るような事態に備えて、小柄なハイドのための隠れ場所を作った。もっとも、実際に使う段になったときは、私が長い手足を折りたたんで一、二時間窮屈な思いをすることになったが。

数ヶ月後、私は実験の過程に区切りをつけ、秘薬の記録帳を閉じた。もうこれ以上続けることはなかったからだ。ハイドはわめいて抗議したが、薬剤は鍵をかけて保管した。彼は私以上に、秘薬の効果が切れるときに苦しみを覚えていた。そして私以上に、秘薬が自分を怪物に変えることを怖れていた。

私は身辺を整理しようと努めた。もはや秘薬も、そしてハイドも必要ではなくなった。激しく燃え上がった愛にも終わるときが来たのだ。このような間柄でなければ、ただ解雇するだけで済む話だ。

ハイドは重荷になった。まつわりついて離れなくなった。私は彼にとって唯一の存在、主人というよりはむしろ飼い主になった。私の心はとうに離れてしまっているのに、彼は懸命だった。飼い犬のようにそばにいられるのは煩わしいばかりだった。彼は別れないでくれと繰り返し嘆願した。甘えても拗ねても、私には不快なだけだった。当然、彼は外の世界同様、私も敵視するようになった。

彼が思いついたことを提案してきたとき、私はその真意をまったく誤解していた。長いあいだ忘れていたことを取り戻して更生に向かえば、私の心も戻るだろう、などと考えていると思ったのだ。彼はあらためて読み書きを教えてくれるよう私にせがんだ。私が代筆した手紙からひらめいたのだろう。二カ月にわたる努力は、血の滲むようなものだったろうが、彼は自分の手で言葉を綴れるようになったのだ。皮肉というべきか、その筆跡は私が以前代筆した手紙のものとほぼ一致していたが、私はそれを見て彼の意図に気づくべきだった。筆跡を似せることは、その過程の一つにすぎなかったのだ、と。

私は丸めこまれた。

一月になり、私は数日ロンドンを離れることになった。その間《かん》にハイドは国外に逃れるべきだ、と私は決めた。彼があっさり同意したのには驚いた。その翌日、私は船と列車の切符と、安宿にしばらく滞在できるだけの金を彼に与えて、捜索の手は緩んでいるから国外に出るのはたやすいことだろう、と伝えた。こうしてしまうとさすがに悲しくなりはしたが、彼はといえば予想したほど悲しげな様子を見せなかった。別れ方としてはきれいなものだろう。

後には良いジキル博士がいるばかりになる。

ロンドンに帰り、寂しさは否めないにせよ、ハイドがいないことに安心しながら、屋敷から研究室に向かうと、扉が開いているのに気づいた。そして、もっとも危険な化学薬品を保管していた金庫がこじ開けられていた。長くは考えなかった。ハイドめ、うまいことをしたものだ。

ハイドのために手配しておいた安宿に行き、彼の部屋に手紙の燃え残りを見つけた。プールとラニヨン、それぞれに宛てたものだ。私の筆跡を見事に真似ていた。ハイドの目的はここにあったのだ。彼の絵の腕を思い出し、その目の良さをあらためて知ることになった。体を売る暮らしに戻ることはない、ハイドは偽造で稼いでいける。

彼は使いの者に扮してラニヨンに手紙を届け、ラニヨンの使用人にもう一通の手紙を託して、プールに届けさせた。プールは文面に従い、研究室に入って秘薬の成分を揃えた。

何ヶ月もかけて、ハイドはこれを計画した。すべては、彼が中毒になった秘薬を得るために。

ここまで書いたことはほとんど、ラニヨンの家に向かう途中で推測したことだが、あとで知ったことも加えてある。私はラニヨンの家に着き、玄関からではなく裏手のフランス窓から入ると、そのときハイドはちょうど秘薬を口に含もうとしたところだった。

ラニヨンの肩越しに私を見て、ハイドは勝ち誇った顔を見せた。彼は私の裏をかき、主従を逆転させたのだ。彼の顔に浮かぶ歓喜は残酷なほどだった。

「ラニヨン」ハイドのラニヨンへの呼びかけは、そのまま私への嘲笑だった。「あんたは長いあいだ、狭い見方しかできないでいた。この素晴らしい新薬の効果も、それを作った者も認める気がなかった。今、わからせてやるよ」

ハイドは秘薬を一口含むと、ラニヨンを抱きしめ、口移しに飲ませた。私は止めようと踏み出したが、効果はすぐにラニヨンに現れた。私は思い出していた――脳が燃え上がるような感覚。見ることのない幻覚。あらゆるものが鮮やかに見え、欲望は解放される。

ハイドは声を上げて笑い、泡立つ中身のフラスコを私に差し出した。

ラニヨンは雷に撃たれたようになっていた。ハイドは分量を間違えなかったか、致死量に至ることはないのか。だが、そんなことはどうでもよくなった。私が秘薬を欲していることをハイドは知っていたのだ。

私は呪いに屈し、秘薬を飲んだ。

ハイドと私は引き裂くように服を脱ぎ、ラニヨンの服も剥ぎ取った。私の旧友にあらゆる方法で情欲を費やし、長年にわたって抑え込んでいた欲求を満たすよう、ラニヨンにも強いた。彼は最初は怒り、抗《あらが》っていたが、体の一部はこの堕落に喜んで加わり、やがて彼は自らを解放した。

私たち三人は歓喜を尽くし、ラニヨンは失神した。私は密かにハイドを研究室に連れ帰り、眠った。目覚めると、私は秘薬の追加を調合するのに必死になった。熱中している私を見て、ハイドは悪魔めいた笑いを浮かべた。秘薬ができてもおまえには使わせない、と脅すと、彼は膝を屈して懇願した。

今の私と彼をつなぐのは、秘薬だけだった。

怖れていた状況は早く訪れた。必要な薬剤が足りなくなり、在庫を補充するのに必死になった。前の手記に書いたように、「最初の実験以降は再び処方することなく、量も残り少なくなった。使用人を遣いに出して薬剤を買ってこさせ、残っている分に足した。すぐに沸き立ち色が変わったが、そのあとの変化はなかった。飲んではみたが効果は現れなかった。ロンドンじゅうの薬局を探しまわったいきさつは、プールが話して聞かせることだろう。徒労だった。最初に用いた薬剤は純度が低かったのだろう。効果はその未知の不純物にあったのだと思う」

それを知ったハイドは、今知られているとおりの怪物と化した。彼は怒り狂い、人であれ物であれ、手に触れるものみな壊し傷つけようとした。私を引き留める計画には成功したが、彼は自らの策で自由を失ったのだ。実験を繰り返しても成果はなく、秘薬は砂漠の水のように消えて原料も底をつき、ハイドはただ私を責めるばかりだった。

合理的に考えられたのであれば、ラニヨンのことを懸念すべきだった。彼から届いた手紙に、私たちは秘密を暴露されると思った。私たちとの恥ずべき関係を彼が恥じ、苦しみ、それゆえに真実を明らかにするだろう、と。

ハイドがラニヨンの家を訪れ、秘薬の効果を試したいきさつを書いたばかりだから、私がその手紙を読んだときの困惑は想像できることと思う。ハイドと私は、ジキルがハイドに変身したというラニヨンの馬鹿げた夢物語を二度読んだ。秘薬の開放感に伴う幻覚には二人とも慣れていたし、私は自分の立てた理論により、多くの人々が、ことにラニヨンのように自分を偽る性癖のある者は、自分自身や信頼する人の意外な真実を知らされると、それよりもありえないような幻想のほうを信じたがるものであると知っていた。

ラニヨンは明らかに自分が信じるままに書いていた。「彼はビーカーを口元に運ぶや、中身を一気に飲み干した。そしてすぐに叫び声をあげた。ふらつきよろめいて、テーブルに手をついて体を支え、充血した目を見開き、喘いだ。見る間に変化が現れた。彼の体が膨張し、肌は黒ずんで、顔が融けて形を変えていくように見えた。私は驚きのあまり壁際に飛び退り、恐怖に満ちた思いでこの信じられない光景を目にするまいと腕をかざした。『なんということだ!』と叫んだ。『信じられない!』とも、何度も。目の前に朦朧と立っていたのは、死から甦ってきたかのように両手を中にさまよわせ身を震わせる、青白い顔のヘンリー・ジキルその人だった!」

大事なのは「恐怖に満ちた思い」という言葉だ。秘薬を用いたことと、そのあとに及んだ行為を認めることを拒んだ彼は、ジキルとハイドを一人の人物だと信じることにしたのだ。彼がジキル＝ハイドという神話を作り、世間はそれを信じこんだ。あまりに有名な怪談も、結局は彼が秘薬で見た幻覚だということになる。

ラニヨンが送ってよこしたのは、アタスンに宛てた手記の写しで、かの弁護士は私の死あるいは失踪の後でなければ開封できないことになっていた。もっとも、ラニヨンが書いたのはすべて彼の頭の中で起きたことだったのだが。

秘薬が切れたことは地獄の苦しみとなった。体じゅうが痛みを覚えるほどだった。いつもそばにいるハイドは、苦しみを共にする仲間でもあり、私を責める拷問者でもあった。だが、彼がどうしようと、すでに望みはなかった。秘薬はもう調合できない。

本当の関係を知られないようにして、ハイドを亡き者にしなくてはならない。毒殺するのは簡単だ。私が試作薬を調合し手渡せば、彼はどんなに苦しくても、直後に深い失望を味わおうとも、飲んでしまうのだから。

ヘイスティ・ラニヨンがその後間もなくして死んだのは、私たちがしたことで心身ともにショックを受けたからだろう。私はのちに『ヘンリー・ジキルによる事件の全容』として知られる手記を書いた。この手記は、ラニヨンが書いた変身の夢物語を、現実寄りにつなぎ留めておくのに効を奏した。まさに、私はハイドにも秘薬にも依存していたのだし、そのことは手記からも読み取れるだろう。書いているうちに、私は自分の魂の二面性をあらためて知ることになった。

それを書く前日、ハイドが錯乱して手がつけられなくなった。私が最初に作った秘薬を少量隠し持っているのだろう、と彼は決めつけ（そう、私は保管していたのだ）、それを出すよう求めて暴力をふるった。私は殺されるまいと思い、ガラスの薬壜を彼に渡したが、その前に毒を入れておいた。

中庭が騒がしくなり、使用人たちが研究室の暴力沙汰を聞きつけたのがわかった。彼らはすぐに扉を破るだろう。

ハイドは愛をこめて私に接吻すると、秘薬を飲んだ。壜を半分空けたところで手を止め、彼にそんな心があるとは思わなかったが、残りを私にくれようとした。私はことわり、彼はそのまま飲み干すと、死の苦悶のうちにガラスの小壜を握り砕いた。

ハイドが倒れると同時に、扉に何かを打ち当てる音がした。

隠れ場所に潜り込み、アタスンと使用人たちが研究室の中を探しまわっている物音を聞いた。狭く真っ暗な隠れ場所で息もつけず、私は死んでしまうかと思った。自由を失って数カ月、私はたびたび、あのときハイドが無心に差し出した、毒入りの秘薬を受け取っておけばよかったと思った。魂の伴侶と共に手を取って、忘我のうちにこの世を去っていれば、死んだも同然でただ生きているよりも、あの二重生活にはふさわしい終わり方だったことだろう。財産を失い、家は荒れ果て、自分の墓にはハイドが葬られ、今の私は幽霊にすぎない。

私はエドワード・ハイドと共に死んだ、と世間は信じている。たしかにそうだろう。私の心は彼と、共に用いるために調合した秘薬とともにあり続けた。幽霊も同然の私には、今もハイドがそばにいて、二人でいなければ完全な人格でないように思えてならない。彼の髭のない顔が目に浮かび、高い声が聞こえ、再び彼が姿を現して、一緒に来るように誘ってくる。霧の中へと。

6　霧の中

その後の調査で、かつてジキル博士の研究室だった建物で、浮浪者と思われる者が寝泊まりしていた痕跡が見つかった。だが、立ち去ったあとで、身元を突き止める手立てはない。エレン・ハイドも霧の中に消えて、アタスンを当惑させることは二度となかった。

いずれにせよ、ジキルとハイドは二人で一人のようなものだったようだ。ハイドがいなくてはジキルは完全な人格ではなかった。では、その不幸な残りは、望んでエレン・ハイドの元に行ったのだろうか。誘拐されたのだろうか。エレンもまた、弟と変わらず、謎のままだ。どこに行けばジキル博士がいるのか、彼女は知っているようだった。遺産相続に介入しようとしたのは、ジキルとともにどこかに逃げおおせるための資金を得ようとしたからではないか、とアタスンは考えた。だが、〝シスター・ハイド〟がジキル博士を救おうとしたのか、苦しめようとしたのかは、知る手立てもない。

不動産からの資金を充てて、アタスンは新たな墓碑を作るよう手配した。ハイドはジキルの名を刻んだ墓碑の下に葬られているが、変えるのに遅すぎるということはない。ハイドに感じていた嫌悪感は、新たな手記で知ったことで増したようにも思うが、今は憐れみも覚えていた。ハイドの名に、あの唸り声や歩き方を思い出すが、写真の中で母の膝に座っていた、あの幼い男の子の顔も浮かぶのだ。

ある朝、アタスンはエンフィールドを連れて新しい墓に向かった。霧は薄いが日はぼんやりとしか射さず、二人は教会の墓地でしばらく当の墓を捜した。

「墓を掘り返したほうがよかったな」エンフィールドが言った。「確かめるためにも」

「何を確かめるんだ?」アタスンは尋ねた。

「葬られている者がいるかどうかをね。ぼくたちは再び厄介事に巻き込まれないともかぎらない。再び、ではなく、新たな厄介事かもしれないが。あの忌々しい秘薬の、本当の効果を誰が知っている者がいると思う? ジキル＝ハイドが死んだのは見せかけで、墓から這い出してきたとは思わない。だが、変身がもっと極端な、激しい、根本的なものだったということはありえないだろうか。ヘンリー・ジキルがエドワード・ハイドになったと思えるなら、エレン・ハイドになったと言われても否定はできないんじゃないか?」

奇妙なことだが、信じられそうな気もした。

ハイドの墓碑に猥褻な落書きがされているのを見ても、二人は驚かなかった。が、墓碑の上には、折り取ったばかりの薔薇が一輪置かれていた。

映画『狂へる悪魔』（1920）ジョン・バリモア演ずるジキル博士

ショートショート

霧先案内人

井上雅彦

さあ、お嬢さん、どうぞ、ゆっくりとお進みなさい。足下にお気を付けて。一歩、一歩と御御足《おみあし》を……バレットト・ブーツを踏みしめて。

なんといっても、この霧です。湿った霧。冷たい霧。蜘蛛の腸《はらわた》みたいにこってりと粘っこい黄色い霧。アニリン染めの色鮮やかな紫でさえも、灰褐色の影同然に溶かしこんでしまう深い深い霧。手を伸ばした指先だって見えやしない。眼を開いていようが、瞑っていようが、たいしてかわらない。だから……お嬢さん、怖ければ、遠慮無く、目をお瞑りなさい。目隠し鬼の頭巾でも被ったおつもりで。そのかわり——けっして、この手を離さぬように。

おっと、足下に気をつけて。反対側は運河です。匂いで、おわかりになりますね？

それにつけても、災難でしたな。まさか、辻馬車が転倒するとは。考えられるのは、馬の脳卒中《アポプレクシイ》――いやいや、畜獣《どうぶつ》は僕の専門ではないのだけれど……。

大通りの真ん中でまだよかったのかもしれません。たとえ、このイーストエンドでもね。

それがもし、歪んだ車輪が倒れもせずに、客車《キャブ》だけがこのあたりまで転がり続けていたとしたら……。暗く冷たい運河の中へ真っ逆さま。ひと昔もふた昔も前の「パンチ」に載ったぽんち絵の、ボートを漕ぎながらにやついている骸骨姿の死神が、最も似合う汚水の運河です。獣糞、瘴気《ミアズマ》、コレラ王の吐息……。水の中で円《まる》く光るものがある。クラウン銀貨だ、とばかり手を伸ばしたら、それが水死人の白目だったなんてことは、ざらにあろうというこの場所で……。

そういえば、近頃では、蟹の化け物なんぞが出るらしい。

人の身の丈ほどもある大蟹が、幾本もの足で立ち上がり、毒々しいほどに色鮮やかな甲羅を震わせて、がさごそ歩いてくるのだとか。心底怖がっているようですよ。河岸あさりの〈泥ひばり《マッドラーク》〉たちのみならず、命知らずの〈浚い屋《トッシャー》〉までが。おや、ご存じありませんか。〈浚い屋《トッシャー》〉は、下水道の奥深くまで潜りこんで、沈んだお宝を探す荒事師です。そんな猛者《もさ》までも、震えあがらせる怪物がいようとはね。

なんでも、このあたりで、娼婦どもが斬りきざまれ、臓腑を掻きだされるという――あの酷たらしい事件が続くのも、その蟹の化け物の餌食にされたのだとか……。まあ、あくまで噂に過ぎませんが、なんとも、おそろしい世の中で。

おっと、お嬢さんを怖がらせるような趣味はない。心配ご無用。――お屋敷までは、僕が無事に送り届けてさしあげますから。

ですから、この手を離さぬように。

ほおら。ここから先は、賑やかだ。

ホワイト・チャペルの大通り。呼び込み商人の声がするでしょう。

襤褸市《ぼろいち》の古着屋、古長靴売り、オルガン弾き、旅行写真屋、肩に担いだ木の串に十羽以上もぶら下げた野兎売り、皹《ひび》だらけの羊歯《しだ》入り水槽売り、嘴《くちばし》の欠けたカモメの剥製の瓶詰め売り、街頭ガラス工、鉄屑屋、籐椅子作り……いや、そんなまともなものばかりじゃない。売れるものなら、なんだって売ろうとする連中が声を張りあげる。割れた奥歯から、ひからびた胞衣《えな》までも。

そう。この霧さえ晴れさえすれば、カンタベリー・ホールやドルリー・レーン劇場の舞台役者も顔負けの——かれら売り手の豊かな表情がみられる筈です。そのかわり、この霧で視界の効かない今であっても、感じるでしょう。彼らのかけ声、前口上、ユダヤ琴の音色、古着や襤褸や、襤褸とすらいえない屑襤褸の匂いと手触り、ラム酒やジンの酒精、鰻のゼリィを咀嚼しつづけた吐息、阿片チンキの混ざった咳しぶきなど、身をもって知るには充分すぎやしませんか……。

さあ、ここを抜ければ……。ここさえ抜ければ……。

足下がお乱れで。いささか、お疲れですかな？

え？　もう少し寄り道をしたい？　本当は行きたい場所があった？

なんと。そのためにお屋敷を出たと仰る？　見世物ですと？

それは……それは、それは……。ふうむ。いささか距離がありますよ。

ピカデリーのエジプシャン・ホール？

お目当ては、あの新大陸からやってきた興行師ですかな？　身長二十六インチの親指トム将軍やら、フィジーの人魚の木乃伊やら、それから、遠いシャムからやってきた、あの有名な——いやいや、どうぞ、お忘れください。さすがに、遠乗りはお薦めはできかねますね。

それとも、ハイド・パークにあった頃より、ずっと垢抜けたシデナムの水晶宮？　巨獣マストドンの骨格標本をご覧になりたいのかな？　それとも、リージェンツ・パークの動物園？　マダム・タッソーはとうの昔に、ベーカー街を引き払ってるし……。巨大な絵が動くパノラマ館も、劇場そのものが廻転するディオラマ館も閑古鳥。となると……。

ほう？

これは驚いた。知る人ぞ知る……天幕街？

なるほど。それなら、話が早い。

霧の中でも近道は、わかります。

ほら。ずっと寒くなってきたでしょう。

運河の水音も、物売りの声もしない。静かな場所。音の無い場所。

確かに、寂しい場所ですよ。ふつうは誰も通らない。

だから、この手を離さないで。そう。僕の右手をしっかり握って。

僕は、片手で十分です。この仕事は……空いている左手だけで、十分。

馴れているのです。この作業は。

使うのは、外科用の柳葉刀《ランセット》。この特注の一本だけ。

どうしても、これが必要なのですよ。霧の先へ行くためにはね。

こうして……濃霧を切り裂いて……。

ほおら。見えてきた。

飛び出す《ポップアップ》仕掛けのクリスマスカードのように華やかに、ステレオスコープよりも色鮮やかに、目の前に拡がるのは、世にも妖美なる天幕街。

ほう。ここで待ち合わせ？　お嬢さんを誘ったその恋人と？

え？　恋人じゃない？　ジョンは理解者？　貴女に外の世界を見せたいと？

なるほど。アニリン染めのドレスとお揃いの、紫色の頭巾をプレゼントしてくれたのも彼だったのですね？　マントのように大きくて、二人分の頭をすっぽり隠せる、その頭巾。

まあ、いいでしょう。その幸福者は、どこにいるのかな？　天幕の中には怪物だけです。

そう。あそこにいるのは本物の怪物だ――顔がいくつある、頭がいくつ生えている、角があるだの、けむくじゃらだの、鱗があるだの、顎が縦に裂けているだの、頭蓋骨が大きすぎるだの、皮膚が増殖し続けているだの、数十もの眼球を有しているなどということなどは関係ない。

本物の怪物というのは、そうした、檻の中に繋がれているものたちのことじゃない。本物の怪物とは、それらを働かせている奴らのことだ。そして、ここに売りにくるやつらのことだ。何ギニーかを稼ぐため、自分の身内を売りに来る奴らだ。さあ……貴女の恋人はどこにいる？

え？　恋人じゃない？　ジョンは真の理解者？　なんですって？　貴女の身体に生えている、どちらの顔も、美しいと言ってくれたのですって？

それは、私も同意見。

しかし――ジョンの本心はどうなのでしょうね。

え？　ジョンを信じてる？　だからこそ、お互い助け合い、わざわざ、お屋敷を抜け出したって……。

ほう。そこまで言うのなら、ほら……あの天幕の影でおびえているのは、誰だろう。

お嬢さんが近づく度に、震えあがっている若い男は……。

おお、なんとその手には拳銃が。

お嬢さんの影が、彼に近づく。霧の中に影が映る。なるほど。確かに、見ようによっては――大きな甲羅の蟹の化け物か。二人分の頭を覆い隠す頭巾が、あまりにも色鮮やかなだけに……。

よお、色男。怖がるな。この影の主は、なにもしない。なにかをするのは、私の左手。拳銃よりも、こっちが速い。そう……この仕事こそ、私の得意技……。

おっと、お嬢さん。

目を背《そむ》けなさんな。いや、四つの目を閉じてもいいが、この手だけは離すまい。

ここから——この迷いの霧のなかから、本来のいるべき場所まで引き揚げてやるために。

そうさ。

これ以上、彷徨《さまよ》うことだけはなくなる。

少なくとも……もう、これからは、蟹の化け物などと間違えられることないだろう。

しっかりと僕の手を握って。——けっして、この手を離さぬように。

さあ、これから引き揚げる。

ここから僕がやることは〈浚い屋《トッシャー》〉となんら変わることでもないのだが——。

† † †

初老の紳士が目をしばたたいた。

娘の寝室に、突然、怒濤のように吹き上がる濃霧を見た——からだ。

冷たい蒸気ともいうべきものが、強く顔に吹きつけた——とさえ感じた。

しかし——瞬きの合間に、それは消え去った。幻影だ、と彼は思った。

いつもと変わることのない寝室。

その上で、ひとりの女が咳き込んだ。

オイル・ランプの柔らかな光が、寝室に横たわるスパニッシュカールの美しい乙女の顔を照らしだした。美しいとはいえども、身体を流れる血の色が感じられなかった。

「テス!」

紳士が——白くなった頭髪を仕立ての良い背広に載せた父親が、目に涙をにじませて横たわる乙女に覗き込んだ。父親よりいくぶん若い母親も、涙を流しながら、テスにすがりついた。

目を覚ました少女は、まだ小刻みに手を動かしている。その伸ばされた華奢《きやしや》な右手は、少女を見守る三人目の人物——首元をクラレットで飾った黒衣の男の右手を握っていた。

「どうやら、無事、帰ってこられましたね」

黒衣の男は言った。「しかし……こちらのご姉妹には、すでに生体反応がありません」

その男の左手はというと、隣のベッドに横たわるもうひとりの肉体の手を握っている。この手は紫色に膨れあがって、五本の指はかろうじて確認できるものの、波間に漂着して打ち上げられる軟体動物の触手や海獣の腐乱死骸にも似ていた。しかし、それが腐乱によるものではないことを、父親は熟知していた。隣に寝かされたテスと同じ服を着せられているようだが、損壊が激しい。ただ、足下から尽きだしたバレット・ブーツがお揃いであることはすぐにわかった。

「ベスには……むしろ、このほうがよかったのかもしれない……」

と言いかけた父親を、男の目が射すくめた。ホイットビーで採れる黒化石《ジェット》のような目だと、父親は思った。

「馬車が倒れた時、ベスがテスをかばおうとしたようです。双子の姉妹は、心も強く結びついていた。たとえ、外見は異なってもね」

男は言った。「衝撃で、二人の肉体《からだ》を繋いでいた太い動脈は断ち切れてしまったが……」

「偶然、通りかかって、手術してくださったにもかかわらず――」

母親が言った。「あのように……眠り続けるテスの意識を戻してくださった……」

「実は……どうなることかと……不安で」

父親が言った。「テスと手を繋いで、その耳になにかを囁きながら、まるで、あなたも昏々と眠っているかのようかのようにお見受けしたので……」

「潜っていたのですよ」

男は言った。「魂の彷徨う霧の都に……」

「えっ？」

「外科治療よりも、得意分野でしてね。……昔の仲間が、二度と蟹のような姿の幽霊に出遭うこともなくなりました」

「ええっ？」

「ところで……お父上、ジョンという名前にお心当たりは？」

男の問いに父親が驚いた。

「死んだ弟の息子と同じ名前ですが……どうして？」

「いえ、彼女のうわごとに出てきたもので」

「親戚は彼一人でね。娘たちの話し相手になってくれてましてね、よく出入りしてましたが……事故の前から見ていないですね……どこに行ったのだろう……」

「では、約束どおり」

男は、隣のベッドに横たわるものに目を向けた。

「こちらの肉体《からだ》は貰っていきますよ。……貴重な標本だ」


コマドリがカードをくわえ、柊《ひいらぎ》、ヤドリギをあしらったモミの木のある居間。

まるで、クリスマスのプレゼントでもあるかのように、たんねんに繃帯に包まれた標本を、家令たちに運んで貰いながらの帰りがけ、それまで不思議そうに手鏡を覗き込んでいた娘が、はじめて顔をあげて、男を見た。

「先生……私たち……」

「なにも心配することはない」

男は小声で呟いた。「顔も身体も半分になって窮屈だろうが、二人とも仲良くね」

家令たちはなにも聞いていなかった。

彼の一人ごとさえも。

「……相続人だったのか……。ならば……ある意味、念願は叶ったな」

家令たちは気がつかなかった。クリスマス・ツリーを横切る時、大きな繃帯の下からバレット・ブーツの輪郭の突きだした部分が、ぶるぶると震えたことさえも。

世紀末ロンドン幻視行

贖罪物《デオダンド》の奇妙な事件

The Curious Affair of the Deodand

リサ・タトル Lisa Tuttle

金井真弓 訳

ヴィクトリア朝は、シャーロック・ホームズを筆頭に名探偵が続々と登場した時代でも、心霊主義が衆目を集めた時代でもあった。この二つの流行が生み出したのが、ジョン・サイレンスや幽霊狩人カーナッキをはじめとする〈オカルト探偵〉――というのは本書編集者の持説だが、裏付けの資料を集める一方、今も後を絶たず登場する後継者たちに驚いている。

ＳＦとフェミニズム、双方で著名なリサ・タトル描く、若き試問探偵ジャスパー・ジェスパーソンも、その後継者の一人だ。本作は、彼と新しい助手ミス・レーンが取り組んだ最初の事件で、初出はオカルト探偵小説競作集*Down These Strange Streets*（２０１１）。

なんともつらかったのだが、ミス・Ｇ＊Ｆ＊との仕事をもはや続けられないことがはっきりすると、わたしはスコットランドを去ってロンドンへ戻った。そこですぐさま勤め先を見つけようと思ったのだ。銀行口座の残高はゼロで、何も財産がなく、質に入れたり売ったりできる価値のあるものも持たないわたしには汽車の料金を払ったあと、十二シリングしか残されていなかった。自宅を提供してくれる友人はロンドンに何人かいるし、以前は厄介になったこともあったけれど、迷惑をかけまいと決心していた。だから、きちんとした職を早急に獲得する必要があったのだ。性急すぎると思われかねない決断をわたしがくだしたのは、こういった事情があったことをぜひとも強調しておきたい。

朝のかなり早い時間にキングスクロス駅に着くと、オックスフォード街にある女性向けの職業紹介所へ一刻も早く歩いていくのが理にかなったことだと思われた。

汽車から降ろしたときは軽すぎるほどだった鞄は一歩進むごとにだんだん重くなり始めたので、わたしはたびたび立ち止まってはしばらく荷物を下ろして休むしかなかった。そんなふうに新聞販売店の外で小休止して一息入れ、痛む腕をさすりながらショーウインドウに貼られたいくつもの掲示を眺めていたときのことだ。ペットが行方不明だの、貸し間を提供するだのといった掲示の間にあった張り紙の一つに注意を引かれた。


〈諮問探偵が助手を募集中。

読み書きできる能力があり、勇敢で、感じがよくて、優れた記憶力を持つことが必要。四六時中の勤務を厭わない者を求む。

希望者はガウアー街二〇三AのJ・ジェスパーソンまで〉

胸が高鳴ったけれど、ばかねと自分を叱りつけた。確かにわたしは頭が切れて勇敢で、健康にも恵まれて丈夫だが、現実的に考えてみれば、女だし、小柄で力だって弱い。どこの世界に、そんな人間を雇おうとする探偵がいるだろう?

けれども、張り紙には武器や体力については全然触れられていなかった。わたしはもう一度読み、張り紙に書かれた住居表示――二〇三A――から目を上げると、店の建物の上に書かれた番号に気づいた。二〇三。

扉が二つあった。左側の扉は小さな店に通じていたが、光沢のある黒で塗られたもう一つの扉には「ジェスパーソン」と刻まれた真鍮のプレートがついていた。

わたしのノックに応えたのは中年期に入ったばかりの婦人だった。服装からも外見からも、使用人とは考えられそうにない上品な人だ。

「ミセス・ジェスパーソンですか?」わたしは尋ねた。

「そうですけれど?」

求人広告を見てやってきたのだと告げると、彼女は中に入れてくれた。ベーコンを炒めたにおいとトーストの香りがかすかに漂っていて、わたしは昨日の午後から何も食べていなかったことを思い出した。

「ジャスパー」婦人は声をかけ、別の扉を開けてわたしを手招きした。「広告が早くも報われたようですよ!ご婦人がいらしています……ええと、ミス……?」

「レーンと申します」中に入りながらわたしは言った。

足を踏み入れたのは暖かくて物があふれ、活気があって心地よくて明るいところだった。部屋全体の雰囲気にわたしはくつろいだ気持ちになった。嗅ぎ慣れた感じの本やタバコやトーストやインクのにおいが染みついた部屋は、見回してもみないうちからわが家にいるような気分にさせてくれた。ここは明らかに仕事場と居間を兼ねているらしかった。本がぎっしり詰まった、床から天井まである書棚がいくつも並んでいるところを見ると書斎のようだったし、書類や雑誌がうずたかく積まれてひどく散らかった、とても大きな机からもそう思われた。けれども、暖炉——こんな気温の高い六月の朝だから、炉床は冷えているだろう。炉棚には何があるのか一目では見きわめられないほどさまざまな物が並んでいた——のそばには数脚の肘掛け椅子もあり、二人分の朝食の残りが載ったテーブルもあった。こういった光景をすばやく見て取ったわたしは、テーブルの前からさっと立ち上がった男性に注意を奪われた。

〝男性〟という表現を使っているけれど、最初にわたしの頭に浮かんだ言葉は〝少年〟だった。その体格にもかかわらず——あとでわかったのだが、彼の身長は六フィート四インチだった——、赤味がかった金色の巻き毛に縁どられた、滑らかで青白く、かすかにそばかすが散った顔は天使のような子どもを思わせたのだ。

彼は青い目で食い入るようにわたしを見つめた。「はじめまして、ミス・レーン。それじゃ、きみは自分を探偵だと考えているのかな?」何はともあれ、声はまさしく男性のものだった。深みがあり、めりはりの利いた声。

「そういうわけではありません。とにかく、あなたは助手を求める広告を出していらしたでしょう。読み書きができて勇敢で感じがよくて記憶力が優れていて、四六時中働くことを厭わない人を。わたしはそういう資質をすべて備えていると思います。それに、探しているところなんです……興味深い仕事を」

彼とわたしの間に火花のようなものが散った。それは詩人や感傷的な作家たちが男と女の間について書くべき価値がある唯一の絆だと考えるロマンチックな情熱ではなかった。むしろ〝好意〟といったもので、心や精神の一致を認識したということだった。

ミスター・ジェスパーソンはうなずくと、もっと年老いた人がやるようなしぐさで両手をこすり合わせた。「結構、実に結構」彼はひとりごち、刺すような視線をふたたびわたしに向けた。

「もちろん、きみには職務経験があるだろう。鋭い知覚力や注意深い観察力や大胆な精神といった能力が求められるところで。しかし、今はそういったことから切り離して——」

「ジャスパー、お願いよ」ミセス・ジェスパーソンが口を挟んだ。「せめてこちらのご婦人に当たり前の礼儀を示してちょうだい」彼女はわたしの腕にそっと片手を置き、椅子を身振りで示して座るようにと案内し、紅茶を勧めてくれた。

「ありがとうございます。いただきます。でも、これは奥様の椅子じゃありませんか？」

「あら、いいのよ。わたしはこれ以上、お邪魔しないわ」話しながらミセス・ジェスパーソンは上質の白い磁器のティーポットを持ち上げ、慣れた様子で振ってポットの中身の量を判断した。「あなたたちが仕事の面接をしている間に、わたしは紅茶の追加を持ってきますよ。バターつきパンはいかが？　ほかに欲しい物はあって？」

レディたるもの、食事に招かれたわけでもない場合は食べ物を断るのが普通だろう——でも、わたしはよいマナーなんてかまっていられないくらい空腹だった。「それは大歓迎です。ありがとうございます」

「できたら、もっとトーストをもらいたいな。それにジャムも欲しいんだが、お母さん」

ミセス・ジェスパーソンはあきれたように天を仰いでため息をつくと、部屋から出ていった。

彼の注意は早くもまたわたしに戻っていた。「きみはずっとハイランドにいただろう。特権的な一族の一部の故郷にね。きみは夏が終わるまでそこで過ごすはずだったが、あいにく……何かが起こって……滞在は突然に終わりを告げた。そしてきみはただちに去らねばならなくなり、朝一番の汽車でロンドンへ来た。ロンドンには姉妹がいるのかな……？　いや、おばさんかいとこよりも親密な間柄の人間はいないだろう。彼らのところへ行く途中できみは休憩をとり、ぼくの広告に目を留めたというわけだ」ミスター・ジェスパーソンは言葉を切り、期待のまなざしでわたしを観察していた。

わたしは彼をたしなめるように首を横に振った。

ミスター・ジェスパーソンは息をのみ、落胆した顔つきになった。「違っているのか？」

「二、三のことが違うだけです。でも、ちゃんと目がついている人なら誰でもわたしがスコットランドにいたことは見当がつくでしょう。こんな早い時間にやってきて、朝食もとっていなかったという事実を考えるとね。とにかく、わたしの旅行鞄には外国のステッカーが貼られていません」

「それから、急に向こうを発ったことについてはどうなんだ?」

「わたしは一人で歩いてきました。ロンドンへ来ることを友人たちに――おばもいとこもいません――知らせる手紙を書く時間はなかったので」

「きみを採用しよう」彼は出し抜けに言った。「身元保証書のことは心配しなくていい――きみ自身がきみの最高の身元保証だ。採用するよ――まだ働きたいというのなら」

「まずは仕事についてもっと知りたいのですけれど」ととりあえず慎重な人間に見せなくてはと思いながらわたしは答えた。「わたしの業務は何でしょうか?」

「〝業務〟という言葉は適切じゃないようだな。〝役割〟と言ってくれ。役割は共同経営者のようなものだ。ぼくが事件を解決するのを手助けし、推論するのに力を貸して、そうだな、何でも要求されたことをやるんだ。シャーロック・ホームズの話ぐらい読んだことはあるだろう?」

「もちろんあります。この点について指摘しておかなくてはなりませんが、ドクター・ワトソンと違って、わたしは喧嘩が得意じゃないんです。基本的な看護の技能は身につけているので、傷の手当てくらいはできますが、デング熱の症状を診断するとかいったことは期待しないでください。それと――または――」

彼は声をたてて笑った。「そういったことは一切頼まないよ。母が看護婦なんだ。ぼくは射撃の名手で、東洋から取り入れた一種の武芸を身につけている。だから丸腰で戦う場合でも有利だ。きみがまったく危険にさらされないとは保証できないが、危ない目に遭うことを恐れないのならば――」わたしの表情から答えを読み取ったらしく、彼はにっこりと笑った。「うん、おおいに結構。話は決まったということだな?」

その微笑に応えて、彼が差し出した手を握りたいとどんなに思ったことだろう! でも、住む家もなく、財布にあるのは十二シリングだけだったから、わたしにはもっと多くのものが必要だった。

「どうかしたかい?」

「お話しするのは恥ずかしいのですが」わたしは言った。「ドクター・ワトソンと違って、わたしは医師としての収入を得られないので……」

「ああ、金か!」彼は大声をあげた。お金がないことを一度も心配しなくてよかった人々だけに可能である無造作な調子で。「いや、もちろん、この仕事から得られる追跡の興奮以上のものをきみに与えるつもりだよ。男は生きなければならないからな！　女だって同じだ。きみはものを書くことについてはどうだい？　別に高尚な文章でなくていい。出来事を適切な順番に並べて、誰もがわかるように書くだけでいいんだ。そういったものを書いてみたことはあるかい？」

「いくつか記事を書いたことがあります。つい最近では『心霊現象研究協会（ＳＰＲ）』のために書いた文が出版されました。もっとも、わたしの名前で出たわけじゃありませんが」

わたしがＳＰＲのことを口にすると、ミスター・ジェスパーソンは目を見開き、興奮した口調で尋ねた。「Ｃ＊ハウス！　それじゃ、きみはあそこにいたのかい？　きみはあの〝ミスＸ〟なのか？」

わたしは傷ついた表情をしたに違いない。彼がすぐさま謝ってきたからだ。

彼女からは遠く離れていると感じ、ここなら安全で心地いいと思っているときにその名前――ばかげた匿名の一つ――を耳にして落ちつかなくなったことを説明するのはいやだった。だから、たちどころにミスＸだと正確に推測した彼への驚きを口にするだけにとどめた。「〝ミスＸ〟はわたしの報告書の執筆者名としてつけられた名前でした。でも、実を言えばわたしは彼女の……ミスＸの助手だったんです。昨日までは。Ｃ＊ハウスでのいろいろな出来事について意見の不一致があって、わたしはいきなり解雇されたんです。でも、どうやってそのことがわかったんですか？　Ｃ＊ハウスの調査は不完全なので、それの報告書はまだ刊行されていないのに」

わたしの顔から視線をそらさずに――そこにどんな秘密を彼が読み取ったのか、知りたくもないが！――ジェスパーソンは書類や雑誌が山積みの机のほうに、長い指をした片手を振ってみせた。「ぼくはＳＰＲの会員ではないが、彼らの発見にとても興味を持っている。その文書を読んだ。この夏、Ｃ＊ハウスの調査が予定されていたことは知っていたよ。

「ぼくは徹底的に理性的な現代の人間だ」彼は話し続けた。「何かを崇拝するとすれば、それは〝理性〟と呼ばれている神に違いない。ぼくは迷信とまったく関係ない唯物主義者だが、研究の中で科学では説明できないものに何度も出くわした。降霊術の会に出たり幽霊を追ったりする人間を軽蔑はしていないよ。説明不可能なものを調査の価値がないとして無視することはばかげていると思う。どんなものも疑問を持たれて調べられるべきだ。重要なのは信念ではなく、事実なんだよ」

「わたしもそう思います」わたしは静かに言った。

ジェスパーソンは片づいていないテーブル越しに身を乗り出し、好奇心をたたえた率直なまなざしでわたしをじっと見た。「きみは幽霊を見たことがあるのか、ミス・レーン？」

「いいえ」

けれども、彼はわたしのわずかなためらいを見逃さなかった。「確信は持てないんだな？　合理的には説明できない経験をしたことがあるんだね？」

「そんな経験をした人は多いでしょう」

「そうだな」ジェスパーソンはゆっくりと言って椅子の背にもたれ、遠くを見るようなまなざしになった。けれども、一瞬の間だけだった。「教えてくれ。一般的には霊能者と呼ばれる不思議な才能や感覚をきみは持っているのか？」

その質問を投げられたことは何度もあったが、わたしはいまだにはっきりした返事をしていなかった。「ときどき、ほかの人は気づかないらしい何らかの雰囲気を感じることはありますし、何かの印象を受ける場合もたまにあります……どうやってわかったのか説明できないことを知っている場合もあります。でも、自分が霊能者だなんて主張しません。生き生きした想像力が鋭い知覚力や優れた記憶力と結びついた結果を無視するわけにはいかないでしょう。これまで会った、いわゆる霊能者のほぼすべては何かを見たり聞いたり、そして記憶していたりしたことを通じて結果を出していました。〝霊の導き〟など必要としなくてよかったんです」

ジェスパーソンは思いにふけって同意するかのようにうなずいた。「ぼく自身、読心術の技を使ったことがある。どうやってそんなことをやったか説明せずにいられないのでなかったなら、その技で一財産築いていただろう。じゃ、きみは幽霊についてどんなふうに説明するかい？　それらは霊魂だろうか？」

「わかりません。人々が見たとか感じたとかいう幽霊は残像だといった考え方に賛成しています。写真や、記録された記憶の形といったものに似ているんじゃないかと。強烈な感情はある種の印象をあとに残すようです。ほかよりも強くそういうものが残る場所があります。そう言ってよければ、物にもそれなりの記憶があるんです。たまに、命のない物体が悪意のある意思や絶望のせいで振動することがあります。だから、物はそれを所有する人の心のイメージみたいなものを伝えているように思えるんです」

ジェスパーソンは魅せられたようにこちらを見つめていたが、わたしには新鮮な経験だった。ＳＰＲのかなり年配の紳士たちにさえ、これほどの興味は示してもらえなかった。でも、言うまでもなく、わたしは注目の中心にいることに慣れた〝ミスX〟のお供として彼らに会う場合が多かったのだ。

そろそろ仕事の話に戻る頃合いだと判断し、わたしはジェスパーソンに本来の質問を思い出させた。「文章が書けるかというお尋ねでしたね。たぶん、あなたの解決した事件を公にするために執筆してほしいということじゃありませんか?」

「当然だが、より興味深い事件を書いてほしいんだ。本にして出すことには有益な目的が二つある。一つは、そのおかげでぼくの名がみんなから注目され、新しい依頼人が引きつけられることだ。もう一つは、きみに報酬が入ることだよ」

わたしの気持ちは沈んだ。ペンで生計を立てる友人が何人かいるから、よくわかっていた。貧乏文士が執筆で暮らすにはどれほどの時間がかかり、どんなに骨を折るものかということを。たとえミスター・ジェスパーソンが毎週一件ずつ興味深くてわくわくさせられる事件を解決したとして(そんなことはあり得そうにないが)、わたしが執筆したすべての物語を売ったとしても……薄汚れた下宿屋の部屋代と食事代を払うために、一行当たり三ペンスもらうとして、どれほどの量を書かなければならないだろうか。計算に苦労して答えを出せずにいたが、わたしはジェスパーソンの言葉に元気づけられた。

「言うまでもなく、すべての事件が出版に向くわけではないとわかっている。きみが歩合のみに頼って生活しなければならないと思わないように、執筆の話をしただけだ」

「歩合って、何のことですか?」

「報酬はきみの貢献度によるということだよ。顧客がぼくに払ってくれるうちの十パーセントから五十パーセントの範囲の金がきみの取り分だ」

彼がまだ話していたときにミセス・ジェスパーソンが部屋に入ってきた。運んできたトレイをテーブルに置こうとして、彼女が鋭く息を吸い込んだ音がわたしには聞こえた。「ジャスパー?」ミセス・ジェスパーソンは沈んだ口調で言った。

「ミス・レーンに無給で働いてくれとは頼めないよ、お母さん」

「助手に払う余裕なんてないでしょう」

不安だったものの、わたしは二人の間に割って入った。「どうかお金のことで言い争わないでください。ミスター・ジェスパーソンが、友達ならただで与えるはずの知的な助けや友情といったもの以外の何に対して報酬をくださるつもりなのか、まださっぱりわかりません。わたしはそういった友達になりたいとは思います」

二人の注意はもうすっかりわたしに向いていた。「ミスター・ジェスパーソン、あなたが推測したように、わたしはこの前の職場をかなり急に去りました。仕事に対する報酬ももらわずにね。ロンドンへ来たのは運試しのためなんかではなく、単に生計を立てるためのまっとうな仕事を得るためでした」

わたしは彼らのどちらかが何か言ってくれないかと思いながら、息を吸おうと言葉を切った。すばやく部屋を見回し、自分に言い聞かせる。助手に報酬を払う余裕などないとミセス・ジェスパーソンが感じているとしても、彼らにはこれほどの物――上質の磁器、銀器、革装丁の本、相当の数の家具、家いっぱいにあふれたものの数々――があるのだと。いっぽうわたしのほうは、使い古した鞄一個分の財産しかない。

「もしもわたしに余裕があれば、無給での試用期間を申し出るべきでしょう。たぶん一カ月ほどかけて、あなたの仕事への自分の貢献度がどれくらいかを試してみると思います。残念ながら、わたしには部屋を借りるだけのゆとりすらないんです――」

「でも、あなたはここで暮らすのよ！」ミセス・ジェスパーソンは大声をあげた。息子に向かって顔をしかめる。「説明していなかったの？」

今やミスター・ジェスパーソンは落ち着いた様子で紅茶を淹れていた。「ぼくの広告の文面から、きみがそのことを推測したものと思っていたよ。四六時中の勤務という部分からね。もちろん、あらゆる不測の事態に備えて、助手にはここにいてもらわねばならない。きみの意見を聞きたいと思うたびに手紙を書かなくちゃならないのでは不便だ。使い走りの者にロンドンを半分も横断させて、きみの返事を待たせるのも」

「二階に部屋があるんですよ。ちゃんとした家具付きで住めるようになっているわ」薄く切ってバターをたっぷりと塗った白パンが載った皿をわたしに手渡しながらミセス・ジェスパーソンが言った。ラズベリージャムが山盛りになった小さなガラス製のボウルも。トレイにはバタートーストの皿と、蜂蜜の入ったポットも載っているのが見えた。「それと、三度の食事つきよ」

二階の部屋は本当にとてもすばらしかった。寝室兼居間としての広さは充分にあり、わたしがロンドン暮らしで家賃を払ってきたどんな部屋よりも心地よく装飾されていた。壁にはランドシーア（一八〇二－七三　英国の画家。動物画で知られている）の複製画だの、見栄えのよくない版画だのといったものは一枚も掛かっていなかった。その代わりにきれいな風景を描いた水彩画が一枚飾ってあり、どこの国の芸術品かわからないが、奇妙だけれど興味深い彫刻が数点置いてあった。家具は基本的なものだったが、クッションがいくつも置いてあったり明るい柄の布が掛けてあったりするおかげで、いっそう魅力的になっていた。わたしはたちまちくつろいで、階下の広くて雑然とした部屋にいたときと同様にこの環境で気持ちが落ち着き、やる気が出るのを感じた。

しばらく時間をかけて荷解きをして身の回りの物を並べ、友人たちに新しい住所を知らせる手紙を何通か書いたあと、休もうと横になった。汽車ではほとんど眠れなかったけれど、こうして新しい仕事――前の仕事と同じく、報酬の点から言えば問題がないわけではなかったが――に就いた今、わたしは元気を回復させてくれる深い眠りに安心して落ちていった。

ディナーはミセス・ジェスパーソン自身が作ってくれたおいしい野菜カレーだった。彼らには料理人を雇う余裕がなかったのだが、もっと大変な家事のために〝通いのお手伝いさん〟は雇っていた。その晩、みんなで座っていたとき、わたしは自分のことをあまりさらけださずに、ジェスパーソンたちの最近の話を少し聞いた。

ジャスパー・ジェスパーソンは二十一歳でひとりっ子だった。彼が十五歳になって間もなく父親が亡くなり、ジェスパーソンは母親とインドへ行った。そこに母親の兄がいたのだ。しかし、インドには一年足らずしかおらず、彼らは中国に渡り、その後は南洋諸島へ行った。一年以上前、ある興味深い申し出を受けてロンドンへ戻ってきたものの、その話は期待したほどではないとわかった（それについては別のときにすっかり話して聞かせるとジェスパーソンは言った）あと、彼は自分の能力や関心を最高に生かすには諮問探偵になることだと判断した。

今までのところ、ジェスパーソンは三つの事件で成功していた。そのうちの二件はあまりにも簡単に解決してしまったので、おもしろい物語にはならないそうだ。三つ目の事件はまったく違っていて、いつかそれについてわたしに書いてもらいたいということだった。自分の能力がおおいに試されたその事件のあと、ジェスパーソンは助手を求める広告を出そうと決めたのだ。

ジェスパーソンの四つ目の事件、そしてわたしにとっての初めての事件は翌朝、新しい依頼人の到着とともに始まることになっていた。

「この手紙を読んでくれ。そうすればぼくと同じくらい、事件についてわかるだろう」ジェスパーソンは言い、折りたたんだ手紙を机越しに渡してよこした。

便箋のてっぺんにはメイフェアのある紳士クラブの名前があり、ウィリアム・ランダルという署名がされていた。やや走り書きでインクの染みがいくつかあることから、これを書いた人は激しい感情にとらわれているらしいことがわかっただけでなく、普段の手紙は口述筆記させることに慣れているのだとも読み取れた。

拝啓、ジェスパーソン殿

貴殿のご芳名をうかがったのは外務省にいるある友人からです。いまだに警察が途方に暮れている殺人事件を解決できる人間がいるとしたら、それは貴殿だと勧められたからでした。

親しくしているあるご婦人が、私が死の危険にさらされていると信じ込んでおります。かのご婦人が婚約していた当時に犠牲となった人物を殺害した未知の殺し屋に私も狙われているというのです。

お会いしたときに一切を説明する所存です。よろしければ、水曜日の朝の十時に貴殿を訪問いたします。不都合ということでしたら、より好都合の日時を折り返し郵便でお知らせください。

敬具

わたしは手紙をたたんでジェスパーソンに返した。彼は輝きをたたえた目で期待するようにこちらをじっと見つめている。

彼は促した。「何か質問は？」

「外務省というのは？」

「そのことは気にしなくていい。ぼくをそこで働かせようとし続けているおじがいるだけだ。手紙の書き手についてのぼくの推測を知りたくないかな？　どんな未解決の事件のせいで、この男はそんなに動揺しているのだろうか？　ぼくには推理できると思うよ」

「まずは待ってみて、ミスター・ランダルとかいう人の話を聞きたいと思います。あなたの推理が正しければ、結構なことですけれど、間違っていたら、わたしは混乱させられるだけですから」

ジェスパーソンはいくぶん落胆した顔つきになり、自分のお利口ぶりをひけらかすことを禁じられた小さな男の子を思わせた。わたしは言った。「あなたが正しかったなら、あとで説明してください」

「しかし、きみはぼくを信じないかもしれない。まあいい。別にかまわないよ」

彼の母親のつぶやきがわたしの耳に入った。「隠し芸なのよね」けれども、それが聞こえたとしても、とにかくジェスパーソンは少しも反応を示さず、わたしが話題を変えるままにしていた。そしてその晩の残りはなかなか楽しく過ぎていったのだった。


ミスター・ウィリアム・ランダルは、炉棚の上の旅行用時計（今は埃をかぶっているが）が十時を打つのと同時に到着した。粋な雰囲気の若い男性で垂れ下がった口髭をしていた。わたしよりもロマンチックな人間なら悲しげだと呼びそうな表情をたたえた大きな黒い目のせいで、整った顔立ちは単に美形というよりも、印象的なものに見えた。

ミスター・ランダルは飲み物を断って椅子に座ると、「これはおそらくばかげたことでしょうが」と短くためらいがちに前置きし、婚約者が心配しているのだと言って話し始めた。

「わたしが伴侶にしようとしているご婦人はハローのミス・フローラ・ベラミーです」彼女の名前を聞いても自分には何の意味もなかったが、ジェスパーソンがしゃんと背筋を伸ばしたことにミスター・ランダルもわたしも気づいた。

「そうでしょう。あなたならあの事件と結びつけたかもしれません。言うまでもなく、彼女は著名な投資家のミスター・アーチボルド・アドコックスと婚約していました。彼がおぞましい死を遂げた当時に」

「とすると、ミス・ベラミーは彼の死が自分たちの婚約の事実に関係があったと思っているのですね？　そして今度はあなたの身に危険があると？」

「そうです」

「なんて奇妙な！　何を根拠に彼女はそんなことを？」

ミスター・ランダルはため息をつき、からっぽの両手を上げてみせた。「『心には理性でわからない理由がある』と言うでしょう。おわかりでしょうが、女というものは頭よりも心で物事を考えるきらいがある。わたしからすれば、すべてが状況証拠のようで納得できないし、単なる偶然の一致に思えるのですが……彼女は自分が正しいと確信しているのですよ」

こういった言葉を聞いているといらいらして、わたしはつい口を挟まずにはいられなかった。「すみませんが、ミスター・アドコックスの死という事実について話してくださいませんか？」

ジェスパーソンはひそかな勝利感を込めた微笑をわた

しに向けた。〝昨夜、ぼくが話してやれたのにな!〟と表情は語っていたが、ジェスパーソンはこう言っただけだった。「新聞にいろいろと出ていましたな。一年前に」

「十五カ月前です」ランダルは訂正した。「ミスター・アドコックスは駅へ向かっていた途中で襲われたのです。フローラの家の戸口でおやすみを言ってからさほど経たないうちに。ミスター・アドコックスは足を怪我したばかりだったので、フローラはタクシーに乗ってもらいたがったのですが、彼はこう言い張りました。短い距離なので、杖があれば歩くのは造作もない、と」ミスター・ランダルは口ごもってから言った。「彼は扉の横の傘立てにあった杖を借りました」

「怪我をしたのはごく最近のことだったに違いありませんね」わたしが言うと、ランダルはうなずいた。

「その夜のディナーの直後だったのです。ミスター・アドコックスは廊下でつまずいて足を何かにぶつけました。しかし、非常に痛かったはずなのに、大騒ぎするような怪我ではないと言って聞かなかったのです」

「大騒ぎするような男の人ではなかったわけですね」

「彼は弱虫ではなかった。それに自分の面倒は充分に見られたはずです。アマチュアのボクサーか何かだったんですから」

「でも、誰かが彼を襲ったのですね。理由もなく」

「だから、われわれは頭を働かせなければならないのですよ。彼は小道で手足を投げ出して倒れている姿で発見された。何かにひどく打たれたせいで頭は血まみれでした。瀕死の状態で話すこともできず、その夜のうちに怪我が原因で亡くなりました。何があったのか、話すこともできないままで。おそらく犯人がわからなかったかもしれません。そいつは卑怯にも背後から彼を攻撃していましたから」

「逮捕された人間はいなかったんだ」ジェスパーソンがわたしに言った。「容疑者はいなかった」

わたしは眉をひそめた。「誰も動機を指摘できなかったんですか?」

「犯行は計画的なものではなく、衝動的なものだという推測が多かった。凶器となったのはミスター・アドコックス自身の杖だったからね」

「彼の杖というわけではありません」ミスター・ランダルが異議を唱えた。「フローラの家から借りたものでした」

「そうであったとしてもだ。もしかしたら、彼は足を引きずっていたから狙いやすいカモだと思われて、強盗の一団に襲われたのかもしれない。しかし、もしも奴らが盗みを働く気だったとしたら、ポンド紙幣が詰まった財布が盗まれなかった理由は説明がつかないだろう。金時計やそのほかの物も手付かずだった理由も。ミスター・アドコックスは倒れてから間もなく発見された。戸外の街灯の近くに横たわっていて、あたりには何かが隠れるような場所もまったく見当たらなかった。悲鳴を聞いたと報告した目撃者が一人いたらしいが、逃げていく者を見た人はいなかったし、挙動不審な者もいなかったんだ」

「ミスター・アドコックスには敵がいたのですか？」わたしは尋ねた。

「彼は知り合いの誰からもとても好かれていたようです。一緒に仕事をしていた人たちからも。彼の死によって得をした者がいないのははっきりしています」

「彼の遺産を相続するのは誰ですか？」

「母親です」

わたしがさらに何か言う前にジェスパーソンがまた話し出した。「ミスター・ランダル、確かこうおっしゃいましたね。ミス・ベラミーはミスター・アドコックスの死が婚約の結果である、または少なくとも婚約と関係があると信じていると」

「そんなことを考えている人はほかにいません」

「彼女の家族はそれについてどう感じていますか？」

ミスター・ランダルはため息をついて首を横に振った。「フローラには家族がいないのです。幼いうちに孤児になって以来、彼女は後見人の家で暮らしています。ルパート・ハーコートという名の人物です」

ミスター・ランダルの穏やかなテノールの声に変化はなかったが、この名前を彼が口にしたとき、わたしは身震いした。そして事件の核心に触れたことがわかったのだ。

「彼女のご両親が娘の後見人としてこの男性を任命したのですか？」ジェスパーソンが尋ねた。

ミスター・ランダルはかぶりを振った。「両親は彼のことを知らなかった。この一家と彼とは何のつながりもなかったんです。ミスター・ベラミーが亡くなったとき、幼いフローラは天涯孤独でした。ハーコートは赤の他人だったのですが、彼女の身の上について新聞で読み、哀れだと思って自分の家を提供したわけです」

「それが奇妙だとあなたは思っていらしゃるんですね」

ミスター・ランダルの口調に気づいてわたしは言った。

物憂げな悲しみがこもった目であっても、彼は突き刺すような視線を投げることができた。「三十過ぎの子どももいない独身男が、引き取り手のない幼児をわざわざ養子にするなんて、普通ならあり得ないでしょう。事実、彼はフローラをきちんと養子にしたわけではない。彼女が結婚するか二十一歳になるまで続くある種の法律上の手続きをしただけです――彼女が二十一歳になるまでまだ八カ月あります」

「ミス・ベラミーには財産がありますか?」

「ごくわずかです。ハーコートを褒めてやるとすれば、フローラが受け取ったささやかな遺産に一切手をつけていないことでしょう。しかし、彼女は何一つ不自由したことはなかった。おもちゃやお菓子、服や食事、本だの音楽のレッスンだのといったものの金はすべてハーコートの懐から出ていました。彼女の父親が残した金は利息を稼ぎ続けている。おそらく一千ポンド近いでしょう」

一年に三十ポンドにも満たない金額でやり繰りすることに慣れていたわたしにはたいそうな財産に思えた。けれども、二人を殺害する巧妙な殺人を企てたい気にさせるほどの額ではない。

「あなたの命が狙われるようなことはありましたか?」

ジェスパーソンが出し抜けに尋ねた。ミスター・ランダルはたじろいで片手を頭にやって答えた。「いや、そんな、まさか――いいえ、まったくありません」

言い逃れだとすぐにわかる返事を聞き、ジェスパーソンはいらだたしげに言った。「さあ、もういいじゃありませんか! あなたがどう解釈しようと、婚約者を怯えさせるような何かが起こったはずだ。隠そうとするのはやめてください」

ミスター・ランダルはため息をつき、額を半ば隠していた黒い巻き毛をかきあげて頭を下げた。明らかにごく最近生え際についたらしい切り傷があらわになった。

ミスター・ランダルの説明によると、数日前、彼はフローラと彼女の後見人と食事をしたそうだ。食事が終わったあと、男二人はハーコートの書斎へ移動した。家の表側にあるその大きな部屋で葉巻とブランデー・グラスを手にしていたとき、ミスター・ランダルはミス・ベラミーとの結婚を許可してくれないかと願い出た。

「実際のところ、すでにフローラが承諾してくれていたので、それは単なる形式でした。ですが、ハーコートはまだフローラの法的な後見人ですから、結婚の許可をもらうことが適切だと思ったのです」

「ハーコートの返事は?」

「彼はややきつい口調で言いました。若い女はいつも自分だけで決めてしまうものだが、反対はしないと。それから、フローラが前に婚約したことがあったのを知っているかと尋ねました。わたしが知っていると答えると、ハーコートは不愉快な感じの笑い声をあげ、それを知っても考え直す気はないのかと訊いてきました。彼が何をほのめかしていたのかわからなかったが、なんだか攻撃的な感じでしたよ。わたしは腹を立てまいとしながら、フローラを愛しているのだと告げました。ありがたいことに彼女がわたしを受け入れてくれたのだから、死を除いては二人を別れさせるものはない、と。そんな劇的な瞬間に、わたしの頭の上の高い棚から一冊の本が落ちてきたのです」

ミスター・ランダルは顔をしかめた。「実際よりもひどい怪我のように見えました——頭皮の傷口からはかなり出血しますから。でも、とにかくずいぶん痛かったです。本が凶器になるなどと想像したこともありませんでしたよ」

「それが起こったとき、ハーコートはどこにいましたか?」

「わたしと向かい合って、書棚からはさらに離れたところに立っていました。尋ねられる前に言いますと、彼がはっきりと見えましたよ。本の落下がハーコートの仕業ではないかとわたしが思ったとしても、それを引き起こすことをしたとはわかりませんでした。とにかく、ハーコートは心から衝撃を受けたように見えたし、わたしの頭と同じくらいに自分の本のことを案じていました。というか、頭よりもはるかにと言うべきでしょう。もしも彼がわたしに危害を加える気だったとしたら、自分のどの収集品も危険にさらすはずはなかったでしょう」

「ハーコートは蔵書家なんですか?」

「そんな穏やかな名前で呼べるものじゃありませんよ」ミスター・ランダルは答えた。「事実、収集された本があるのでフローラはめったに書斎に足を踏み入れないんです。男たちが吸う葉巻のにおいよりも、ぞっとするような雰囲気のほうがもっと不快だと言ってね」

「ハローのR・M・ハーコートか」ジェスパーソンは言った。

「彼をご存知なのですか?」

「ついさっきまで彼との結びつきについては思いつかなかった。ハーコートはぼくが定期購読しているある雑誌に自分の収集品について——少なくとも、最近手に入れたものについて——執筆している」

ジェスパーソンはわたしのほうを向いて説明した。「ミスター・ハーコートはとりわけ殺人に関心を抱いている。そして何年もかけて相当な数の武器を手に入れたのだと——ナイフ、銃、人の命を終わらせる原因になった、さまざまな鋭い道具や重量のある道具。婦人物の帽子ピン、煉瓦のかけら、日本刀、どこにでもありそうな鉄製の火掻き棒。さらに、ハーコートは犯罪に関する書籍の収集をしていた。また、殺人の思い出の品と表現されるかもしれない、有名な――または悪名高い――犯罪と何らかの形でつながりがあるがらくたも。それらは殺人犯やその被害者の髪の毛や、血で汚れた服、犯行現場の写真、有罪の証拠となる手紙といったものだった。ハーコートのところには毒を仕込んだ指輪やフラスコ瓶や大小さまざまな瓶があり、ミセス・メーブリックが夫を殺した砒素を混ぜ合わせたというコップすらあった。

「ハーコートは収集品をとても誇りにしています」ランダルは言った。「収集品を見物しに家を訪ねてくる人たちがたまにいますし、買い取ってもらえそうな新しい品を持ってくる人もいるのです。わたしは礼儀正しい態度を示していますが、率直に言って、ああいったグロテスクなものの魅力などさっぱりわかりません。

「事故のあと、フローラはヒステリックになり、あの書斎に二度と入らないことをわたしに約束させました。それから、その約束だけでは充分じゃないと判断したフローラは、ハーコートの屋敷に戻ってきてはいけないと言ったのです。さらにわたしたちが婚約を発表しないことを提案し、結婚は彼女が二十一歳になるまで待とうと言いました」

「フローラは後見人を疑っているのですか?」ジェスパーソンは静かに尋ねた。

ミスター・ランダルはためらったが、首を横に振った。「フローラは彼を疑っていないと言っています。だが、彼女に近づけばわたしの身に危険があると感じているようなのです。もしも彼女が正しいとしたら、ほかに犯人の可能性があるのは誰でしょうか?」

「こんなお尋ねをしてすみませんが……求婚して断られた男はいるんですか?」

「フローラが話してくれたところによると、これまで求婚を承諾したのは二度だけだそうで、それ以外の男については何も言いませんでした。彼女との結婚を望むほどの思いを抱いているほかの男の話は、わたしも聞いたことがありません」ミスター・ランダルは答えた。「しかし、とにかく彼女は誤解している。アドコックスの殺人事件が彼女の神経に影響を及ぼしたのはごく自然なことです。彼女はあらゆるところで待ち伏せしている未知の暗殺者などという危険を想像しているんですよ。どんな事故の裏にも邪悪な力が働いていると思ってしまうんです」ミスター・ランダルは言葉を切り、深く息を吸った。

「書斎で怪我をしたすぐあと、わたしはたまたま廊下である物につまずいてしまいました――そこにフローラがいて支えてくれなかったら、転んでまた頭を打ったことでしょう。わたしがつまずいたのはアドコックスが足をぶつけたのと同じ物でした。これは偶然過ぎましたよ。フローラはそんなに気が強い女性ではない。気持ちを強く持てるはずもないでしょう？　彼女はあまりにも多くの苦しみを経験してきた。愛する者たちをすべて失ったのです――だからそのとき、彼女はわたしにすぐさま帰って二度とここへ来ないようにと主張しました。何でもないところに、彼女は危険を想像してしまったんですよ」

「それにしても、あなたが危険にさらされているかどうかはともかく、誰かがミスター・アドコックスを殺したわけです」ジェスパーソンは強い口調で言った。

「そのとおりです。もしもあなたがあの事件を解決できれば、フローラの恐怖もなだめられると思います」

ミスター・ランダルが帰ったあと、ジェスパーソンはミスター・ハーコート宛の手紙を大急ぎで書き上げた。

「ハーコートが彼の被後見人やその婚約者とぼくたちを結びつけて考えないなら、それがいちばんいいだろう」彼はわたしに言った。「だから、ハーコートにはぼくが殺人の熱狂的な愛好家仲間だという触れ込みで会うつもりだよ。おそらく彼は収集品を見せてくれるだろうから、アドコックスの死について何かを知っていれば、きっとぼろを出すだろう」

「その事件の話をあなたがどうやって知ったのかと不思議がられないでしょうか？」

「まったく問題ないよ。ある種の仲間うちではよく知られた話だからな」答えながらもジェスパーソンは手紙を書く手をほとんど休めなかった。そしてもういっぽうの手を伸ばして机に積み重なった雑誌の背表紙をすばやくなぞった。指先で文字が読めるという目の不自由な人であるかのように。

ジェスパーソンは雑誌の一冊を引き抜くと、ページをめくりながら目を通し、わたしに示したいと思っていたものを見つけた。

それは何通もの手紙が載ったページで、「切り裂き殺人に関するさらなる解決」と見出しがついていた。ジェスパーソンが指した手紙には「R・M・ハーコート、ハロー、ザ・パインズ」という署名があった。次の手紙が並んだ列の最後には「J・ジェスパーソン、ガウアー街」という名前が載っていた。

「じゃ、ハーコートはあなたが誰か知っているかもしれないのね？」

「日付からわかるだろうが、これが発行されたのは一年前だ。当時、ぼくはまだ犯罪や捜査について学んでいただけで、世間には名前が知られていなかった」ジェスパーソンは手紙を書き終えると封筒に封をしてわたしに差し出した。「これを郵便局で出してこい――」彼は口ごもった。恥ずかしそうな表情をしている。「すまない」

「何を謝っているんですか？　わたしはあなたの助手ですよ」

「ぼくの態度は横柄すぎた。あんな言い方ではなくて――」

わたしはさえぎった。「一緒に働いていくつもりなら、あなたが〝お願いします〟という言葉を忘れるたびにひどく腹を立てる女性だと思うのはやめてもらわなければなりません」

「そういうことじゃないんだ」

わたしは口をつぐんだ。

「ぼくは助手を求める広告を出したんだよ。使用人を募集したのではない。ぼくたちは対等な立場で仕事をしていきたいと思う」

「わかりました」わたしは言った。そう聞いてどれほどうれしかったかは表さずに。「ほかにわかっているのは、時間が重要なときは礼儀なんか無視していいということです。いちばん近くの郵便局まで向かわずに、この手紙を持ってまだここに突っ立っている理由は一つだけ。わたしが郵便局の場所を知らないことよ」

ミスター・ハーコートが折り返し便で招待の手紙をよこしたので、わたしたちは翌日、ロンドンの北西の郊外を音をたてて走っていく汽車の中にいた。かつてはわたしにとってお馴染みのこともあった行程だった。ハローにいたのはせいぜい十年くらいだが、早すぎる死を迎えるまで父がハロー校で古典の教師をしていたため、わたしにとっては青春時代の舞台だったのだ。

とはいえ、わたしたちが住んでいたのは丘の上の村で、そこからミスター・ハーコートの屋敷までは一マイルほども離れていた。彼の家がある地帯はメトロポリタン線の拡張に伴って発展してきた新興住宅地だった。

ジェスパーソンは手紙で連れについては何も述べなかったので、わたしの役割は〝迷惑な親戚の女〟ということにしようと決まった。当然ながら、ハーコートの収集品にわたしは何の関心もない――実際、それがどんなものだかわかっていたらショックを受けたかもしれない――ので、男たちが二人して部屋に引きこもっている間、自由に自分の調査を進められるだろう。ミスター・ランダルがミス・ベラミーにわたしが来ることを話しているはずだった。

「ザ・パインズ」はチューダー様式もどきの屋敷で、同じ名前の二軒の家によって道路からは見えない位置にあり、いささか秘密めいた陰鬱な雰囲気があった。けれども、そのような外観は屋敷の内部に比べたらたいしたことはなかった。玄関から足を踏み入れるなり、わたしはパニックに襲われた。そんなものは想像にすぎないのよとどれほど自分を叱りつけようとしても、わたしは場の雰囲気に敏感だった。その玄関ホールで感じたものはどんな幽霊屋敷のものよりも悪かった。でも、そういう経験をしたことがない人に描写してみせるのは難しい。家のにおいを表現するとしたら、皮なめし工場や食肉処理場、または下水管のものに匹敵するだろう。鼻の利かない人だけがそこで暮らすのに耐えられるはずだ。

わたしはパニックと戦いながら、何か気をそらせるものはないかと見回した。緑と黄色の魅力的な中国製の大きな花瓶が傘や杖を立てるスタンド代わりに置いてあった。花瓶の開いた口から見えている木製の曲がった柄の中に、銀製の握りの杖が突き出していた。風変わりな外見のせいだけでなく、低くて禍々しいシューーシューーという音のように発せられている妖気のため、杖に注意を引きつけられた。

言うまでもなく、たちどころにわたしは杖の正体を悟り、ぞっとした。どうしてこんなものをとっておくのだろう？　折るとか壊すとかしたらいいじゃないの？　木の部分は燃やして灰にし、銀の握りは溶かして、何か新しいものに作り変えたらいいのに。

恐怖に駆られた視線を杖から引きはがすと、わたしは気味の悪い顔の石のガーゴイルに気づいた。階段のいちばん下の近くに悪魔さながらにうずくまっている。その悪意に満ちた表情を見て身震いしたとき、ジェスパーソンに軽く腕に触れられて我に返った。彼はこういった品物の所有者にわたしを紹介しようとしているところだった。

ミスター・ハーコートは恰幅がいい、禿げ頭の男で、手入れの行き届いたふさふさの口髭を生やしていて——とにかくわたしのことを——冷ややかな魚のような目で見つめていた。ジェスパーソンに挨拶したときはもっと温かみのこもった、ひきつった笑顔を向けたので、わたしの存在が少しも歓迎すべきものでないことをはっきりと知らされた。

階段を下りてくる若い女性の姿を目にしたとたん、わたしはほっとした。ほっそりした体つきで髪は黒く、かわいらしいというよりはむしろ美しい顔立ちの彼女は、糊の効いた白いシャツに平凡な黒いスカートといった、店員か事務員のようななりをしていた。歓迎の微笑を浮かべていても、真剣な面持ちで目には不安の影をたたえている。

「フローラ！　相変わらず絶妙なタイミングだな。もっとも、来客があると知っていたら、おまえもきれいなドレスを着ていただろうが」ハーコートは言った。彼は慌ただしくわたしたちを紹介すると、ジェスパーソンを堅固なオーク材の扉の向こうへさっさと連れていってしまった。ミス・ベラミーとわたしだけが不吉な雰囲気とともに玄関ホールに取り残された。

「たぶん、お庭をご覧になりたいでしょうね」ミス・ベラミーは言い、わたしの肘に手を添えて廊下を歩き、家の裏手へ導いた。扉を通って屋敷から出ると、戸外の空気の味はうっとりさせられそうなほどだった。

「あなたは敏感な方なのね」ミス・ベラミーは言った。屋敷の冷たい後壁から遠ざかってあずまやを通り抜け、小道を歩いて薔薇の温室へと入っていく。

「わたしには特別な力などありません」わたしは言った。「ですが、あの家の雰囲気は……まったく異様です。あなたがどうやってあそこで暮らしていられるのかと思います」

ミス・ベラミーはかすかにうなずいた。「それなのに、あなたもおわかりだろうけれど、たいていの人は何も感じないのよ。ミスター・アドコックスは何も感じたことがなかったわ。ここを訪ねてきたとき、ミスター・ランダルの気分には変化があったし、わたしには落ち着かない様子が見て取れたけれど、彼はそのことを認めないでしょうね」

ジェスパーソンには言わなかったが、わたしはミス・ベラミー本人がわたしたちの探している殺人犯かもしれないと考えてもいた。ミスター・アドコックスの死の状況は力が強くて残忍な男に攻撃されたことを示しているようで、大半の女性には無理な行動だと思われた。けれども、男というものが女を理想化するのと同様に過小評価もしがちなことをわたしは知っていた。悲嘆に暮れる婚約者が実は冷酷な殺人者だということも想像できた。

でも、ミス・ベラミーを、ほっそりした彼女を見るなり、そんな考えは雲散霧消した。そして陽光に照らされた緑の多い場所で曲線を描いたベンチに並んで座り、薔薇の香りに包まれて、あたりには蜂の飛び交う羽音が聞こえる暖かいところにいると、わたしは完全に確信した。この優しくて穏やかに話す女性、他人の感情にこれほどの気遣いを示す人は絶対にほかの人間を殺すことなどできない、と。

「あの屋敷での暮らしをどんなふうに耐えているんですか？」わたしはミス・ベラミーに尋ねた。

「わたしが人生のほとんどをあそこで暮らしてきたことを忘れないで」彼女は言った。「人間って、ほとんどどんなものにも慣れてしまうのよ。毎日、食肉処理場で働かなければならない人のことを想像してみてください」

「そういう人は仕事のせいでひどい扱いを受けたり、貶められたりしているでしょうね」わたしは答えた。「もし、あなたの暮らしを食肉処理場に住まなければならない人になぞらえるのだとしたら……そう、たいていの人はそう長く持ちこたえられないと思います。あなたが一度も逃げ出さなかったなんて驚きです。初めてここへ来たときはどんなふうだったんですか？　怖いと思いましたか？」

ミス・ベラミーはじっくりと考える顔になった。「ここへ来る前のことは何も思い出せないの。わたしはまだ二歳にもなっていなかったわ。それにそのころは、ミスター・ハーコートの収集品もごくわずかでした。収集品の数はわたしの成長とともに増えていったんです。彼は何年もかけて品数を増やしていき、それぞれの物にまつわる話をわたしに聞かせました。だからわたしは幼いころから暴力的な死だの人間の邪悪さだのといった話に慣れていたんです。惹かれることはまったくありませんでしたが、そういったものが存在することは受け入れました。精神病院や刑務所の中で育てられて成長した子どもを想像してください。それ以外のものを知らなければ、この上なく奇妙な状況ですら、普通のものになるわ」

「でも、今はようやくあなたも逃げ出せますね」わたしは言った。「結婚式の日取りは決めましたか？」

ミス・ベラミーはわたしをまじまじと見た。「きっとウィリアムが話したんですね？　わたしが成年に達してここを離れられるようになるまで、婚約のことは口にしないのがいちばんいいと思うんです」

「後見人があなたの結婚を望まないと思うからですか？」

ミス・ベラミーは乾いた笑い声をちょっとあげた。「あら、あの人はわたしが結婚するところを見たがるに違いありませんわ！　一日のうちに人妻になって未亡人になるのを見たら、さぞかし喜ぶでしょうね！」

遠まわしに尋ねる必要もなかった。「後見人がミスター・アドコックスを殺したと思いますか？」

ミス・ベラミーはたじろぎもしなかった。「いいえ。殺人に強い興味を持ってはいても、ミスター・ハーコートが殺したはずはありません」

「ほかの誰かを疑っているんですか？」

　ミス・ベラミーは答えなかった。何か追いつめられて、隠そうとしているような表情が顔には浮かんでいた。「ミス・ベラミー」わたしは静かに言った。「とてもおつらいのはわかりますが、どれほど小さなことでも、あるいは奇妙なことでも、あなたが疑ったり恐怖を感じたりしているものについてお話しいただけなければ、お助けできません。ミスター・アドコックスが襲われたとき、あなたは現場にいらしたんですか？　何かをご覧になったのでしょうか？」

　彼女は首を横に振った。「わたしはミスター・アドコックスにおやすみなさいと言って、自分の部屋へ行きました。彼の身が危ないなんて思いませんでした……」

「後見人はどうしていましたか？」

「いつものように自分の部屋に閉じこもっていました」

　わたしは家のほうへ視線を向けたが、灌木や木々の葉で一階は隠れていた。「ほかの出口はありますか？　彼の部屋から出るところは？」

「ありません。それにミスター・ハーコートが家から出たら、わたしには必ず物音が聞こえたはずです」

「ミスター・アドコックスを殺したのは誰なんでしょうか？」わたしは出し抜けに訊いた。

「誰でもありません」

「でも、彼は死んだんですよ」

「彼は頭に強烈な打撃を受けて亡くなったのです。杖による打撃でした。人間が関わっていなくても、殺人と呼べますか？　そもそも犯罪とすら呼べるでしょうか？」

　わたしは近くに誰もいないのに空中に浮いたり、舞ったり、動き回ったりする物を見たことがあった。強い力で投げつけられたかのように宙を飛んだ物さえ目撃したことがある。たいていの場合、何らかの仕掛けがあったが、いつもそうだとは限らなかった。精神が物体に及ぼした影響と思われるものをわたしは目にしたし、〝ポルターガイスト〟――「騒がしい霊」を意味するドイツ語――的な活動も見た。とはいえ、何でもかんでも〝霊〟の活動のせいにすることにはおおいに疑念を持っていた。それでも、人間の精神の力によるというよりもましな説明がつけられない事象にぶつかったことはあった。

「何をおっしゃっているの？」わたしはミス・ベラミーに優しく尋ねた。「あなたはあの杖が、命のない物が動いて、自身の意思で人を殺したと信じているんですか？」そう尋ねながらも、つい先ほどあの杖に感じ取った禍々しい力を思い出し、自分が正しいとはあまり確信できなかった。

「贖罪物《デオダンド》というものを聞いたことがありまして?」

「聞いたことがありませんね」

「昔の英国の法律から来た言葉なんです。〝デオ〟とは『神へ』という意味で、〝ダンダム〟は『与えられなければならない』ことを意味します。ある人間の突然の事故死の原因となったあらゆる物をそう呼んでいました。そういった物はあとで国王に没収され、何か敬虔なことのために使われたのです」

これに対してどう言ったらいいのか、わたしにはさっぱり思い浮かばなかった。するとミス・ベラミーは微笑んだ。「あの歩行杖は贖罪物でした。公式にそうだったわけではありません。そこまで古い物ではないので。でも、あの杖は七十年ほど前にある若い男性が亡くなった直接の原因なのです——後見人がわたしに話してくれました。

「階段の横にある不愉快な石のガーゴイルはどうでしょうか? あれは何世紀も前に建っていた塔から落ちて、母親と子どもを殺してしまった物だそうです。

「わたしの後見人はそういった物を集めているし、実際の殺人と関わりがあったおぞましい記念の品も収集しています。

「彼はどんなものかを知っていて、どういう結果になるかを薄々感じながらもあの杖をアーチーに渡したのです」ミス・ベラミーは口をつぐみ、片手で額をぬぐった。「わたしったら、何を言っているのかしら? もちろん、ミスター・ハーコートが何かを予期していたはずはないわ。なぜ、そんなことをする必要があるの? どんな物もミスター・ハーコートやわたしに害を与えたことはありませんでした。気に入った物は何でもおもちゃにしてしまったわたしが子どもだったころでも——当然ですが、ミスター・ハーコートはわたしに危険な物には触れさせませんでした。鋭い物や壊れやすい物にも。わたしは秘密をガーゴイルの耳にささやき、キスさえしたものでしたが、それはまさにあのガーゴイルで——」ミス・ベラミーは絶句し、片手を口に当てた。

わたしは彼女が話を続けるのを待った。

「あれは不適切な場所にありました。階段に近すぎたのです。おそらくメイドが床を磨いたときにガーゴイルを押しやったのだと思いますが、彼女はそんなことをしなかったと言い張りました。とにかくガーゴイルはいつもと違うところに置いてあって、そのせいでアーチーはあれにつまずいて足首をくじいたのでした。

「つい二、三日前、同じことがウィルにも起こりました。ウィルはガーゴイルの上に倒れ込み、わたしが彼をつかまえなかったら、頭を打っていたかもしれません。アーチーのように死んでいたかもしれないんです！」

「誰かがガーゴイルを動かしたのでしょう」わたしは口調に理性的な響きを持たせようとしながら言った。「メイドじゃなかったとしたら、あなたの後見人か、誰か見知らぬ人が。それに、もしもミスター・ランダルが転んで重傷を負うか、死に至ったということにすらなったとしても、事故だったでしょう。殺人だなんて呼ぶことはできません。たとえ誰かがガーゴイルを動かしたとしてもね。

「でも、あの杖は……ミスター・アドコックスが持っていた杖が彼の死の原因になったなんて、まったく想像できません。人間が手を貸さずにそうなったとは思えないのです。もし、後見人が人を殴らせるつもりであれをコントロールしていたとあなたがお思いなら――」

「いいえ！　どうして彼がそんなことをするはずがあるでしょうか？　ミスター・ハーコートにその能力があったとしても、わたしの婚約者を殺したいと思うはずがないでしょう？　彼はこのわたしがアーチーの死の原因になるところを見たいと思っていたのよ？」

両頬に広がった赤味を除けば、ミス・ベラミーの顔は蒼白になっていた。わたしは首を横に振った。「わたしには理解できません」

「もちろん、おわかりにならないでしょう。だって、あなたはわたしもまた贖罪物だということを理解していらっしゃらないのですから。わたしはミスター・ハーコートの収集品の中でも貴重な物なのです。彼が引き取ってくれた理由は、わたしの幼いころの身の上にあります。わたしは二歳にもならないうちに家族の全員を殺してしまったのです」

わたしはミス・ベラミーの両手を握った。「ミス・ベラミー――」

「わたしはこの上なく正気です」彼女は穏やかに言った。「ヒステリーを起こしているわけではないわ。これは事実なのです。生まれてきたとき、わたしのせいで母は亡くなりました」

「そういうことはさほど――」

「珍しくはないと？　ええ、わかっています。聞いてください。九カ月後、母親のいない子どもたちを父が休暇に連れていったとき、鉄道事故に巻き込まれました。衝突のせいで、二歳だった兄とわたしは床に投げ出されたのです。わたしは兄の真上に落ちました。わたしが怪我を免れたのはそのおかげかもしれませんが、兄は亡くなったのです。死因は窒息によるものか、上に載ったわたしの重みで首が折れたためかはわかりません」

「あなたが悪いなんて誰にも言えるはずありませんよ」

わたしはその光景を思い浮かべまいとしながら言った。

「そうでしょうね」ミス・ベラミーは両手を引き抜きながら言った。「言っておきますが、あの事故は途方もなく不運なだけだったと思うほど、わたしは愚かじゃありませんわ。わたしは長い年月を費やして自分の過去を受け入れられるようになりました。あなたに同情してほしいわけではないの。こんなお話をするのは、ミスター・ハーコートがわたしに関心を持っていることをわかっていただきたいからなのです。

「その鉄道事故で父は怪我をしました。数カ月後、父はまだ車椅子に乗っていて、外出したり動き回ったりするときに看護人の手助けが必要でした。あるとき、わたしたちは散歩に出かけました――〝わたしたち〟とは、若い男性の看護人に押してもらう車椅子に乗った父と、若くてきれいな女性に押してもらう乳母車に乗ったわたしということです。わたしたちは眺めを楽しもうと、地元の景色がきれいなところで止まりました。日差しを浴びながらうたた寝している父のそばの、芝生に敷いた毛布の上に、乳母はわたしを下ろしました。それからたぶん、看護人と乳母はいちゃつき始めて、自分たち以外のことにあまり注意を払わなくなったのでしょう。わたしはまだ歩けませんでしたが、立つことはだんだんうまくなっていました。父の車椅子を支えにして立ち上がったとき、どういうわけかわたしはブレーキを外してしまったに違いありません――もしかしたら看護人がきちんとブレーキをかけていなかったのかも――父の車椅子が転がっていくのをわたしはただ眺めていました。車椅子は速度を増し、たった一人残った家族を乗せたまま崖の端を乗り越えました。そして父は下の岩に叩きつけられて亡くなったのです」

もはやわたしは相手を慰めようとする努力もしなかった。「それじゃ、ミスター・ハーコートはあなたのことを所有品の中の武器のようなものだと考えているんですか？　愛されたときには発射する準備ができている銃のようなものだと？」

「彼はそんなに多くを語りませんでしたが、わたしが結婚適齢期になったとき、目に浮かんだ光を見て、そういったことを考えて興味をかき立てられていたのはわかりました。裕福な若い男性たちにわたしを紹介しようと企てたのはミスター・ハーコートで、その結果、アーチボルド・アドコックスが餌に引っかかったわけです。それにわたしは待ちたかったのに、求婚を承諾しろとせっついたのはミスター・ハーコートでした」

「ミスター・ハーコートはあなたが贖罪物《デオダンド》だと信じているのに――」

「ええ、そうです。おっしゃるとおりよ。でも、わたしはそんなことを信じていませんが。ミスター・ハーコートはそうだと想像しているんです。というのも、彼はわたしの自然な愛情を寄せつけず、冷ややかにお互いの距離を置いていますから。そして親切な家庭教師に懐きすぎる危険を冒さないように、わたしを地元の学校へ通わせました。父が亡くなってからはわたしが誰からも愛されず、誰のことも愛さないようにしてきたのです。

「でも、ある少女と学校で出会いました……後見人は女の子というものがどれほど情熱的に愛し合えるか知らないかもしれません。でも、あなたならおわかりでしょうね」ミス・ベラミーは言い、わたしを赤面させそうな目つきでこちらを見やった。けれども、わたしは微笑しただけだった。

わたしたちは共謀者めいた視線を交わした。「お友達は元気で生きていらっしゃるということですね？」

「そのとおりです。それに彼女は今でも一番のお友達よ。もっとも、今では前よりも感情を抑えているけれど……というか、少なくとも以前ほどは表現しないということね。そんなわけで、わたしの愛情が危険なものでないことはわかっているんです」

「なのに、あなたと婚約したことによってミスター・アドコックスが自分の死亡証明書に署名したとお考えのようですね。それに同じ理由から、ミスター・ランダルが危険にさらされていると」

「ええ……」ミス・ベラミーは考えるふうだった。「でも、わたしの彼への気持ちや、彼のわたしへの気持ちが理由ではありません。それとは別の理由です。誰かと結婚すれば、わたしはここから出ていくことになり、後見人の収集品ではなくなってしまいます。それが理由です」ミス・ベラミーは言い、立ち上がった。

「どういう意味ですか？」

「ミスター・ハーコートはわたしを失う唯一の道が結婚だと考えています。わたしがただ出ていくことを決めるかもしれないとは夢にも思っていないでしょう」

わたしも立ち上がり、彼女に向かい合った。「わたしにはわからないのですが」

「収集品のことになると、ミスター・ハーコートはとても正気ではいられないのです。収集した品のたった一つでも、失うことを思うと耐えられません。一人で満足して収集品を眺めているときと新しい品物をそこに加える機会があるときが一番幸せなのでしょう。彼は品物を買いそうな人を家に入れてはいますが、彼らに自分の収集品をうらやんだり称賛したりしてもらいたいだけなのです——どれほど多額の値を提示されても、彼は一つの品物さえ売ることを承知しないでしょう。

「そしてミスター・ハーコートはわたしが十六歳のときから結婚のことを話していますし、十八歳の誕生日には望ましい独身男性たちを勧めてきましたが、わたしがまた家族を持ったら起こるだろうと彼が予期しているものに憑かれているんです。わたしの夫が暴力的な事故死をしたあと、自分の収集品がどんなに進歩を遂げるかと貪欲に想像しながら。それを可能にするには、わたしを手放すしかないことを彼は知っています。ミスター・ハーコートのねじくれた心の中で、わたしは彼の収集品の一部なのです。そしてたとえ一時的にすぎなくて、さらに多くの物を獲得するという目的のためでも、わたしを失うことを思うと、彼はとてもつらいでしょう」

「彼の心は二つに引き裂かれているというんですか?」

「ごめんなさい、ミス・レーン。あなたはこのようなことに関わるべきじゃなかったのです。ウィリアムは探偵の助けなど求める必要がなかったのに。こんな狂気の沙汰を終わらせられるのはわたしだけだとわかっているべきでした」

ミス・ベラミーが屋敷のほうへ戻り始めたので、わたしはあとに続いた。彼女の意図がどんなものか見当もつかなかったけれど、わたしたちが災厄に近づいていることは感じた。

彼女はどっしりしたオーク材の扉をノックしようと拳を上げたが、一度叩いただけで扉がさっと開いてしまった。

ハーコートは部屋のいちばん奥の窓のそばにいて、平らな木箱に入った何かをジェスパーソンに見せている。わたしたちが入っていくと、二人ともはっとした様子であたりを見た。ハーコートは驚いていらだたしそうだった。わたしたちが来ると思わなかったのは明らかで、彼が扉をきちんと閉めずにいたことからもそれがうかがえた。

「なぜ、邪魔をするのだ?」彼はきつい口調で尋ね、急いで箱の蓋を閉めた。

「お話ししなければならないことがあります」

「あとにしてくれ。客がいるのだからな」

「証人がいてくださってうれしいわ」フローラ・ベラミーは息を吸い込んだ。「わたしは結婚するつもりがありません」

この屋敷に入ったときから感じた芳しくない雰囲気のせいでわたしの神経はぴりぴりしていた。そんな雰囲気の中心と思われたハーコートの書斎へ入るのはとりわけ気が進まなかったが、彼女のあとからもっとゆっくり進んでいくと、不快で不協和音を醸し出していたものが今や調和していることに気づいた。においにたとえるとしたら、かがり火の煙を思い浮かべてほしい。顔にどっと吹きつけてくる煙はひどいものだが、適切な距離からなら、葉や木の燃えるにおいは好ましいだろう。

「それを言うためにここへ駆け込んできたのか？　まったく理解に苦しむ」ハーコートは冷たい口調で言った。「おまえの気持ちが変わったことになど、わたしは何の関心もない。ミスター・ランダルに手紙を書いたらいいだろう」

「おわかりではないのね。わたしは絶対に誰とも結婚などしないと言っているのです」

ハーコートは目を見開いた。「頭がおかしくなったのか？」不意に彼はわたしのほうを向いた。「きみは何を言ったんだね？　この子の気持ちを変えさせるような、どんなばかげたたわごとを言ったんだ？」

「ミス・レーンは何の関係もないわ」フローラはすばやく口を挟んだ。「ここ何日か、わたしはいろいろと考えていました。そしてたった今、あなたにお話ししようと決めて――」

「ふん、おまえの言いそうなことだ！」ハーコートは敵意むき出しの目でわたしをにらんでいたが、今度は冷ややかな視線をジェスパーソンに向けた。「こちらの女を追い払ってほしいとあなたにお願いしなければならない。しかも今すぐに」

相方が途方に暮れている様子が見て取れた。彼は急いでわたしの弁護にまわって言い訳を考えるべきだろうか？　それとも、今後もここを訪問できるように、男だけの結束を図るふりをすべきなのか？　フローラをハーコートと二人だけにして帰りたくはなかったけれど、ここにとどまろうとすることで何が得られるのかわからなかった。だから部屋を出てきかけたとき、フローラが詰問した。「わたしは友達を持つことを許されないの？」

「わたしがおまえの後見人でいる限り、言われたとおりにするんだ、フローラ。おまえはその女とこれ以上の関わりを持ってはならないし、婚約を破棄することも許されない。婚約の件でおまえが言ったことはすべて忘れることにしよう。ミスター・ジェスパーソン、では、これでお引き取りを！」

フローラを先頭にみんなは部屋から出ていったが、わたしは彼女の顔に浮かんだ微笑らしきものに気づいて驚いた。彼女はわたしにウィンクし、ふたたび後見人に向き直った。

「それじゃ、わたしはあなたの品物になってあなたのどんな意思にもおとなしく従うということなのね？　二十一歳の誕生日が来て、すべてが変わるまでは」

「二十一歳になっても一切変わらない」ハーコートは嘲るように言った。「まさか今のおまえと何かが変わるなどと想像しているわけではあるまいな？　これまでとは違うのじゃないかなどと？」

フローラは怯んだが、あとへ引かなかった。「法の視点から見れば、変わるわ」

「法か」ハーコートは鼻先で笑った。「法なんてばかげたものだ。法はおまえに関係ない。おまえがどんな人間か、法はまったくわかっていないのだ」フローラに向けた彼のまなざしは胸が悪くなりそうなものだった。

「もうここを出ていくのがよさそうね」フローラは静かに言った。

「出ていく？　何を言っているのだ？」

「何カ月か経ったところで何も変わらないとあなたがおっしゃるのは正しいでしょう。そんな状況をあなたは喜んでいらっしゃるでしょうけれど、わたしは違うわ。だから出ていきます」

フローラはこう言いながらわたしからジェスパーソンへと視線を動かした。「それほどご面倒でなければ……」

ジェスパーソンはたちどころに彼女の言わんとしていることを理解した。「もちろん、ぼくたちと一緒に来てください。助けになれることがあるなら――」

何かがカタカタと鳴る音が聞こえた。中国製の花瓶が激しく前後に揺れていて、異常なほど傾いたかと思うと堅木の床に倒れて粉々になり、中に入っていた数本の傘と杖があたりに散乱した。

けれども、床に転がったものの中で一本の杖だけはじっとしておらず、まっしぐらにジェスパーソンを目がけて宙を飛んだ。

もしも杖が狙い通りにジェスパーソンの喉に命中していたら、彼は絶命したに違いない。だが、ジェスパーソンは機敏だった。こんな攻撃を予期していたかのように、滑らかで優美なしぐさで片手を上げながらすばやく横へ飛び、杖をつかんだのだ。

普通に投げられた物ならあり得ないことだが、杖はつかまれたあとも動き続け、逃げようとして身をくねらせたり飛び出そうとしたりしていた。しかし、ジェスパーソンは杖を握った手にいっそう力を込め、眉根を寄せて糸やワイヤーがないかと探しながら、それが動くための仕掛けを見つけ出そうとしている。

糸らしきものが見えないのは確かだったので、わたしはハーコートに視線を向けた。彼の表情はこれまでわたしが霊媒や読心術師の顔に見たものとまるで違っていた。仰天しきった表情で、すっかり興奮しているようだった。もしハーコートが杖を動かしたのだとしたら、それは彼の意識下にある何らかの力のせいだったのだろう。自分に存在するとも思わず、制御するすべもない力によるものだったに違いない。

そのとき、ほかの何かが動くのが視界の隅にちらっと見え、わたしはさっと振り返った。物がきしんだり引きずられたりしているときの不快な音が聞こえ、石のガーゴイルが重そうに揺れながら床の上をこちらに近づいてくる。ガーゴイルが倒れたとしても、危険が生じるほど近くには誰もいなかったが、わたしは警告の声をあげた。

フローラはガーゴイルを一目見たとたん、叫んだ。

「止まって！　すぐに止まるのよ！」

ガーゴイルの動きは止まり、杖もおとなしくなった。とはいえ、ジェスパーソンはなおも杖をしっかり握ったまま、油断なく見張っていた。

ハーコートは相変わらず杖に視線を向けながら、ためらいがちに一歩前に足を踏み出した。「こちらに――こちらに杖をよこしてください、ミスター・ジェスパーソン」ハーコートは言った。「それは――それは哀れなミスター・アドコックスを殺した杖です。その前にはプリマスで若い男を殺した。並外れた反射神経がなかったら、あなたが三番目の被害者になっていたでしょう」

ジェスパーソンはやや躊躇したあと、こう言いながら杖を手渡した。「あなたはこんなことを予期していたのですか？」

「まさか」ハーコートは息をのんだ。熱情と恐怖が入り混じった穏やかではない目つきで、手にした杖をじっとにらんでいる。「人を殺そうとする本能が杖に備わっているなどと思う人はおりますまい？」

「あなたはそういう本能がわたしにあると想像しているのよね」フローラは言った。「あまりにも強くて非情で殺人的な力によって、生きていて知性もある人間のわたしが、自分の意に反して利用されたと思っているのね？」

「いや、いや、決してそんなことはない」ハーコートは言ったが、心からそう思っているようには聞こえなかった。「おまえは自分で考えたり行動したりする能力はない幼い子どもにすぎなかった。そのようなときに運命がおまえを利用して、三人の無実の人間の命を奪ったのだ。今ではまったく状況が違う」ハーコートはフローラに目を向けていたが、手にした杖の魅力は抗いがたく、すぐに視線をそれに戻してしまった。すっかり夢中になっている恋人を見つめるような目つきで。

「あなたはいつもわたしのことを自分の収集品の一部だと思っていたわ」フローラは辛辣な口調で言った。「心ない無情な品物で、しかもあなたが好きにもなれないものだと」

「かわいいフローラ、ばかなことを言うんじゃないよ。おまえが〝品物〟などでないことはわかっているとも。おまえはわたしにとって娘のような存在だった。わたしはいつだってできるだけのことをおまえにしてやっただろう？　欲しがった物は何でも買ってやったじゃないか？　わたしがたった一つ案じているのは、そのときが来たら、おまえが選んだ男と無事に、そして幸せに結婚をしてほしいということだけだよ」

わたしは完全にフローラに同情していたが、部外者からすれば、彼女はヒステリックな娘で、ハーコートがまともな人間そのものに見えるだろうと思った。

「とはいえ、あなたはこんなことを思ったに違いありませんね」ジェスパーソンは退屈そうな口ぶりで言った。「そうじゃないですか、ハーコートさん？　きっと考えたはずですよ。あなたの被後見人は、家族の幸福に対する運命の力というものに狙われているのではないかと。おそらくフローラさんの最初の婚約を、一種の科学的な実験だと思ったのでしょうね。結果はあなたが望んだようにはならなかったが、期待はしていらしたんじゃありませんか……？」

ジェスパーソンとハーコートの視線が交錯した。一対一で。ハーコートは悲しげに頭を振ったが、しかつめらしい顔の下に満足そうなほくそ笑みが浮かんでいるのをわたしは見て取った。

「あなたは邪悪よ」フローラは小声で言った。そして咳払いして宣言した。「わたしは絶対に結婚しません。誰かの命をまた危険にさらすことはできないわ」

今度はハーコートも異議を唱えなかった。ただ肩をすくめ、ため息をついて言っただけだ。「おまえの意思に反して何かをやらせたくはない。どれほどばかげたように思えることであっても」

「それだけじゃないわ。わたしは今日、あなたの収集品であることをやめます、ミスター・ハーコート——」

「おやおや、なんだね。子どもみたいな振る舞いはやめなさい。おまえの性質をわたしのせいにするなんてとんでもないことだぞ！」

「わたしの性質ではありません。あなたがわたしをそんな性質にさせようとしてきたことを責めているのよ。この家の雰囲気はおぞましいわ。置いてある物のせいではなくて、殺人や暴力的な死にあなたが喜んで魅せられているせいよ。わたしは出ていきます。あなたが生きているかぎり、この家には二度と足を踏み入れません」

自分の意図をはっきり伝えると、フローラはまっすぐに扉へ向かった。

彼女の手が扉の取っ手に触れもしないうちに、屋敷が震えたようにわたしは感じた。それはごく微かだったが、家の内部から湧き上がってくるような振動だったので、最初わたしは自分の具合が悪くなったのではないかと思った。

ハーコートが悲鳴をあげた。鼻から血が流れている。ハーコートが手にした杖にふたたび生命が宿って、彼を撲殺しようと決めたかのようだった。ハーコートはどうにか腕の長さ分だけ杖を離し、抑えこもうと必死になった。ガーゴイルもぶるぶると震えて息を吹き返していた。隣の部屋から聞こえてくる、きしんだりうめいたりするさまざまな音や何かが動いている音からすると、ほかの収集品たちも命を持ったらしい。

「逃げろ」ジェスパーソンが切羽詰まった声をあげ、わたしを前に押し出した。「家から出るんだ！　ほかに誰かいるか？」叫び声を聞きつけて、わたしたちを案内してくれた小柄なメイドがふたたび現れた。すっかり茫然とした様子だったが、彼女もジェスパーソンに急き立てられるまま外へ出た。

わたしたちは表門のところでフローラと会い、振り返って屋敷を見た。

「ハーコートはどこだ？」ジェスパーソンは詰問した。「ぼくのすぐ後ろにいたはずだが」

「あの人は収集品を残してはこないでしょう」フローラは言った。「収集品のために戻るはずです。もしも家が火事になったら、どの品物を最初に救い出したらいいかとよく案じていたものでした」

「しかし、収集品そのものが脅威なんだぞ！」

わたしとしてはハーコートを彼の運命に任せてもかまわなかったが、相方が家の中に駆け戻ったので、あとに続くのが自分の義務だろうと思った。正面玄関の石段を上っているときに書斎の窓から中が見え、目にしたもののせいで足が止まってしまった。

恰幅がよいミスター・ハーコートが蒼白な顔で、法悦状態に入ったイスラム教の僧ダルウィーシュさながらに飛び跳ねたりぐるぐる回ったりしている。手品のステッキのように、銀の握りがついた杖を体から離して持ちながら、ぶつかってくる小さな品々の嵐から逃れようと必死になっていた。飛んでくる物を避けようとするあまり、ときどき無意識に腕を体に近づけてしまうと、杖に脚や肩を激しく打たれることになり、彼は痛さのせいか怒りのせいで悲鳴をあげた。

　本やほかの物がひっきりなしに棚から落ち続けていた。ただ落下するだけの物もあったが、力いっぱいミスター・ハーコートにぶつかっていく物もあり、こうした物がいろいろな形で彼の体や頭や手足に当たって打撃を与えている。まるで地震でも起きたかのように、正面がガラス張りの陳列ケースが激しく揺れたかと思うと、勢いよく扉が開き、中の物が一つ残らず飛び出してきた。小瓶や広口瓶、針、ピン、剃刀。ほかにも何だかわからない物が一斉に悪意を持って今やミスター・ハーコートを取り囲んでいた。そういった物の攻撃を受けるにつれ、彼の叫び声は絶え間なく続く、恐怖に襲われたうなり声へと変わっていった。

　わたしは吐き気がして顔をそむけ、家の中に入った相方のところへ行った。ジェスパーソンは書斎の頑丈なオーク材の扉に体当たりしていた。自分の力で開けられると思っているのだろう。わたしに気づいたジェスパーソンは扉に体をぶつけるのをやめて肩をさすったが、少しきまり悪そうだった。

　わたしはジェスパーソンにヘアピンを渡した。彼ならこれの使い方をわかっているだろう。

　ジェスパーソンが鍵をいじくりまわしている間、扉の向こう側から暴力的な物音とともに恐ろしい音がいくつも聞こえた。何かがぶつかる音や衝撃音、泣き叫ぶ声やうめき声。それから、シューという液体のようなぞっとする音が長く聞こえ、ごぼごぼという音がしたかと思うと、これまででいちばん重みのあるどさっという音がして、そのあとは静かになってしまった。

　ジェスパーソンがどうにか扉を開けたときにはすべてが終わっていた。ハーコートは死んでいたのだ。血だらけでずたずたになった遺体が絨毯の上に横たわり、殺人関係の収集品の残骸に囲まれている。どんな生命がそれらに宿っていたとしても、ハーコートの命が消えたのとともになくなっていた。部屋には鼻につんと来る刺激臭が漂っていた——割れたいろいろな瓶の中身だろうとわたしは推測した——が、何よりも不快なのは今の空気だった。

「硫酸だ」ジェスパーソンが言った。「見てはいけない」

　けれども、わたしはすでに顔の残骸を見ていたし、さつき聞こえたさまざまな音から想像したものほどは衝撃的でなかった。

フローラ・ベラミーに事の次第を伝えてメイドに警察を呼びに行かせようと部屋から出ていきながら、早くもわたしは確信していた。これは公表するために自分が執筆できる事件にならないことを。

そして話が進むにつれ、状況はさらに悪くなった。

権力を持つ集団に所属した、影響力のある親類がジャスパー・ジェスパーソンに何人かいたのは実に幸運だった。さもなければ、地元の警察は喜んでジェスパーソンを殺人犯として告発しただろう。容疑者らしき人間がいなかったから、ジェスパーソンが殺したというのでなければ、次に犯人とされた人物はわたしだったに違いない。

あなたの命を救ったのですよとこちらは主張してもよかったのだが、依頼人のミスター・ランダルはわたしたちの調査の結果をまったく喜ばず、一切の報酬の支払いを拒んだ。ランダルが苦にしたのはハーコートの死ではなく、ミス・ベラミーが婚約を解消したいと言い張ったことだった。ミス・ベラミーは心変わりの理由を、自分の人生を生きたらどんなにすばらしいでしょうと考え直したとしか言わなかった。そして何か自活できる仕事に就きたいと思うと言ったのだ。「ミス・レーンのように」と。

フローラ・ベラミーは二度と「ザ・パインズ」に足を踏み入れなかった。後見人が亡くなったとはいえ、フローラは危険を冒すまいと決め、人を雇って中を片づけさせてから屋敷を売却した。ハーコートは遺言書ですべてを被後見人に遺したが、それには一つだけ注意事項がついていた。フローラは「収集品」を取っておいても処分してもかまわないが、必ず全部を一緒に保管するか捨てなければならないというのだった。収集品をばらばらにしてはならないと。

フローラはこの条項を無視することに決めた。

「たぶん、わたしは間違っているのでしょうね」最後に会ったとき、彼女はわたしに言った。「でも、そんなことをしたら危険だと思うのです。一つ一つの品物はただの物体にすぎませんが、それが集まったときにはいっそう力のある物になってしまったのでしょう――最初はミスター・ハーコートの想像の中で、それから現実の世界でも。

「法における贖罪物《デオダンド》の概念は、かつては邪悪なことをしたけれど、善良な行為によって何か有益で神聖とすら言える存在に作り変えられる物ということでした。ミスター・ハーコートに収集された物はどれもそんなふうに再生されることができなかったのです――彼はこういった品物を善とは反対の方法で利用していたのですから。それは邪悪な行為を崇めるものでした」

フローラなりの贖罪は、屋敷に残っていたすべての品をよき大義のために寄付するというものだった。念には念を入れ、フローラはかつてのそういった収集品を寄付する場所として、彼女が万が一にも出会う恐れのない遠いところを選んだ。そして地球の反対側のハンセン病患者の団体に一切の物を送らせたのだった。

自分も同じように犠牲を払わなければならないとフローラが感じなかったらしいのは、明るい徴候だとわたしは思った。

フローラは学校時代の友人とフラットを借りることにして、簿記と経営管理についての訓練を受け始めた。

当然ながら、ジェスパーソンとわたしはこの事件――未解決の一件の殺人事件として始まり、結果的に二件の殺人事件となったもの――について話し合った。ジェスパーソンとわたしだけのときも、ミセス・ジェスパーソンを交えてのときも、長々と時間をかけて話したが、殺しの犯人が誰なのかについてみんなの意見が合うことはなかった。アドコックスもハーコートも殺害されたという点では全員が同じ考えだった。さらに、殺人犯がいないなら、殺人そのものが行なわれなかったということにも三人の意見は一致したのだ。

わたしたちの次の事件はもっと平凡なものだといいのだが。

特別企画・鼎談

回想の『リトル・ウィアード』

荒俣宏・島村義正・竹上昭

夢の同人誌と再会

編集部（以下、編） 荒俣先生が学生時代に作っておられた、幻想文学の同人誌『リトル・ウィアード』の創刊号が見つかり、お手元に全十五号が揃ったとのこと、おめでとうございます。そこで、このたびは『リトル・ウィアード』の思い出と、発見までのいきさつをうかがいたく、当時の同人の皆様にお集まりいただきました。よろしくお願いいたします。

荒俣宏（以下、荒俣） 『リトル・ウィアード』は、われわれの手元にもほとんどなかったんです。そろそろあの世に行ってしまうので（笑）なんとか形に遺そうと思って集め始めたところ、本誌が揃ったばかりか、挿絵のネガフィルムまで見つかりました。そのあたりのことは、島村さんからお話ししていただきましょう。

島村義正（以下・島村） 私はマンガのホームページをやっているのですが、ある日、荒俣さんのファンの伏屋さん（伏屋究。札幌在住の荒俣ファン。サイト「アラマタゲノム」運営）という方からメールが突然来ました。私の名前とマンガの絵柄を見たそうで、「『リトル・ウィアード』に挿絵を描いていませんでしたか」というので、びっくりしましたね。たしかにこの本名で描いていた、と答えると、「創刊号を持ってはいませんか」と尋ねられました。持っていると答えたところ、今度は荒俣さんから連絡をいただき、創刊号をお渡しできました。保存していた、というよりは、昔のものをまとめてとっておいていただけでしたが。荒俣さんにお会いした直後、作画同人のグループに預けてあった当時の挿絵の原画を返してもらうことになりました。偶然ですが、不思議な気がしましたね。

荒俣　創刊号は部数が少なかったんですよ。色々なところに忍び込んで印刷して、二十部くらいしか作れなかった。それに、会員をあつめなくてはならない。

竹上昭（以下、竹上）　そう、会員集めの方があとになったんです。

荒俣　同人誌が先にできちゃった。それで、半分くらいは贈呈用にして、残りをＳＦ大会などで売ったり、あとで会員になった人に「創刊号はないか」と聞かれるたびに売ったりして、手持ちがまったくなくなってしまったんです。そのまま半世紀たってしまったから、もう手に入れるのは無理だと思っていました。

荒俣宏

一九四七年、台東区に生まれる。慶應義塾大学在学中に竹上昭と同人誌『リトル・ウィアード』を創刊。そののち、紀田順一郎と共に幻想文学の紹介に尽力。アンソロジー『怪奇幻想の文学』、雑誌『幻想と怪奇』、叢書『世界幻想文学大系』などを手がける。ダンセイニ、ラヴクラフト、R・E・ハワードほか幻想文学の翻訳や、『帝都物語』などの創作、博物学をはじめとする多岐にわたる分野の著書多数。

まさか、挿絵を描いてくれた島村さんが持っているとは、想像もしなかった。

　竹上さんもぼくも、捜してはいたんです。でも、誰も知らないし、目次も表紙も覚えていない。あきらめかけて「あれは四年間の夢だったんだ」と思いかけたくらいでした。

　ＳＦ作家の高井信さんは、ショートショートの研究で有名ですが、ＳＦ関係の同人誌のコレクションもしていて、サイトで紹介している。その中に『リトル・ウィアード』もある、と知って、連絡を取りました。ところが高井さんも、ただ一冊、創刊号だけは持っていない。そりゃそうだよなあ、半分は野田宏一郎（昌宏）さんや平井呈一さん、柴野拓美さんに送って、あとの半分も巷に出るようなことはないだろうし。やはり無理だったんだろうな、と諦めかけていた。そこに「私たちが捜しましょう」と言ってくれたのが伏屋さんと、大阪在住のコレクター伊吹博さん。この人たちには、ぼくが雑誌に書き散らしたような短文を捜し出してくれるリサーチ能力があるものだから、創刊号を捜してもらったのです。

野田宏一郎さんが亡くなったあと、東京創元社が蔵書を引き取った、その中にあったのを、伊吹さんが見つけてくれた。流通倉庫に段ボール箱に詰めてしまってあるけれど、「野田宏一郎文庫」として目録は作ってくれていたようでした。そのコピーを手に入れたところで、伏屋さんのおかげで、島村さんが現物を持っているのがわかった。全部揃ったのが、ちょうど去年（二〇一八）の今頃（十二月）だったな。島村さんとも半世紀ぶりに再会できて、データ化も済んで、さらに島村さんの手元から、多くの原画や、同人誌には使えなかったカラーのイラストも見つかった。

これで完全復刻ができるようになったので、私が館長をやっている京都国際マンガミュージアムで二〇二〇年春に開催予定の「荒俣展」で、『リトル・ウィアード』を大々的に展示することにしました。私たちの同人誌がたしかにこの世に存在したことを、みなさんに知ってもらえるところまで漕ぎつけることができました。なんと。私は島村さんとアニメも作っているんです。しかも、私たちが大学生の頃に作ったそのアニメを保存しておいてくれたので、それに音をつけて上映しよう、と、そちらの準備も進めています。

『リトル・ウィアード』ができるまで

荒俣　『リトル・ウィアード』のそもそものスタートは、ぼくと竹上さんが高校生だった頃になります。同人誌も、怪奇幻想ではないけれど、その頃から作っていたので、そのあたりのことを竹上さんにお話ししていただきましょうか。

竹上　高校二年のとき（一九六四）、『黄金柱《おうごんちゅう》』という学級誌があって、最初の号はぼくは絡んでいなかったのだけれど、荒俣さんが中心になって作っているのを見て「面白いな」と思い、第二号から手伝わせてもらいました。覚えているのは、原稿を二本書いて、そのうち『月と六ペンス』の読書感想文では同級生のN君の代筆をしたこと。それを校長が読んで「すばらしい！」と朝礼で発表し、N君は広辞苑をもらったんです。N君も気がひけたか、後で「あげようか」とぼくに言ってきたけれど「もういいよ」と遠慮しておいた。もらっておけばよかったな

（笑）。それで雑誌作りに目覚めて、高校にいるあいだから「大学に入ったら何か作ろう」と荒俣さんと二人で言っていました。ぼくはポーが好きで、彼は怪奇全般が好きだったから、好みもだいたい一致していました。主にぼくがSFを、彼が怪奇小説をという分担もなんとなくできて、大学一年のときに入学記念にと、わりと早く作ったんだったよね（と、荒俣氏に）。

荒俣　二人でなにかやろうよ、と言いだしたのは高校三年の夏休みからだったし。他の連中が試験勉強で汗水たらしているのに、この二人は図書館で悠々とSFなど読んでいた（笑）。当時、高校の図書室はうるさくて、マンガとかSFとか読んでいると、Kという先生が来て、耳をひっぱって「勉強しなくていいのか」とささやく。私もよくささやかれたものでした。

その頃、竹上さんが言っていたことが、あとで『リトル・ウィアード』に書いてある。「近頃、SFファンジン全盛の時代にもかかわらず、ろくなファンジンがない」すごいこと言ってるね（笑）。「だから作ろうじゃないか」と。その頃私たちは辞書をひきひき洋書を読みはじめていて、ぼくは怪奇幻想、竹上さんはSFを読んでいた。

竹上　荒俣さんがゲリー・デ・ラ・リー（アメリカの古書店。幻想文学専門）、ぼくがG・K・チャップマン（イギリスの古書店。怪奇幻想とSF専門）の担当で。高校在学中から取り寄せていました。その頃から、荒俣さん経由で平井呈一先生の注文を代行してました。平井先生はすごく大量に買うんですよ。

荒俣　今も覚えているけれど、「いつ原稿料が入るからそれまで貸しておいてくれ」なんて、高校生のわれわれが立て替えていた時期もありま

島村義正

一九四七年、港区に生まれる。子供時代に手塚治虫に心酔。日本大学入学後、竹上昭氏と知り合い、『リトル・ウィアード』に参加、イラストレーションを寄稿。七〇年に卒業後、コンピューター周辺機器の整備、修理の職に就きつつ、作画同人に参加しイラスト、漫画の活動を継続。九九年に退職後、ホームページ「komakomamanga」を開始。現在もホームページ「komakomamanga2」で自作の漫画を発表中。

したね。

竹上　本が大量だから、段ボール箱で届くんです。それを二箱くらい荒俣さんが担いで、上野広小路の「うさぎや」まで持っていく。ぼくも御徒町で落ち合って、一緒に持っていったこともありました。

荒俣　平井先生は句会があるたび千葉から東京に来ていたんですよ。泊まるのはだいたい双子のお兄さんが建てた「うさぎや」のようでしたね。

竹上　現在の「うさぎや」に改築する前で、仕舞屋風のいい造りの家のわきに人ひとり通れるくらいの道があって、奥に入っていくと和室があって、そこに平井先生がいる。

荒俣　覚えていますよ。急な階段を上がっていくと、屋根裏みたいなところに平井さんがこたつに入っていたのを。

竹上　平井さんはお酒が飲めないから、行くといつもみかんとどら焼きが置いてある。あのどら焼きを食べたときは、びっくりした。

荒俣　どら焼きの「うさぎや」と言えば名店だからね。ぼくも甘い物は好きなんで、どら焼きを食べながら、届いた本を見て楽しい時間を過ごしたものです。

　帰りがけに、「うさぎや」の若い方に声をかけられたことがあったね。「うちの叔父貴がお世話になっています」とか。たぶん、あれが「うさぎや」四代目の店主になった方ですよ。それだけ昔の話です。

いよいよ創刊！

荒俣　高校の頃からずっと「雑誌を作ろう」と言っていながら、われわれには技術的な面と、挿絵が足りなかった。竹上さんが日大で島村さんと出会ってくれて、挿絵をお願いできた。創刊号から挿絵を描いてもらったわけだから、二人は入学早々に知り合ったんだのでしょうけど、どうしてあんなに早い時期に知り合えたんですかね。

島村　竹上さんとクラスが一緒だったんです。たしか、自分の漫画の資料にするのに、錬金術師の仕事場や道具についての資料を、竹上さんに教えてもらった記憶があります。

荒俣　（創刊号の口絵を見て）そういえば、これは錬金術の絵だ。我々は高校生だったけど、錬金術や黒魔術は澁澤龍彦の世界観を経由して、大きな関心事の一つだった。世界史の時間でも、闇のヨーロッパ史を語り合ってたくらいで。

島村　今みたいにネットで見られるようなことがないから、教えてもらって、描いたのがその絵ですよ。

荒俣　その縁だったの！　それで錬金術だったのか。ボードレールの

『苦悩の錬金術』を踏まえた絵になってますね。

竹上　錬金術のことを話したのは覚えていますよ。

島村　竹上さんと映画の題名の話をしたのを覚えています。『宇宙水爆戦』は、元は*This Island Earth*という詩情あふれる原題なのに、なんでこんな邦題にしたんだ、なんて。でも、特殊相対性理論の話をしたときは、あまり乗ってきてもらえなかったな（笑）。「何か読んできたろう」なんて言われたけれど。

荒俣　頭でっかちだったからね。原書も数十冊集まってネタも揃ったから、高校の終わりごろはスペースオペラやヒロイック・ファンタジー、ファンタジー、怪奇小説、ＳＦといったところをメインに置いて、挿絵を重視した同人誌を創刊したくなっていた。

竹上　もうヒロイック・ファンタジーって言葉を使ってたんだ。六六年なのに。日本で初めて使ったんじゃないかな。

荒俣　高校生でもう知っていたというのが怖ろしいね、自分たちのことだけども（笑い）。第二号の特集がそのヒロイック・ファンタジーだし。スペース・オペラは野田さんがやってるけれど、漏れてるところもあるからやろう。挿絵も重要視しよう。ちょうどいい頃に島村さんが竹上さんに接近してきたので、挿絵をお願いしよう、となった。快く引き受けていただいて。創刊号を印刷したのが八月十五日。でも、会員は他に一人もいなかった。しょうがないから、創刊号のあとがきには会員がいるかのように装いました。会員一覧という項目があって、顧問が島村義正、同人が荒俣、竹上。会員に高校時代の友達と、大学の友達を一人ずつ、名前だけ借りた。事務所を竹

竹上昭

一九四八年、中野区に生まれる、日本大学在学中に荒俣宏と『リトル・ウィアード』を創刊。早川書房に入社後は、ハヤカワ文庫SFと『S-Fマガジン』を担当する。退社後は半村良の事務所に務め、八六年から野村芳夫の筆名で翻訳専業となる。幻想文学の翻訳に、ケルーシュ『不死の怪物』、ウィリアムスン『エデンの黒い牙』、バンクス『蜂工場』などがあり、荒俣宏編のアンソロジー『怪奇文学大山脈』にも参加。

上さんの自宅にして刊行しはじめた。当時、一九六六年に、会員募集の広告を書いています。会員の条件は「二カ月以上の会費を前納してください」

竹上　百円だったね。

荒俣　そう、だから月五十円。二カ月に一回作ることにしていたから、雑誌は一冊百円にしていた。連絡先は「SF同好会　ザ・ミスカトニシアンズ」。

編　当時の百円にはどのくらいの価値があったんですか。

島村　当時の初任給は三万円いっていなかったですね。

荒俣　百円だと充分昼飯が食えるよ。

竹上　ラーメンが五、六十円くらいだったな。

荒俣　これが最初の雑誌で、中に入っていたのも凄いですよ。A・E・コッパード、アーサー・ポージス、オーガスト・ダーレス。ダーレスなんて翻訳は『新青年』以来じゃないか。それから評論もすごい。「空想SF史入門」という連載を竹上さんが、「ウィアード・テールズ断章」というのをぼくが書き、それから「バローズ・ファンへのメッセージ」「HPLへの手紙」、サム・モスコウィッツが書いたウィアード・テールズの歴史の翻訳まである。高校出たてのやつらがよくやったよね。

竹上　ラヴクラフトの書簡の紹介までしているんだから、すごいよ。ラヴクラフト神話もそのあとで特集して、神話の概要を解き明かしているし。

荒俣　今から考えてみると、高校出たてだから十八歳になったかならないかなのに、相当がんばったよね。

同人誌作りの苦楽

竹上　ぼくらは学生でお金がなかったので、タイプ印刷にまわさず、全部手作りではじめたんですね。持っているのは鉄筆とガリ切りのやすり、あとは修正液くらいなものだったから、まずは印刷機をどうしようか、という話になりました。高いものだから買うわけにもいかないし。謄写版の印刷機を探したら、三崎町に日大の文化団体連合会という、大学のクラブばかり入っているビルの印刷部屋にあった。それを使おう、ということになって、原紙を切って紙を持って行きました。大学の活動とは関係がないから目立っちゃまずいだろうと、日曜日を狙って。手順も手探りでやりながら印刷しました。だいたい終わりの頃まで、そこの印刷機を使わせてもらいましたね。日大がなければできなかった、というくらいに。

　二号のときは、インクを薄める液も買って、これで綺麗にできるだろうと思って行ったら、印刷部屋には何もない。びっくりして捜しまわったら、屋上にほっぽり出してあった

「苦悩の錬金術」画・島村義正（創刊号より）

（笑）。台風があって、窓から吹き込んだ雨で濡れてしまったから、廃棄物として出してあったんでしょう。吹きっさらしの屋上で、トタンか何か立てかけて紙を飛ばされないようにして、インクも雨水が交じってきれいにいかないが、仕方がないから延々と粘って印刷した、ということもありました。

　第三号のときは、徹夜でガリを切って、そのまま朝の六時に新宿駅で待ち合わせて水道橋に行き、休みの日の九時頃に一軒だけ開いている牛乳屋で、牛乳とぶどうパンか何か一斤買って、それからはこもりっきりで夜の九時頃までかけて印刷したこともありました。

　挿絵にも重きを置いていたので、そこはコピーを使いました。大塚勘治（仁賀克雄）さんに頼んで勤め先の石油会社の機械で取ってもらったり、一の日会のメンバーの、武田薬品に勤めている女性にお願いして、やはり会社のコピー機で刷ってもらったりしたこともありました。

　北里大学にクイックコピーという機械があると高校時代の同級生から聞き、置いてある研究室の場所を教わって、北里大生のふりをして堂々と入り込んで使ったこともありました。その研究室で、三時のお茶とおやつが出たときに「どこの学科ですか」と聞かれて、「薬学です」とかごまかして大汗をかいて、それに懲りてあとは行きませんでしたね。

　コピーでなく写真を使って、挿絵を絵はがきに作って、それを売って資金を稼いだこともありました。現像まではプロにやってもらって、日大芸術学部の写真学科の現像室に忍び込んで、そこにある現像液や定着液を使って紙焼きしましたが、どういうわけかうまくいきましたね（笑）

荒俣　これは『リトル・ウィアード』の創刊号なんですが（と、手に取り、表紙側から折り込みのイラストページを広げる）、これが島村さんの絵で（今度は裏表紙側から広げる）これが荒俣さんの絵。この特徴がわかりますか。黒ベタが出せないんです。輪郭しか出ない。

島村　この頃のゼロックスは輪郭しか出ませんでしたね。だから文字や輪郭はくっきり出るけど、黒い面は白抜けする。

荒俣　書類専門の機械で、絵を写すことができなかった。湿式ならベタができるけれど、ね。この創刊号は島村さんの持っていたものだけれど、ゼロックスの欠点を補おうと手で色をつけている。第二号は湿式コピーを使いましたが、黒ベタは出せるけれどいろいろ薬品を使うのが大変でやりにくい。毎号、二人で一点ずつ挿絵を入れることにしていたものだから、カメラで撮って写真を貼りつけるようになりました。

大学を卒業する前後には、われわれは画期的な本を作ることを思いつきました（第十四号／次頁画像）。ウィリアム・モリスのケルムスコット・プレスのように、ページのまわりにはボーダーデザインを入れて、挿絵もオフセットにして。これで最終形になりました。

竹上　これは（ページの）デザイン部分をカラー・オフセットで刷ってもらって、そこに文章をガリ版で印刷しました。製本もプロに頼んだので、綺麗にしあがりました。

荒俣　四年間でここまで来たけれど、ついに時間切れになってしまいました。このシリーズをたくさん出したくて、次の号はポオの詩集を予定したんです（と、デザインの入った原稿を取り出す）。

竹上　幻の十六号だね。

荒俣　そう。ペガーナ・プレスという新しい名前も作り、カバーも作って、私が扉絵を描いて中のデザインも作っていたんです。あとは「アナベル・リー」の翻訳を載せるだけ、というところまで。今回あらためて見るまで忘れていましたが（笑）。二〇二〇年の展示のときには作って配ろうかな。

編　もし作ったら、何年ぶりの復刊号になるのでしょうか。

荒俣　半世紀以上ですね。下手をすると死んでいてもおかしくないくらいの時間が経っている。私たち三人とも元気でいるのは、締めの一冊を作りなさい、という天の配剤でしょうか。

竹上　冥土の土産かな（笑）

荒俣　三月の展示ではライヴで鼎談をやって、ぼくも参加した島村さんのアニメを上映したい。そのときに、十六号を配ってもいいね。『ま

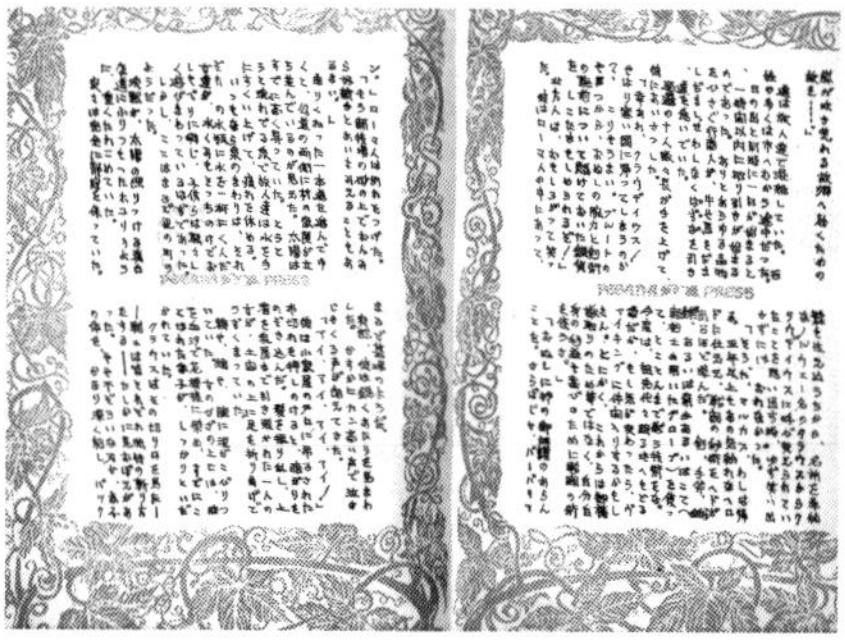

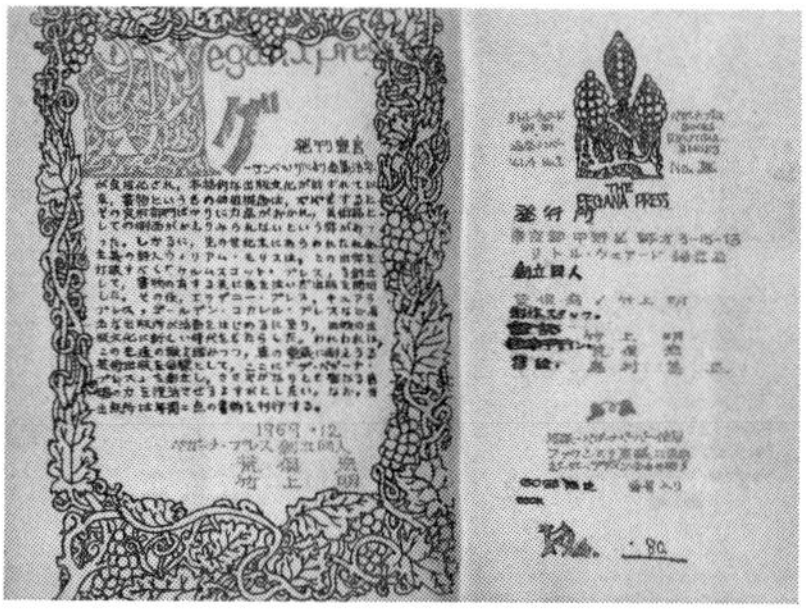

さか、できちゃったよ』なんて（笑）。でも、『THE HORROR』も『幻想と怪奇　傑作選』で復刻されて、『幻想と怪奇』が復刊して、そこに『リトル・ウィアード』の完全復刻版が来たら、これは完璧じゃないですか。

アルバイト奮戦記

竹上　今思うと、相当がんばったね。費用がかかるからアルバイトした。荒俣さんは富士紙器だっけ。

荒俣　富士紙器は紙容器の製造会社で、夏休みはずっと、近所の工場でアイスクリームの蓋を作るアルバイトをしていました。あまりに上手く作るものだから、工場長から「大学を卒業したらぜひうちの工場に来てくれ」と言われたほどで。

竹上　お中元とお歳暮の時期は、配送センターへ自転車を持ち込んだ。

荒俣　そう。重いものは料金が高かったね。だから「重いのをください」って言って。でも、倒れて起き上がれなくなったりして（笑）。大学生だから、家庭教師みたいな楽なアルバイトがあると思った。でも、大学のアルバイトを斡旋する部署に行ったら、いきなり言われたのが「馬鹿言っちゃいけない。そんなおいしい話が転がってるわけないだろう、力仕事だよ」と言われて。慶応で、ですよ（笑）。

竹上　今みたいにアルバイトが簡単に見つかる時代ではなかったんですよ。学徒援護会みたいなところに朝から並んで斡旋してもらう、といったふうで。ぼくは新聞配達をよくやっていました。東京新聞で、購読者がまばらだったから家から家の距離が遠くて（笑）

荒俣　二人でやったのが、深夜作業のプラスチック工場。

竹上　機械があって、排出口に小さいカップみたいなものが出てくる。そのままにしておくと詰まってしまうから、それを除けていく、という作業を、夜九時くらいから朝八時までやる。
荒俣　五反田だったかな。
竹上　大森だよ。懐かしいね。
荒俣　工場には、われわれがさぼっているところを密告するやつがいて、先輩格の爺さんそいつのことを「ああいうのは……」とか言うんだ。ネズミだっけ？
竹上　白ネズミ。
荒俣　「それはどういう意味ですか」と聞いたら説明してくれて。あとで辞書を見たら載っていた（笑）。
竹上　雑誌を作る資金と、洋書を買う資金で、いくらお金があっても足りなかったんです。だから二人ともアルバイトをしょっちゅうやっていたんです。
荒俣　忍び込んで印刷するときも、持っていたのはパン一枚だったよね。
竹上　半斤くらいだったかな。
荒俣　今でも覚えているのは、おなかがすいたので竹上さんに「もっとたくさん食いたいね」と言ったら、「このパンを大きくする方法がある」というから、何かと思ったら、つぶして平たくする（笑）。それくらいお金がなかった。
その頃、最初に面倒を見てくれたのが柴野拓美さんで、「よくがんばってるね」とお宅によんでくれて、いろいろなものを見せてくれて、お昼には手作りのピラフをごちそうしてくれた。
竹上　矢野徹さんのところにもよく行ったね。相談しにいくと、カツ丼を出前でとってごちそうしてくれて。小説の案を考えてくれ、と言われて、一緒に考えていると、カツ丼が出てくる。
荒俣　当時のカツ丼は百円もした。矢野さんはありがたかったね。その頃、大学の二年か三年のときかな、「マンガの新雑誌が出るから、原作を考えなくちゃいけない」という話があって、どんな漫画家かと聞くと、怪奇ものが得意な人だという。あとで『ビッグコミック』（「世界怪奇シリーズ　第3話　イースター島奇談」一九六八年六月号掲載）を見たら、そのとき考えたわれわれの原作が使われていた。その漫画家が、なんという奇遇、水木しげる大先生だった。
竹上　創刊号に載せる、って言ってたね。
荒俣　気づいたのは、影に復讐される話で、漫画には「影が二里になりました」と書いてある。二里の影なんて、ものすごく長いな、と思ったけれど、ふと考えて、あれは「二

「戦ひが終った」画・荒俣宏（第3号より）

重」の誤植だったんじゃないか、と。われわれが考えたアイデアには、影が二重になるのもあって、あとで水木さんに尋ねたら、どうもそのようだった。自分たちが知らないうちに、大学生の頃すでに水木さんの手伝いをしていたので、すごく驚きましたね。こういう仕事は矢野さん経由だったね。

竹上 矢野さんには、自分の小説の原案を出させられたりもしたけれど、世話になったね。

荒俣 『中二コース』に記事を書いたけれど、あれはどこからもらった話だろう？ あれが二人で書いた最初の記事だったよね（『中学二年コース一九六九年二月号「怪奇の研究 吸血鬼 その発生から生態までを解明する』竹上明・荒俣宏）。一九六九年二月号の掲載だから、大学三年の年末くらいに書いたんだろうな。原稿料がよくて、目の玉が飛び出た記憶があります。夜どおし工場で働いて千円くらいだったのが、原稿の分量もあってか、こっちは万の単位だった。

竹上 お金が入ったから、学研の帰りに、大森駅前の立ち食い寿司に寄ったね。

荒俣 おいしかったなあ、あれは。食うや食わずだったからなあ。『中二コース』はわれわれのいい収入源だった。

竹上 五、六本はやったよね。（別の刷り出しを出して）この「大怪奇絵」という図解企画は『少年キング』（一九六九年六月八日号 解説・資料：リトル・ウエアード。ヴアージル・フィンレイを紹介）でしたね。この図解はもともと大伴昌司さんの仕事だったんだけれど、編集部と喧嘩して下りてしまったから、ぼくたちにまわってきました。そのときの編集者が、のちに『奇想天外』を創刊する曽根忠穂さん。当時はまだ少年画報社の編集者だったんです。

荒俣 この頃はフィンレイの絵をずいぶん集めたね。曽根さんは、ごく初期からリトル・ウィアードの会員になってくれたんですよ。紀田順一郎さんか仁賀さんが紹介してくれたのだと思います。

竹上　紀田さんには顧問として寄贈していたね。仁賀さんは会員になってくれた。大伴さんはお金はくれなかったけれど、平井さん、紀田さんと一緒に、顧問になってもらった。

荒俣　それから、副産物として、島村さんとアニメを製作したことも〝偉業〟じゃないですかね。

島村　荒俣さんには背景を描いてもらいましたね。怪奇幻想ものではないんですが。

荒俣　ＳＦファンタジーですね。潜水艦と人魚がでてくる。あのアニメももう現存していないと思っていた。

編　どういうきっかけで制作されたんですか。

島村　「鉄腕アトム」以降、ＴＶアニメがやたら流行した時期があったんですが、どれも粗雑でね。東映動画だけは別格でしたが。われわれならもっとうまくできる、と思って、自主製作しました。

（島村氏のアニメーションは二〇二〇年の初春頃に京都国際漫画ミュージアムにて上映の予定）

怪奇幻想ファンダムの夢

荒俣　われわれは大学で『リトル・ウィアード』を通して人に出会い、だんだんプロになっていったわけです。でも、四年はあっという間に過ぎ、いよいよ就職しなければならなくなりました。

竹上　ぼくは大学は留年するつもりでいたんですが、卒業する前の年に親から「もう来年の学費は出さない」と言われ「これは困ったぞ」と思っているところに、一の日会で伊藤典夫さんから早川書房の求人を聞いて、これはもっけの幸いだと（笑）。伊藤さんも「これは良縁かもしれない」と思ったようで、荒俣さんと鏡明さんを保証人にして、森（優）さんに伝えてくれました。

荒俣　その頃、森さんは何をしていたの？

竹上　『Ｓ-Ｆマガジン』の編集長だった。

荒俣　もう編集長だったの。

竹上　で、面接をするから来るように言われて、面接を一回して、その場でもう決まって、早川に行くことになった。三月から出社して、七月までは試用期間。三月に森さんに志望は何か聞かれて、もちろんＳＦＭを、雑誌をやりたい、と言ったら、もう雑誌は人手が足りているということで、これから創刊するＳＦ文庫を担当することになった。最初の五冊のうちには荒俣訳の『征服王コナン』もあった。

荒俣　あったねえ。

竹上　ぼくは荒俣さんに頼まれて、十二月に下訳をしていたから、自分のやった分も含めて編集した。

荒俣　鏡明もこの文庫でデビューした（メリット『蜃気楼の戦士』）。彼がメリットを取って、ぼくがハワードで。

竹上　SF文庫では、SFシリーズとの差別化を計って、口絵と挿絵を入れた。そうしたら大当たりに当たって、五冊全部が二十万部いった。たいへんな騒ぎになって、営業課長がぼくのところに来て「取次に頭を下げられたのは初めてだ」と言ったくらいでした。そうしているうちに、五月末か六月くらいにSFMに移ることになった。ファンジンとは言え編集の肝のところは知っていたから、ほとんど森さんに教わることなくできてしまいました。だから森さんは重宝してくれた、という感じですね。

荒俣　『リトル・ウィアード』が役に立ったね。

竹上　日本語を読めるすべての人が潜在的な読者だ、と勇んでやっていましたね。

荒俣　何年くらいやったの？

竹上　三年。二年目から組合をはじめたのが会社には大ショックで、三年目に配置転換で校正に移って、そこで二年がんばってから辞めたから、五年しかいなかったんだね。

荒俣　あんがい短かったんだね。ぼくは、そのまま編集長になるものだと思っていた。

竹上　SFMの仕事は面白かった。そうこうしているうちに雑誌『幻想と怪奇』が創刊された。『幻想と怪奇』が不調になってきた頃に、紀田さんに呼ばれて「こっちに来ないか」と言われたこともあったけれど、組合が忙しくて抜けることができなかったから、紀田さんには悪いけれどお断りした。

荒俣　惜しかったなあ。歳月社は編集者が早川佳克さんだけだった。じつはスタッフ的には『奇想天外』と『S-Fマガジン』の編集者が手弁当で手伝ってくれた雑誌だったんです。社員はいないも同然だった。

竹上　『リトル・ウィアード』が役に立ったね、人脈的にも。

荒俣　補足するとね、今、コミケってすごいじゃないですか。でも、あれの前身はSFのファンダムですよ。経済的な面も含めて、SFファンダムが最初に立ち上がったんじゃないかな。われわれも『リトル・ウィアード』を出して売れる場があった。その意味で、コミケの先駆だった、と言えるんじゃないかな。さらにその前身が、アメリカのSFやコミックのファンダム。そのファンダム文化を戦後に輸入したのがSFフアンだった。ぼくもアメリカまで行きましたが、すごかったですよ。老人にも積極的なファンがいて、これだけ広い年齢層にファンがいるのだから繁栄するよな、と思いました。

あの頃は作家が読者の近くにいましたね。星（新一）さんや平井和正さんも。伊藤典夫さんなんか、一の日会の常連でした。はじめて生の小松左京に触ったのもあそこですよ（笑）。小松さんの東京事務所はホテルニュージャパンにあって、行ってはいろいろな話を聞いたものだった。

竹上 一体感があったね。

荒俣 国際SFシンポジウムができたくらいだったからね。今は仲良しクラブはあるけれど、クリエイティヴなのはあるかな。コミケくらいかな。そういう時代だったから、一の日会の存在は大きかったと思いますよ。

竹上 まだやってるらしいよ。会場はカスミじゃないけれど。

荒俣 これを言っておかないといけないね。その頃、怪奇幻想のファンダムを作ろうとしたんです。『リトル・ウィアード』がそれに着手しました。一回だけだったけれど、平井呈一を囲む会をやったんです。第十号だったかな、報告が書いてあるんだけどね（記事を読み上げる）。

「一九六八年八月十日、第一回怪奇ファンの集いが開かれました。会場は渋谷のカスミ」と。一の日会と同じ会場だね。あそこは二人席があって、恋人たちが来るような店だったんだけど、そこに浴衣に下駄の場違いな平井先生が入ってきたのを、今も鮮明に覚えています。

「出席者は、平井呈一、大塚勘治、『リトル・ウィアード』は荒俣、竹上。あとはワセダミステリクラブの鏡明と、米内孝夫さん、瀬戸川猛資さんに、下山均さん。都合八名で、ささやかだけど第一回の親睦会が始まりました」大塚先生の開会宣言で始まり、平井先生が着流しで来て。紀田さんと大伴さんは忙しくて来られなかった。午後四時にスタート、夕方の七時くらいまでお話。このために平井先生はわざわざ千葉からカスミに来てくださった。『世界恐怖小説全集』の続篇を出してくれ、とわれわれがアピールしているあいだに、他の人たちが集まってきた。ちょうどコリン・ウィルソンの『夢見る力』の翻訳が出た頃で、われわれが平井先生に見せて「こういう文芸評論にも怪奇小説が取り上げられるようになった」と話しているところに、大塚勘治さんがWMCの後輩を連れてきて一気に騒がしくなった。あまりにうるさかったのか、カスミの人が「今日は一日じゃないですよね」と聞きにきた。一の日会が間違

半世紀を経て再集合

って開かれたんじゃないかと（笑）

大塚さんがロバート・ブロックを熱っぽく語った、とか、できたてのイラストの写真をみんなに配った、とか書いてありますね。竹上くんが野方に住んでいる、と言ったら、平井先生が「俺も住んでいたことがある」それも、結構近所だった。「人の縁《えにし》は不思議なものじゃ」なんて書いている（笑）。

竹上　いつ頃だろう。

荒俣　戦後、小千谷から帰ってきてすぐの頃みたいだね。

大塚勘治さんが六時頃来て、終わったのが九時だと書いてある。そりゃ、お店の人も文句を言うよね。「これからはSFのように怪奇ファンダムも確立しなければ。秋にもう一度この会を開こう、と言って終わった。当夜、平井先生は上野のご実家に泊まられた」と。これは「うさぎや」のことですね。

竹上　たいしたもんだな。でも、わすれちゃうもんだな。

荒俣　戦後の怪奇幻想の歴史はこれでアーカイヴされた、と言えますね。新紀元社が『幻想と怪奇』を復活させた年に、『リトル・ウィアード』も揃ったのだし。

編　『リトル・ウィアード』を復刻するお考えは？

荒俣　プリント版は無理でしょうが、今はすべてデジタルデータ化してありますので、何らかの形で提供できるようにしたいな、と思います。本誌では出せなかったカラー版のイラストも載せられるし。でも、残されたデザインがある幻の第十六号は本として作りたいです。

二〇一九年十二月初旬、新宿にて。

文責・採録：牧原勝志／記録・撮影：編集部

『リトル・ウィアード』総目次

《凡例》
・通巻以外の巻数、号数などは、本誌に記載のあるもののみ表示した。
・判型はB5判、特記なき限り縦。

Little Weird 1
一九六六年八月十五日発行　四十四ページ

【翻訳】
苦悩の錬金術　シャルル・ボードレール　＊訳者名未記載。既訳より引用か
不幸な魂　A・E・コッパード　訳・荒俣宏
すくい主　アーサー・ポージス　訳・竹上明
深夜の邂逅　オーガスト・ダーレス　訳・荒俣宏

【研究・評論】
空想S・F史入門　竹上明
ウィアード・ティルズ断章①ラヴクラフトの事など　荒俣宏
洋書古本の現状　荒俣宏

【Special】
ウィアードの設立者　サム・モスコヴィッチ　訳・竹上明
H・P・Lへの手紙　荒俣宏
バロウズ・ファンへ　竹上明

【イラストレーション】
苦悩の錬金術　島村義正
不幸な魂　荒俣宏

●発刊宣言
●お知らせ
●異次元からの声　荒俣宏

Little Weird 2
一九六六年十月十七日発行　四十四ページ

【翻訳】
魔物の谷　ロバート・E・ハワード

訳・荒俣宏
鉄の殉教者　ロバート・ムーア・ウィリアムズ　訳・竹上明
【論評ETC】
空想S・F史入門　竹上明
ウィアード・ティルズ断章　荒俣宏
バロウズ・ファンへ　竹上明
ブラボー・ヒロイック！　荒俣宏
Book Guide　荒俣宏
【イラストレーション】
鉄の殉教者　島村義正
魔物の谷　荒俣宏
【編集局から】
異次元からの声（同人対談）
お便りのページ
近号翻訳予定リスト
第三号予告
お知らせ・etc

Little Weird 3
特集：クリスマスの窓辺に……
一九六六年十二月十日発行　三十八ページ
【翻訳】
道　Roads（クリスマス・ストーリィ）
シィベリィ・クイン　共訳・荒俣宏・竹上明
【研究】
ウィアード・ティルズ断章・3　荒俣宏
空想S・F史入門・3　エドガー・A・ポオ論・Ⅱ　竹上明
怪奇小説名作パトロール・1　吸血鬼物語・I　荒俣宏
Book Guide・3
【イラストレーション】
道
タイトル画「戦ひが終った」　荒俣宏
インテリア・イラスト　島村義正
〝戦ひが終った〟（ヒロイック・ポエム）荒俣宏
【編集局から】
編集後記
次号予告
お便りのページ
お知らせ

Little Weird 4（Vol.2 No.1）
一九六七年三月一日発行　四十ページ
責任・荒俣（ファンタジイ部）竹上（S・F部）
【翻訳】
大空の巨人　フランク・B・ロング
竹上明・訳
電流と話す男　フリッツ・ライバー
荒俣宏・訳
【研究】
ウィアード・ティルズ断章・4　荒俣宏
新会員からのお便り
【特集】
洋書資料集　パート・1／パート・2
【EDITORIAL】
アメージング誌創刊宣言　ガーンズバック　荒俣宏訳
対談・ポオの魅力　荒俣宏・竹上明
編集後記
次号予告
【イラスト】
「大空の巨人」島村義正
「電流と話す男」荒俣宏
●異次元からの声（お便りのページ）

Little Weird No.5
Pamphletta Issue
Published by The Miscatonicians
一九六七年五月　十六ページ
エディトリアル　竹上明
ウィアード・ティルズ断章・5　WT

概史　荒俣宏
イラストレーション雑感　竹上明
【翻訳短篇】
支那夢想　クラーク・アシュトン・スミス　訳・荒俣宏
●アンケート募集
●次号予告
☆この号のみ判型は横長

Little Weird 6
H・P・ラヴクラフト特集
一九六七年八月十日　三十六ページ
【翻訳】
アドンファの園　C・A・スミス　訳・荒俣宏
失われた楽園を求めて　H・P・ラヴクラフト　訳・荒俣宏
【研究】
初期S・Fの系譜（空想S・F史改題）G・P・サービス①　竹上明
ウィアード・ティルズ断章・6　荒俣宏
怪奇小説入門　荒俣宏
H・P・ラヴクラフト文献　荒俣宏
【イラストレーション】
伴奏者　荒俣宏
アドンファの園　島村義正
失われた楽園を求めて　森島万寿雄
【編集局から】
お知らせ及び後記
お便り
会員住所録
早耳帳

Little Weird No.7（Vol.2 No.4）
Win.'67
一九六七年十一月　三十二ページ
【Feature of this issue】
血は命なれば　F・マリオン・クロフォード　訳・荒俣宏
【Short Stories】
オットフォードの郵便夫　ロード・ダンセイニ　訳・荒俣宏
孤独　エリック・フランク・ラッセル　訳・竹上明
【Studies】
初期S・Fの系譜（G・P・サーヴィス）竹上明
怪談入門・2　荒俣宏
【Illustrations】
血は命なれば　森島万寿雄
忘れられし者（詩）C・A・スミス　荒俣宏
【Other Articles】
Book Guide
異次元からの声
近号予告
編集部から
●表紙・目次：荒俣

Little Weird No.8（Vol.3 No.1）
Spring 1968
Heroic Fantasy Issue 2
一九六八年三月一日　五十二ページ
【翻訳】
コナン・ザ・バーバリアン　ロバート・E・ハワード　訳・荒俣宏
ポラリス　H・P・ラブクラフト　訳・竹上明
【Features】
コナン一代記抄　竹上明
ヒロイックの歴史　荒俣宏
コナン全作品リスト　荒俣宏

ハイボリアン・エイジ世界総覧図
ヒロイック英雄列伝　竹上明
BOOK GUIDE
海外同人誌紹介「アムラ」　竹上明
今号の作家紹介
【Illustrations】
コナン　ヴァージル・フィンレイ／荒俣宏
ポラリス　森島万寿雄
●Editorial　荒俣宏
●異次元からの声（お便りのページ）
●近号予告
●お知らせ

Little Weird No.9
一九六八年五月？　三十ページ
【作品】
ポオを集める男　ロバート・ブロック　訳・大塚勘治
【記事】
空想SF史入門（ギャレット・P・サーヴィス論）　竹上明
Book Guide（アーカムの新刊etc.）
異次元からの声（御便りのページ）
怪談入門Ⅲ　荒俣宏
【本邦初紹介】
吸血鬼小説主要作品リスト　荒俣宏
SF基本図書一覧表　竹上明

Little Weird No.10（Vol.3 No.3）
Summer,'68
一九六八年八月　五十ページ
【Stories】
翼を持つ男　エドモンド・ハミルトン　訳・荒俣宏
アムンゼンのテント　ジョン・マーチン・リーヒイ　訳・竹上明
高利貸　ロード・ダンセイニ　訳・荒俣宏
【Features】
WT断章（7）　荒俣宏
ハミルトン作品リスト　荒俣宏
今号の作家紹介
リトル・ウィアード主催『第一回怪奇ファンの集い』レポート　荒俣宏
出席者・平井呈一他、渋谷カスミにて
2周年記念対談　荒俣宏・竹上明
【Illustratons】
翼を持つ男　バージル・フィンレイ
アムンゼンのテント　島村義正
●エディトリアル（10号記念）
●近号予告
●アンケート結果
●異次元からの声
●Book Guide
●海外同人誌紹介（Anubisの巻）

Little Weird 11th（Vol.3 No.4）
H.P.Lovecraft Issue #2
一九六八年十月？　四十四ページ
Colour Out Of Space　異次元の色彩　訳・荒俣宏
WT断章・8（ク・リトル・リトル神話）　荒俣宏
エディトリアル・お知らせ
ク・リトル・リトル神話全作品一覧　荒俣宏
異次元からの声・近号予告
イラストレーション〈HPL肖像〉　荒俣宏

Little Weird 12

東の国から……

一九六八年十二月二十四日発行

二十八ページ

ラジャアの贈物　E・ホフマン・プライス　訳・荒俣宏

赤道の話　ロード・ダンセイニ　訳・荒俣宏

魔術師の帝国　C・A・スミス　訳・荒俣宏

道を開く者　ロバート・ブロック　訳・荒俣宏

支那夢想　クラーク・アシュトン・スミス　☆第5号よりの再録

Little Weird #13（Vol.3 No.6）

Summer 1969

一九六九年九月十五日　三十二ページ

Little Weird Anthilogy Series No.2

ク・リトル・リトル神話集

（タイプページ）

永劫より　ヘイゼル・ヒールド&H・P・ラヴクラフト　訳・竹上明

（孔版ページ）

エディトリアル

異次元からの声

次号　予告

NECROLOGY

ブック・ガイド

マーケット・プレース

特別資料：ファンタジィ雑誌総覧

（付・寸評）

Little Weird 14

Pegana Press Edition

一九六九年十二月二十四日　五十ページ

Roads: A Christmas Story by Seabury Quinn

☆第3号「道」の改訳版

Little Weird 15

一九七〇年春　三十八ページ

〈特別アッピール〉エディトリアル

アルジャノン・ブラックウッド著作表

リトル・ウエアード（編）

鉄の殉教者　ロバート・ムーア・ウィリアムズ　訳・竹上昭　☆第2号よりの再録

TV放映怪奇映画リスト・解説　三縄克美

帰還　アルジャノン・ブラックウッド　訳・荒俣宏

資料提供：竹上昭

協力：高井信

今、『幻想と怪奇』を繙くと、一九七〇年代という時代と共にあった雑誌だったのだと、あらためて思わずにはいられない。『幻想と怪奇　傑作選』所収の荒俣宏「『幻想と怪奇』の頃」にもあるように、その頃は「異端文学の再発掘ブーム」が、続いて「幻想・怪奇小説の小さな出版ブーム」が起きていたのだから。「四十五年前の日本には勢いがあり、私たちには若さがあった」という言葉どおり、新たな分野を拓く出版社には勢いがあり、書き手にも読み手にも精神の若さがあった。それは続いて創刊された『奇想天外』や『牧神』などの雑誌からもうかがえる。『幻想と怪奇』の休刊は不運というほかないが、二年あまりに発行された十二号が、幻想文学の歴史に一つの里程標を築いたことは、論を俟たないだろう。

約半世紀を経た今、紀田順一郎・荒俣宏両氏の御協力のもと『幻想と怪奇』を復活させる意義は、次頁で述べているので、ここでは編集方針について書いておきたい。新たな『幻想と怪奇』は、オリジナル各号が特集テーマのアンソロジーと呼びうる内容であったことに倣い、またヨーロッパでは出版形態として一般的な、定期刊行のアンソロジーであることを第一とする。そして、オリジナルが旨とした「系統だった作品の翻訳紹介」を踏襲する。そのため、古典作品の発掘と新訳に重きを置くが、その一方で現代作家の作品も注視し、同時に怪奇、幻想、恐怖を核としつつも、ジャンルで壁を築くことなく、類縁の主題や指向性を持つ作品も積極的に紹介していく。さらに、読者の興味を増す一助とすべく、各巻のテーマにまつわるコラムや資料なども掲載していきたい。

諸般の事情で刊行が予定より遅れたため、当初の構想は充分に反映させられたとは言い切れないが、荒俣宏氏の御厚意により収録した同人誌『リトル・ウィアード』の鼎談と資料は、それを補って余りあることだろう。『幻想と怪奇　傑作選』に復刻収録した『THE HORROR』に続き、海外幻想文学紹介の先駆者たちの若さと勢いに触れていただきたい。

次回からは、内容のさらなる充実とともに、翻訳、評論などでの新しい書き手の登場を支援し、二十一世紀の〝幻想〟と〝怪奇〟の拠点たるべく、成長を目指していきたい。宜しく御購読の程を。

（M）

次回配本

『人狼伝説　——変身と野生のフォークロア』（仮）

ジョージ・W・M・レノルズ
アルジャーノン・ブラックウッド
H・R・ウエイクフィールド
フリッツ・ライバー
ニーナ・キリキ・ホフマン　他

二〇二〇年初夏刊行予定

第二次『幻想と怪奇』によせて

牧原勝志

一人でいるときの不安。人のあいだにいるときほど強まる孤独。外に出て目にするのは、理不尽な差別や暴力。さらには、抗《あらが》う手立てもない災害。遠く聞こえるのは、戦火の轟き……。

私たちは今、こんな時代を生きています。

生きづらいどころではありません。気づかなければよかった、と思うほど、この世界は恐怖に満ちています。

しかし、いずれも今はじめて現れたものではありません。先人たちも堪《た》え、抗って生きてきたのです。

ならば、かれらはこれらの恐怖を前に、何を頼りに堪えていたのでしょうか。

それは物語——とりわけ、民話や伝承として長く語り継がれてきた、怖くて、不思議で、奇妙な物語だったのではないでしょうか。

昔だけのことではありません。スティーヴン・キングは、自分が覚えた恐怖を小説に書いて乗り越えている、と、初期短篇集『深夜勤務』（一九七八）以来、ことあるごとに発言しています。現実に我が身に起きるかもしれない恐怖を、書くことで克服し、それを読む人もまた、それぞれの身に起きるかもしれない恐怖を打ち消す。ひとたび物語を通してしまえば、恐怖は——苦痛や死や、世界の破

滅でさえも――刺激的な素材にすぎなくなってしまうのですから。

つくりごとの恐怖を通して現実に目を向ける。たいしたことじゃない、怖くない、と自分に言い聞かせる。この怖ろしい現実を生きていくために、幻想と怪奇の物語は、私たちにとって必要なものなのです。

キングは、彼を代表する長篇作品『ＩＴ』の序文に、こう書いています。

「子供たちよ、小説とは虚構《つくりごと》のなかにある真実《ほんとう》のことで、この小説の真実《ほんとう》とは、いたって単純だ――魔法は存在する」（小尾芙佐訳）

この物語もまた、恐怖を語るものです――読者を怖がらせるためではなく、この言葉を証明するために。子供たちは未知の恐怖に対面することで、魔法の力を得ていくのですから。


一九七三年四月、文学の「もう一つの世界像」を知らしめるために、紀田順一郎・荒俣宏両氏により『幻想と怪奇』は創刊されました。翌七四年十月に諸事情で休刊せざるを得なかったものの、刊行された十二冊が、その後のホラーとファンタジーの出版に与えた影響には大きなものがあります。

創刊から半世紀近くを経た今、「ホラー」や「ファンタジー」という言葉は広まっても、幻想と怪奇の物語が置かれている状況は、あの頃とさほど変わってはいません。その一方で、私たちには自由な想像力がさらに必要とされています。

二〇二〇年、『幻想と怪奇』が長い眠りから目覚め、再び活動を始めます。幻想と怪奇の物語をもって、現実に向き合うために。

そして、現実の中で戸惑い、悩んでいる人々に、心の支えを――自由な想像力を伝えるために。

幻想と怪奇　1
ヴィクトリアン・ワンダーランド　英國奇想博覧會

2020年3月10日　初版発行

編　　集　牧原勝志（合同会社パン・トラダクティア）

発 行 人　福本皇祐
発 行 所　株式会社新紀元社
〒101-0054 東京都千代田区神田錦町1-7 錦町一丁目ビル2F
Tel.03-3219-0921　Fax.03-3219-0922
http://www.shinkigensha.co.jp/
郵便振替　00110-4-27618

協　　力　紀田順一郎／荒俣 宏

題　　字　原田 治
表 紙 絵　ひらい たかこ
デザイン　YOUCHAN（トゴルアートワークス）

組　　版　株式会社明昌堂

印刷・製本　中央精版印刷株式会社

ISBN978-4-7753-1761-7
Printed in Japan